La casa y la isla

Ronaldo Menéndez

LA CASA Y LA ISLA

AdN Alianza de Novelas

© Ronaldo Menéndez
c/o DOSPASSOS Agencia Literaria
© AdN Alianza de Novelas (Alianza Editorial, S.A.)
Madrid, 2016
Calle Juan Ignacio Luca de Tena, 15
28027 Madrid
www.AdNovelas.com

ISBN: 978-84-9104-472-7
Depósito legal: M. 28.456-2016
Printed in Spain

A Teo, la isla envuelta,
la casa que ya no será suya

Estábamos en una isla, debes entender muy bien esto no solamente para entender la realidad, sino también para comprender nuestra posición ante aquella realidad. El que nuestra isla no estuviera rodeada agua sino de tierra firme no cambiaba para nada la situación, ni tenía por qué disminuir el aislamiento. Lo único que podíamos hacer era intentar vivir allí, cultivar la isla y valernos de aquellos pobres objetos que habíamos llevado en los equipajes y que debíamos salvar del naufragio como si de un milagro se tratara. El que no estuviéramos hablando del naufragio de una nave, sino del hundimiento de nuestra propia vida hasta entonces, no cambiaba para nada la situación.

ANA BLANDIANA, *Proyectos de pasado*

Ritmo telúrico

—Esta —dijo Rebeca con un vasto ademán que incluía la pared y el espejo, la sala con cada uno de sus muebles y las ventanas anchas por donde se colaba la noche agujereada de estrellas— era la casa de mis padres. ¡A ver dónde te vas a meter después de lo que me has hecho!

El hombre se ha propuesto soportar con estoicismo absolutamente todo. Sabe que debe sentirse culpable por lo que ha hecho, pero no lo logra. Es por ello que decide poner a prueba, como nunca antes, su capacidad de resistencia. Sería difícil explicar cómo se le metió en la cabeza la idea de que bajo el aluvión de las recriminaciones —su mujer tenía el derecho de lanzarle de la primera a la última piedra— nacería su merecido sentimiento de culpa.

—¿Tú sabes lo que significa hacerme esto a mí, a estas alturas? ¡Yo que te fui fiel como una perra, y mira que oportunidades no me han faltado!

Pedro, siempre filosófico, reflexiona y desaprueba el lugar común que acaba de gritarle su mujer. «En la vida no hay "alturas" —piensa—, más bien se trata de un progresivo descenso (cuesta abajo en su rodada, según el tango) del nacimiento a la muerte».

La mujer no se detiene:

—¡Cabrón! ¡Eso es lo que eres!

A él no se le escapa que el tono más o menos aséptico con que su mujer comenzó a flagelarlo ha ido descendiendo al ámbito pedestre de un común zafarrancho conyugal. Se trata, piensa, de un desgaste platónico, como esas entidades que a medida que se alejan del Ser Supremo van degenerando hasta caer en la condición fangosa de la Nada Material, vamos, que en esta isla todo tiende a deteriorarse más rápido de la cuenta.

—¡Mal rayo te parta, degenerado!

Le preocupan los vecinos, siempre taimados, acechantes, amoscados extramuros de la casa. ¿Qué estarían pensando los vecinos ante aquella trifulca sin precedentes? ¿Qué estará pensando el viejo jubilado de la casa contigua que se pasa la vida escuchando lo que hablan los demás para luego «informar»?

—¡Hijo de puta!

—Rebeca, por favor, piensa en los vecinos…

—Ahora me pides que piense en los vecinos, como si tú hubieras pensado en algo en el momento de metérsela… Pero claro, entonces solo pensabas con esa cabeza estúpida que tienes entre las piernas.

—Rebeca, me niego…

—Debe ser herencia de familia, porque tu madre también se lo hizo a tu padre… ¡Hijo de puta!

Pedro piensa que Rebeca tal vez tenga razón en cuanto a la frontalidad de los hechos, pero sabe que ante aquel escarnio debe ofenderse porque su madre era una santa y grita que todo tiene un límite, que una cosa no tiene que ver con la otra, y que su madre está bien muerta (en el cielo, a pesar de lo que ella piense) y hay que respetar su memoria, y que la máxima de toda discusión es (acaba de inventarlo): no le grites al otro lo que no quisieras escuchar tú mismo.

Luego se va dando un portazo.

Rebeca sabe que esa noche no podrá dormir. Ha quedado respirando el silencio opresivo de la habitación. Y percibe que aquel silencio es íntimo, plomizo, penitenciario. No se atreve a salir al ámbito de extramuros, pues, en su angustia, logra prefigurar el aspecto de las pupilas inquisidoras del vecindario, de esa jauría llamada prójimo que siempre está demasiado próxima.

Entonces, como suele suceder, desfilan ante sus ojos algunas imágenes de su vida. No era posible que Pedro, su Pedro, que tanto la había deseado en otros tiempos, le hubiera sido infiel. No era posible (aunque sí comprensible y hasta histórico) que la infidelidad se hubiera realizado sobre el cuerpo impecable y pecador de una alumna. No era posible que aquello, tan común que parecía constituir las ajenas tramas maritales, le estuviera ocurriendo a ella al cabo de cinco años de fidelidad recíproca. Aunque, para qué engañarse, a esas alturas podía poner en duda incluso la histórica fidelidad de Pedro.

Siempre había deseado irse a la cama con otro u otra. Pero había guardado su fidelidad como una limpia carta de triunfo para el día (el día que no llegaría nunca, había pensado) en que a Pedro se le ocurriera engañarla, proceder ella a fornicar con terceras, cuartas y quintas personas, como en los viejos tiempos. Justicieramente, haciéndole el amor al prójimo y la guerra a su marido. Pagándole con la misma moneda aplacaría el resentimiento y eludiría el lugar común del divorcio. Por tanto no, no, y no era posible que la bella Rebeca, pelirroja hasta el pubis, fuera relegada por su marido para acostarse con otra. Sobre todo porque acababa de saber que estaba embarazada. ¿Acaso valía la pena preguntarse si aquel embarazo inesperado no había sido una tentativa inconsciente de retener a su marido por los siglos de los siglos? Los caminos del señor, sin duda alguna, eran demasiado inescrutables para su gusto.

«Dios mío», susurra. Y enseguida piensa con una sonrisa deshilachada: «Quién dice que todo está perdido, aún puedo ofrecer mi...».

Entonces deja la idea colgando del techo, se ducha (raspando meticulosamente cada peca adherida a su piel, para que brillen más), se cubre con un vestido justo para disimular lo que considera la perfección de su anatomía (omitiendo, desde luego, toda ropa interior), se alisa el cabello añorando por vez primera la magia de las lacas (desde hace años elude rigurosamente al peluquero) y escapa hacia la noche de la ciudad pensando que el corazón es un cazador solitario.

Rebeca, que sabe que esa noche no podrá dormir, penetra en el silencio morado de la noche del Vedado. Nunca antes le había chocado tanto percatarse de que vivía en una ciudad muerta, de automóviles decrépitos, de chicas cuyas piernas se movían bajo telas baratas. Una ciudad donde las piernas provenientes de cualquier tipo de chicas se apuraban en perderse hacia las entrañas de algún automóvil turístico para enseguida abrirse como un reclamo de salvación.

La noche se enquista como una irremediable protuberancia. Se mueve, y al doblar la esquina de la calle 23 con Paseo se percata de que todo el movimiento de la noche es una farsa, como la superficie de una mesa de billar sin troneras. Y lo peor es la metástasis que hace la noche dentro de su cuerpo. Piensa en voz alta:

—Ni un perro se acostaría conmigo hoy.

Cuando llega a la casa todo lo que hasta entonces había sido la aceptable familiaridad de las cosas arremete contra cada una de sus neuronas. Es ridículo aquel televisor marca Panda con una pantalla que parece escupir sus colores chispeantes. Piensa que una marca lleva a la otra. El refrigerador marca Impud ronronea descalabrado y Rebeca cree escuchar el goteo incesante del congelador torcido sobre los *tuppers* sin tapas. La radio es marca Siboney. El único ventilador se llama Caribe. El sofá de la sala con su nicho longitudinal de muelles vencidos es una tumba para ver telenovelas. Sabe, por el olor, que su marido ha regresado.

Antes de tomar alguna determinación decide preparar el sueño, pero enseguida se ahoga porque las cosas nunca son tan sencillas: hace una semana se le acabó el meprobamato, sabe que sin las cápsulas está perdida y a esa hora solo una farmacia de guardia permanecería abierta. El sueño de la razón es la única salvación posible, no importa cuántos monstruos produzca. Ni siquiera es seguro que la farmacia tenga el medicamento. Agarra el teléfono y marca:

«¿Diga?» «Buenas noches, compañero, quería saber si tenían meprobamato o algo para dormir...» «Lo siento, está equivo... Perdón, ¿qué me dijo que necesitaba?» «Algo para poder dormir, tengo un problema crónico de insomnio.» «Aquí no tenemos meprobamato, pero pásese mañana de diez a doce por nuestra nueva sucursal, en la calle 27 y 72, en la esquina.» «Graaacias, entonces hasta mañana...» «La esperamos, compañera.» Y colgó.

Ya que va a tener insomnio, por lo menos que sea el Gran Cabrón quien se acueste en el sofá. ¿Aún quiere echarlo a la calle? Rebeca se prepara para entrar al cuarto y ordenarle que se largue. A la sala, sin ventilador. Se llama Caribe.

Frente a la ventana que da al patio interior fajado de azulejos, Montalbán escribe en su cuaderno rojo:

La Habana no despierta como el resto del mundo. No hay estiramientos ni bostezos urbanos. Esta ciudad despierta de golpe porque el sol aparece como si estuviera sometido a un colosal interruptor. Es un sol redondo y áspero como una bola de papel de lija. Con la excepción del malecón, nunca hay vida en las noches más allá de los ronquidos y el zumbar de los mosquitos, por eso da la impresión de que la gente amanece cansada.

¿La gente amanece cansada? Montalbán relee y no comprende cómo ha podido escribir aquello. Desde el año en que se desencadenó la crisis sobre la longitud de la isla, ha decidido tener toda la paciencia que le falta al mundo y mantenerse firme en sus ideas. «Es pasajero», pensó entonces. Y, seis años después, sigue pensando que es pasajero, solo que él está más viejo. No le gusta haber escrito que la gente amanece cansada porque se parece demasiado a la disconformidad que tanto ha luchado por eludir. La isla, su isla, avanza hacia un futuro lleno de luces y de campos roturados y de médicos con Ladas, como antes. Por eso no puede explicarse qué le sucede esa mañana en que no quiere dar un paso más.

No quiere saber nada del hospital, del salón de operaciones con la nueva enfermera que siempre parece estar gritando. Hoy no se atreverá a tomar la bicicleta y pedalear durante cuarenta minutos. Tiene hambre. No hay nada que hacer en la calle. Tampoco en casa. Entra y sale del cuarto. Ha salido del cuarto porque está sonando el teléfono, y si le horroriza pensar que alguien pueda llamarlo y darle los buenos días, peor aún es contemplar la posibilidad de que lo requieran en el hospital. «Ha llegado un caso urgente, hay que operar y solo tenemos un cirujano para este caso: usted, doctor Montalbán.»

«Usted, doctor Montalbán.» Es la sentencia de vida que hoy no quiere escuchar. Descuelga el teléfono con la mano derecha, que parece una canoa mecida en un mar de nervios. Del otro lado alguien, por milésima vez en el último año, pregunta si es la farmacia. No, está equivocado, se trata de una casa particular.

Fue entonces, en una esquina de aquella mañana indecisa, cuando se le ocurrió utilizar la desquiciada circunstancia de las llamadas telefónicas para algo. Y enseguida supo que no importaba para qué, porque en la absoluta aceptación de sus intenciones ya latía la necesidad de concretarlas. No veía qué podría hacer con *aquello,* pero estaba fecundado por la idea de usarlo. Llegado el momento de dar a luz al acto, podría ver con claridad el aspecto de lo que en ese preciso instante no era más que un embrión. Se sintió otra vez niño, como el niño que solo él había sido en el mundo, cuando dedicaba tardes caldeadas a merodear por los basurales en busca de objetos retorcidos y absurdos: nunca sabía para qué servían, pero los cargaba convencido de que, llegado el momento, revelarían una utilidad precisa.

¿Dónde, exactamente, había empezado todo? ¿Quién lo había llamado por primera vez para preguntar si se trataba de la farmacia? 203 13 85: su teléfono siempre había sido el mismo. Todo se aclaró cuando un día en que por enésima vez alguien preguntaba por la farmacia, él le preguntó a qué número creía que estaba llamando. 203 16 85, fue la respuesta. No fue difícil verificar que el seis quedaba justo debajo del tres en las pizarras de aquellos teléfonos que había distribuido el gobierno para tener a los médicos localizables. Estadísticamente, era imposible que, entre cientos de llamadas diarias a aquella farmacia enterrada en un barrio sucio de La Habana, alguien no equivocara el dedo y comunicara con su enorme caserón republicano. Desde entonces Montalbán supo que ya nunca se libraría de recibir al menos una docena de llamadas al día preguntando por algún medicamento.

Su casa era la única del barrio de Buenavista que aún conservaba la lúdica autoridad de los palacetes republicanos. El resto de las viviendas habían sido transformadas poco a poco. El portal se estiraba con cierto aspecto gubernamental, la planta en ele ceñía el patio rectangular de azulejos sevillanos y por todo el costado se sucedían las enormes habitaciones hasta el fondo, donde estaban el comedor y la cocina, ambos de puntal muy alto. Al final se extendía un terreno sembrado de árboles muy viejos. Ahora toda su casa tenía el aspecto rasposo de un coco seco y dentro del refrigerador solo había agua.

Suena. Han trascurrido dos horas en los anales de la decisión de Montalbán y el teléfono otra vez suena. Y aunque Montalbán parece imposibilitado de movimiento al filo de la prehistoria de su decisión, levanta el auricular una vez más en su vida: «¿Diga?» «Buenas noches, compañero, quería saber si tenían meprobamato o algo para dormir…» «Lo siento, está equivo…, perdón, ¿qué me dijo que necesitaba?» «Algo para poder dormir, tengo un problema crónico de insomnio.» Montalbán traga una bocanada de aire espeso, aprieta los ojos y le dice a la voz del otro lado de la línea: «Aquí no tenemos meprobamato, pero pásese mañana de diez a doce por nuestra nueva sucursal, en la calle 27 y 72, en la esquina». «Graacias, entonces hasta mañana…» «La esperamos, compañera.» Y colgó.

Ha citado a alguien en su propia casa diciéndole que era la farmacia. Se asusta de lo que acaba de hacer y, para que las ideas no se diluyan en la pasta del miedo, coloca uno de sus diez casetes en el reproductor. *Summertime.* Empieza con la versión de Nina Simone. Montalbán tiene solo diez casetes con una única canción: *Summertime,* repetida centenares de veces en distintas versiones. Escucha recostado en la silla que está contra la pared gris:

> *Summertime, and the livin' is easy*
> *Fish are jumpin' and the cotton is high*
> *Oh your daddy's rich and your ma' is good lookin'*
> *So hush little baby, don't you cry.*

Poco a poco logra ir midiendo las consecuencias de su decisión. Lo razonable sería despertarse a la mañana siguiente y cabalgar en su bicicleta con las tripas vacías hacia el hospital, olvidándose de que le había dado cita a alguien diciéndole que su casa era una nueva sucursal de la farmacia. Pero en este instante Montalbán está harto de casi todo. Le gusta esa oscuridad que se ha instalado en todo su ser. Escribe en su cuaderno rojo: «OBSCURIDAD». Así, con «B», es como la siente metida en los todos los intersticios de su cuerpo. Para esperar a la dueña de la voz tampoco podrá ir al hospital al día siguiente. Da vueltas alrededor de su bicicleta ucraniana y experimenta un regocijo virgen. Eso, la segunda consecuencia de la decisión de

Montalbán es la de ponerle los cuernos a su aborrecible bicicleta ucraniana. Púdrete, bicicleta del infierno.

Y, como decidió no volver a salir de su casa, no enfrentar
el día a día sudoroso en el hospital donde era médico residente, yo empecé a perderle el rastro. Nuestra amistad de años se
había ido aplazando sin una interrupción definida, pero el
grupo de amigos se fue desintegrando y el médico Julio César
Montalbán dejó de escribir poesía y de asomar su chata nariz
de negro risueño en nuestras tertulias.

Y ¿qué iba a hacer con la dueña de la voz que quería ser
dueña de un sobre de meprobamatos cuando apareciera en su
casa, pensando que era la farmacia?

A la mañana siguiente, antes de ir a la nueva sucursal de la farmacia en la esquina de 27 y 72 a buscar el meprobamato, Rebeca decide poner en conocimiento del Gran Cabrón su grave y grávida situación.

—Pedro, supongo que esto es ahora una muy mala noticia: estoy embarazada.

Una semana antes, cuando había confirmado su estado, su tía concluyó que un increíble gusano estaba usándola como crisálida, con la peculiaridad de que no iba a nacer mariposa, sino ontológicamente gusano, con baba y todo. Qué era eso de salir preñada sin más ni más, como los negros, como la gata chamuscada del vecino, como si ellos tuvieran comida para llenarle la barriga a la larva intrusa. Una auténtica tragedia demográfica. Su última esperanza había sobrevivido siete días hasta que Pedro regresó de dar su clase en la universidad y le dijo muy sinceramente que le había sido infiel. O con más exactitud, que le estaba siendo infiel desde hacía noventa y tres días, todos los días.

Ahora, ese mismo hombre que debería tener el rabo más entre las piernas que nunca, se rasca la cabeza, mira por la ventana y produce una *insoportable* cantidad de silencio.

—¿Me has escuchado? —Rebeca tiene demasiadas ganas, en este punto, de golpear y golpear y golpear.

—Claro que te he escuchado, Rebeca, estás embarazada.

Pero aún tuvieron que gotear sesenta minutos para que Pedro decidiera manifestar, muy sincero, su punto de vista con respecto al embarazo de Rebeca. Aseguró filosóficamente que aquello no podía ser cierto y trató de convencerla: Ser es ser percibido, y por ningún lado él reconocía los signos, ni siquiera el aura, del engendro. Pero enseguida ella se alteró, irreconocible, despeluzada, solariega, levantó su falda en la intimidad de la alcoba conyugal plantando su mano sobre el sector por donde suelen salir los niños y le gritó al desconcertado sofista que mirara bien, porque por ahí él le había metido *aquello* y en algún momento iba a salir *lo otro*.

Ante esta enérgica exhibición, Pedro tuvo que admitir la posibilidad de verse convertido en paterfamilias, con manos diligentes para el excremento infantil, copiosos insomnios y altercados homicidas en la adolescencia. Y enormes colas en el consultorio de un médico de barrio para cada chequeo rutinario. No obstante —hombre devoto de la persuasión—, intentó demostrarle a su cónyuge las ventajas de extirpar *aquello* antes de que se convirtiera en una boca más vagando por el universo. Agregó con metafórica franqueza que hoy en día, en este país, ya no se ve pasar a los hombres con un pan al hombro, y mucho menos se ve nacer a los niños con un pan debajo del brazo. Pero Rebeca era un útero pensante ansioso por pujar cuando y cuanto fuera necesario, y luego cargar, incluso ella sola, con las consecuencias.

Pedro no volvió a dirigirle la palabra hasta una hora después, cuando la descubrió vomitando, y todo lo que dijo, con la lengua enredada por la incertidumbre, aludía vagamente a una conversación que retomar en la tarde. Treinta minutos después de dilatar un silencio tan hablador como el de las serpientes, el marido decidió informarse acerca del tiempo de incubación. «Ocho semanas» fue la biliosa respuesta de Rebeca antes de darse la vuelta y correr al baño. Su hijo nacería dentro de siete meses si todo transcurría a natura.

—Tengo que irme, ya llego tarde a la universidad.

Rebeca alzó una mano como si estuviera posando para que imprimieran su efigie en los billetes de diez pesos, pues el peso de su decisión se había distribuido a lo largo y ancho de todo su insomnio sin llegar a concretarse. Lo que quería decidir era si estaba dispuesta a que su marido volviera a casa o debería advertirle que se fuera buscando un despiadado sofá en la casa de algún colega piadoso.

—Luego seguimos hablando, Pedro: vas a tener que contármelo todo sobre esa guaricandilla alumna tuya que te has estado templando.

El plan de Rebeca incluía, muy lógicamente, la información-acerca-de-la-guaricandilla-esa, pero, convencida una vez más de aquello de que el pensamiento se forma en la boca, Rebeca acababa de decidir tener-listas-las maletas-del-cabrón cuando regresara en la tarde, de modo que el interrogatorio coincidiría con el corredor de la muerte. ¿Cómo se llamaba la guaricandilla que se acostaba con su marido? Era un punto importante, tenía que preguntárselo.

Pedro se dirige ciclísticamente a la Facultad de Física a dictar su curso de Teoría y Práctica de la Termodinámica. Ahora pedalea y piensa en lo complicado que es mantener la continuidad de sus ideas acerca del Problema, pues con cada impulso del pedal las revoluciones deben enfrentarse a grandes obstáculos de índole mecánica y termodinámica. Lo más fastidioso no son los baches, sino los baches con agua, y dentro de este orden lo peor son los baches con aguas albañales, esto en cuanto a la mecánica. Termodinámicamente, se le derrama encima todo el calor del trópico a las once de la mañana, haciendo que los pelos se le peguen a la frente y una catarata de sudor ácido vaya tomando por asalto sus cuencas oculares. Pero lo peor son las salpicaduras aceleradas por las ruedas.

Hace más de un año, delante de su casa (la casa de los padres de Rebeca) apareció un manantial. No hizo falta ningún Moisés para que durante la noche brotara abundante agua del corazón del pavimento, en medio de la calle, justo ante su puerta. Era uno de esos raros días en que Pedro no miraba al suelo sino al cielo, y no fueron necesarias más de tres revoluciones para que el hombre pedaleante constatara no solo que un cuerpo sólido desplaza un volumen de líquido equivalente a su propio volumen, sino que la fuerza centrífuga de las ruedas lanzaba sobre su camisa amarilla una invasión de alfileres de agua pútrida y colgajos barrosos. El manantial provenía de la convergencia de veinte fosas sépticas donde desaguaban los baños de medio centenar de hogares atestados de negros, y nadie podía explicarse cómo era posible que las aguas subterráneas hubieran hecho esa colosal erupción durante la noche. Pedro tuvo que dar media vuelta, emitir un par de blasfemias contra Dios y contra el gobierno, y regresar a su baño sin ducha para arrojarse tres cubos de agua más o menos potable que le quitaran aquellos detritos que parecían estar vivos, ocultos incluso tras el pabellón de la oreja y en la nuca.

Ahora Pedro pedalea hacia la Facultad de Física y piensa en su joven amante. La chica, ante todo, era muy dueña de su nombre. Se llamaba Anabela, y además era doce años más joven y refulgía ahí, sentada en la segunda fila de cada clase, mirándolo con los únicos ojos que lo habían mirado de Aquel Modo. La cosa había empezado por los nombres. Casi nominalista, Pedro solía repetir que «la palabra es la cosa», de modo que cuando meses antes, en vísperas de comenzar el semestre, había revisado la lista de sus inminentes alumnos, se tropezó con la palabra más bella del mundo pegada a un papel: Anabela. Entonces, simplemente, se puso nervioso.

Y continuó nervioso durante aquella clase en que tenía que explicar la segunda ley de la termodinámica de modo que los pardillos pudieran entenderla. Dijo, mirando dentro de los ojos azules de Anabela, que la naturaleza prefiere unos estados en lugar de otros. Que imaginaran, por ejemplo, qué ocurriría si, casualmente, en un momento dado, todas las moléculas de oxígeno de aquella habitación se reuniesen en un metro cúbico del espacio. ¿Qué pasaría entonces? Elemental (quiso decir: Anabela moriría por asfixia) que todos moriríamos asfixiados. Pero eso no va a ocurrir (Anabela, quiso decir) porque existe algo llamado la ley de las probabilidades (probablemente no seas lo que pareces ser, Anabela, pero me gustas) y, en este caso (el particular caso de tus ojos inolvidables), la ley de las probabilidades no hace más que reflejar los condicionamientos de la segunda ley de la termodinámica (el calor manda). Volviendo al punto principal, la naturaleza prefiere ciertos estados en lugar de otros (yo preferiría, quiso decir, no estar ciertamente casado en este instante), de modo que las moléculas libres de cualquier sustancia ejercen dicha libertad mediante su tendencia al caos. Si una molécula libre choca con otra de igual condición, la que tiene más energía llega a cederle parte de su energía a la otra (¿quién chocará con quién? Y, cuando choquemos, ¿quién tendrá mayor temperatura?); es por ello que, si dos cuerpos se ponen en contacto, el de mayor temperatura irá cediendo parte de su calor al otro hasta que se equilibren. Y esto es lo que viene a explicar la segunda ley de la termodinámica o ley de la entropía: (tendemos al caos, Anabela, aunque estemos ciertamente casados y cansados de lo mismo, o, dicho de otro modo, basta que a las moléculas les otorguen cierto grado de libertad para que tiendan al caos y equiparen energías)... Y se quedó sin palabras en este punto, tragándose su propio paréntesis.

Con la goteante acumulación de las clases, el profesor había podido constatar que, además de unos ojos marinos inolvidables, la chica también tenía una nariz larga y *sexy* y unos labios de diseño. La primera conversación ocurrió un mes después, cuando Pedro había decidido pisar, por puro alarde, el explosivo terreno de la mecánica cuántica. Estaba diciendo que una explosión era una primera emisión de partículas *gamma,* aceleradas por algún material radioactivo, que destroza los enlaces atómicos a su paso, provocando nuevas emisiones que a su vez

provocan nuevas emisiones que a su vez

provocan nuevas emisiones...

Entonces la chica de ojos inolvidables acotó con voz lo suficientemente audible: «Y así hasta el infinito, que es un *ocho acostado*». Y aunque lo del infinito, hablando con propiedad, era un error (nada dura para siempre), lo del ocho acostado *sí* que le había gustado al profesor. Lo curioso fue que no pudo evitar pensar que la convergencia entre un seis y un nueve formaba ese famoso 69, que si uno lo juntaba lo suficiente, bien apretadito, era una especie de ocho acostado, metido dentro de un círculo (que era la mejor forma del infinito, según Stephen Hawking) y también se parecía al símbolo del yin y el yang. ¿Y qué más?

Tuvo que pasar otro tibio mes para que ocurriera el primer diálogo, con guiones y todo:

—Cooño, mira por dónde caminas... Ah, profe, es usted, perdón, perdón...

Acababan de converger, a través de la efímera irrupción de realidad que nace de un tropiezo, al doblar uno de los pasillos de la facultad. Anabela no tenía la menor idea de cuáles eran las palabras imprescindibles para redimirse de tropezar con su admirado y más o menos joven profesor de Termodinámica. Pedro se lo puso fácil:

—No te preocupes por tropezar conmigo, eres una molécula libre.

—Y las moléculas libres suelen tropezar con otras moléculas libres...

Visto así, daba la impresión de que: 1) la chica era mentalmente agilísima en eso de encontrar una buena respuesta; 2) había tenido suerte. Ninguna de ambas afirmaciones era cierta en este caso. Anabela llevaba aproximadamente tres meses de clases estudiando el modo en que podía lanzarse dentro de lo que consideraba la termoestática piscina del alma de su profesor y, para ello, no tuvo mejor idea que prefabricar unas palabras muy parecidas a las que acababa de pronunciar. Nunca llegó a imaginar que sus ensayos de lanzarse un clavado en la vida de Pedro estarían avalados por la accidental perfección de un tropiezo.

—Vamos, profe, le invito a un café allá abajo, por mi torpeza.

Pero como «allá abajo» significaba «en la pequeña y promiscua cafetería de la facultad» y Pedro estaba termodinámicamente lleno de intenciones para con su alumna sin ser él una molécula libre, no estaba dispuesto a exhibirse antes de... Quería atreverse, pero no de aquel modo:

—Ahora no tengo tiempo. Anabela te llamas, ¿cierto?

—Qué pena, profe, y a mí que me hacía falta preguntarle un par de cosas sobre las ecuaciones de Maxwel. —Aquello era más de lo mismo: Anabela no tenía absolutamente ningún problema con Maxwel, sino que había decidido usarlo como coartada un mes antes.

—Para eso siempre tengo tiempo. —La coartada rendía unos frutos insospechados—. Entremos aquí.

El aula era cuadrada, con una mesa redonda en el centro para los conciliábulos y los pupitres de trabajo individual pegados a lo largo de tres de las paredes. Detrás del colosal pizarrón, que tapaba una de las hileras de sillas, se sentó la alumna de nariz larga y *sexy* junto al profesor casado y cansado. Al cabo de treinta minutos no había Maxwel capaz de interponerse entre ambos. Salvo esta excepción, toda la termodinámica del universo había comenzado a hacer su efecto sobre la longitud de ambas pieles y en lo recóndito de ciertos órganos internos. Así que la naturaleza prefirió un estado en particular en lugar de otros y, a favor de toda ley de probabilidades, Pedro y Anabela fueron respirando el mismo oxígeno cada vez más tibio hasta que se besaron despacio. Y luego con hambre. Y luego pasaron el resto de la tarde escondidos tras los árboles con lianas de un parque cualquiera de aquella ciudad que, de repente, se les hacía soportable, casi encantadora.

La primera vez, en la habitación de casa de la abuela de ella, no hicieron nada porque al profesor se le escabulló su erección apenas hubo comenzado. El miedo. Los nervios. Las expectativas que él sabía que ella tenía. La falta de alterne con otro cuerpo que no fuera el de su mujer. Luego, a lo largo de noventa y tres días, hicieron el amor limpiamente. Hasta que, la víspera de este día de pedaleo, habían hablado por última vez:

—Anabela: he tomado la decisión de contárselo todo a mi mujer, no puedo más con esta situación.

—Pero... ¿estás o no enamorado de tu mujer?

—Y de ti. —Efectivamente, desde hacía una semana, Pedro se estaba volviendo loco de asombro ante el hecho, inédito en la caldera de su alma, de creerse enamorado simultáneamente de dos personas.

—No sé, no me parece; intuyo que no es el momento todavía —dijo Anabela.

—¿Por qué? ¿Tienes miedo? Mira, no tienes por qué sentir consideración, no le debes nada... Ni siquiera soy padre.

—Le temo al dolor, que ahora puedes soportar, pero, si haces lo que estás pensando, todo puede empeorar, y ese dolor puede afectarnos mucho, pues...

Pedro impuso tres dedos suspensivos acariciando el pelo muy negro y corto de Anabela. Miró el azul de sus ojos inolvidables y le prometió que se lo pensaría, que quizá tuviera razón y aún no era el momento.

Mientras pedalea pensando en su joven amante y en todo lo que tiene que contarle, Pedro se acerca a la esquina de la calle 31 con la avenida 70. Entonces, en el instante en que fuerza los pedales para huir del agua sucia y entrar en la curva, es imposible que sepa que aquella había sido la última vez que hablaría con Anabela. Un enorme camión lo impacta y le pasa por encima. Ni siquiera le da tiempo a pensar en sus ojos inolvidables.

A las 11:30 a. m. suena el teléfono de Montalbán, que no está dispuesto a contestar, pues, a esas alturas, su maestro, el doctor Pérez Solar, debe estar tratando de asimilar el desafío de aquel segundo día de ausencia de su principal médico residente. Poco después de su decisión le ha dado por fantasear que es un psicópata, alguien que le ha tendido una trampa a una voz de mujer al otro lado de la línea. Se imagina torturándola a través del acto de someterla a una sesión sostenida de capítulos de *Mesa Redonda Informativa*, que es el programa de la tele donde se analizan los muchos problemas que tiene el mundo y cómo el Imperialismo oprime al pueblo cubano.

Se avergüenza de haber supuesto que las *Mesas Redondas Informativas* sean un chiste y una tortura cuando él las necesita, las absorbe como una tierra seca y las deja fructificar dentro de su cabeza, segregando el aliciente de que el mundo es un lugar injusto a excepción de su isla, que resiste contra vientos, mareas y alevosas comisiones de derechos humanos. Toma otra vez su cuaderno rojo y dibuja un televisor con una escena de *Mesa Redonda Informativa*.

—Me dijeron que aquí había una farmacia..., no lo entiendo.

Mientras termina de dibujar, sentado a la mesa señorial frente a la ventana de la sala, Montalbán escucha aquella frase que lo alerta: todo su cuerpo, de repente, se ha transformado en un cardumen de nervios.

Teme que la mujer se aleje.

—Espere, espere —la ataja, inclinándose y dejándose ver entre los barrotes—, tiene razón, espere...

La última frase se le enreda porque ya sus zancadas devoran la distancia entre sus nervios y la puerta. Ojos negros y pelo rojo. La mujer pone cara de que nada la asombra mientras recorre con la vista cansada aquel amasijo negro de ansiedad —Montalbán es negro, negrísimo—; ambos parecen estar en el instante previo a que unas luces inauguren un espectáculo.

—¿Sería tan amable de entrar? Quiero explicarle lo que ha pasado y darle unos meprobamatos. —Y al no poder aprehender a aquella estatua de cal que tiene delante, agrega como si estuviera mintiendo—: Soy médico.

Cuando entra en la casa, la mujer no es una estatua: es una estatua decapitada.

—Yo soy Montalbán..., ¿y usted?

—Rebeca. —La estatua vuelve a tener rostro. Es la estatua más hermosa que el negro Montalbán ha visto en su vida.

Rebeca no se sienta y Montalbán no se lo pide.

—Mire, aquí llama mucha gente preguntando si es la farmacia, y no sé, cuando ayer la escuché sentí que su voz no era como otras, que había algo distinto...

Rebeca no lo mira; se detiene en el cuadro de un gallo, casi fosforescente, colgado en la pared del fondo.

—... y cuando estaba a punto de aclararle que se había equivocado, tuve el impulso irracional de mentirle diciéndole que esta era una sucursal de la farmacia...

—Y ese gallo ¿es de Mariano Rodríguez?

—Sí, es un grabado original, me lo regaló un paciente... Entiéndame, ayer no quería salir de casa, ni ayudar a operar a nadie, y de pronto entra esa llamada suya.

—¿Por qué me mentiste exactamente? Y tutéame, que no soy una vieja. —Mientras Montalbán le hace un gesto para que se siente, Rebeca decide dar una vuelta por el enorme salón sin alzar la vista, como si estuviera allí con el concienzudo propósito de hacer el inventario de cada una de las sombras que los pesados muebles proyectaban sobre el suelo.

—Toma. —Montalbán le tiende un sobre de meprobamatos—. ¿Quieres un poquito de café?

Unos minutos después regresa con una pequeña bandeja de madera labrada y dos minúsculas tazas.

—También he traído esto —le dice, colocando sobre la enorme mesa de caoba un plato con bultos que parecen cartones arrugados.

—¿Café y masitas de puerco? Qué gracioso.

Mientras Rebeca las va comiendo una a una, Montalbán la observa con la actitud de un animal que se sabe subalterno ante otro miembro de la manada. O tal vez todo lo contrario, como un depredador que ha puesto un señuelo.

—Le debo una disculpa, Rebeca.

—Tutéame.

El silencio que sobreviene resulta tan compacto que, si pasara una moto, la mañana dentro de la sala podría quebrarse en mil pedazos de astillas brillantes.

—Tengo sueño —dice, de pronto, Rebeca—, un sueño riquísimo. Anoche no dormí nada.

—A ti te pasa algo muy malo, ¿cierto?

—Ayer me habría matado —Rebeca tiene la mirada fija en el grabado del gallo—; si hubiera tenido estos meprobamatos, me los habría tragado todos.

Montalbán expulsa un híbrido entre la burla y la tosecita nerviosa.

—¿Y qué es lo gracioso ahora, tipo raro?

—Perdón, es que soy médico… y el meprobamato no mata a nadie.

El bostezo de Rebeca parece capaz de detener los relojes *kitsch* de imitación antigua colgados en la sala.

—Si quieres —susurra Montalbán, como temiendo despertarla—, puedes acostarte un rato: hay cinco habitaciones vacías.

La estatua de cal hace mucho que dejó de serlo para convertirse en una entidad paradójica: un ser blando y alerta, una especie de gelatina inteligente.

—¿Quieres que me duerma en un cuarto de esta casa enorme? ¿Y después qué toca, que me violes?

Montalbán se sorprende al escuchar lo que sale de su propia boca:

—Total, chica, si dices que ayer ibas a suicidarte.

—Ya, pero… —Rebeca parece despabilarse de golpe—. Bueno, de acuerdo, llévame a un cuarto, tienes más aspecto de guanajo que de violador.

Abandonan la sala, atraviesan medio patio fajado con azulejos sevillanos y Montalbán le abre una puerta hacia una habitación de puntal muy alto presidida por una cama casi blanca. Era la habitación que una vez fue de su madre y luego de su tía Erlinda, la negra santiaguera.

Rebeca ha quedado profundamente dormida.

Montalbán está en la parte de atrás de la casa mirando las musarañas.

Dos horas después Rebeca no despierta como nueva, sino como vieja. Al principio revuelve el rostro bajo el síndrome del filósofo chino y la mariposa, y el espejo que tiene delante le juega la mala pasada de meterle una mujer extraña en la habitación. Blanquiñosa inmunda. Fea, bruja, vieja bruja. Se atraganta de lágrimas. El azogue manchado le devuelve una expresión plomiza y una piel que se le antoja apergaminada sin serlo, y unos ojos sin ojos, y una boca pastosa que enseguida comparte con la mujer más o menos familiar que sigue en el espejo.

Rebeca sale del espejo y comprueba que el baño es amplio y que la habitación contigua está vacía. Vomita. ¿Y su anfitrión? El oído le devuelve un silencio como dentro de un caracol grande, un escándalo de barrio que a esa hora parece murmullo. Pero nada que delate a su anfitrión.

Comprueba que la puerta de su cuarto permanece cerrada desde dentro.

Comprueba que aquel espejo sigue tragando lo que ella le eche.

Se saca el vestido de flores azules delante del espejo. Fea, bruja, vieja bruja. Su ropa interior de dos años es amarillenta. Su piel de veintipico años es muy blanca. Le gratifica la calma amniótica de un vientre que aún no está abultado. Cuando se quita la ropa interior, con la idea de vestirse inmediatamente, se reconcilia de golpe con el espejo. Desde los catorce años puede pasar los mejores minutos de su vida abarcando con los tenedores de sus dedos la ensalada espesa y roja de su pubis. Le gusta que se le enreden. Le gusta que, tras desenredarlos, tenga un aspecto más vivo, de flor iluminada y quieta. Por eso hace mucho ha decidido no podar absolutamente nada allá abajo.

Se viste con miedo y sale de la habitación. La casa se parece a su dueño. Hay un orden, un abandono en ese orden y una atemporalidad por todas partes que le provocan algo parecido al vértigo. El patio de tierra, cruzado de árboles, parece una circunferencia mordisqueada en su perímetro. Hay habitaciones tras habitaciones frente a un patio de losas rojas y azulejos verdes y rojos. ¿Por qué azulejos? Rebeca los recorre con dos dedos mientras avanza hacia la sala. Deberían llamarse verdejos o amarillejos, según el caso.

—Y qué, ¿dormiste bien? —le pregunta Montalbán.

—¿Y eso qué importa? En algún momento voy a salir por esa puerta, ya no voy a suicidarme, y le voy a decir a mi marido que se largue y que hoy me acosté con un negro loco que la tenía enorme.

En el momento en que Anabela notaba que la luz del exterior de la cafetería proyectaba sobre la superficie del café la figura oblicua de una ventana, una voz le dijo que ese día no habría clase de Termodinámica, que había sucedido algo grave. Luego, otra voz entró en el círculo de los rostros perplejos e informó que el profesor Pedro había tenido un accidente. Lo único que pensó Anabela, en ese instante, fue que el reflejo de la enorme ventana parecía una minúscula alfombra sobre el café de la taza. Luego pensó que el azar es una moneda muy pequeña con la que se suele comprar algo muy grande. Pero, cuando el pasillo de la Facultad de Física se convirtió en un torrente negro bajo sus pies y sus ojos fueron cajas de agua, pensó que aquello había ocurrido *por algo*.

Fue sencillo averiguar en Secretaría la dirección del profesor y decidir sobre la marcha que iría a aquella casa sin un propósito concreto, como si su decisión fuera un simple trámite, una formalidad bajo el peso irreversible de que la única manera de aliviarse era enfrentándolo todo. Se asombró de no haberse asombrado antes de que aquella ciudad pudiera estar siempre peor. Parecía que las calles y las casas habían sido bombardeadas de miseria. Imaginó una bomba creada en sórdidos laboratorios, el último grito tecnológico de la carrera armamentista: la experimental bomba de la miseria. Las dejaban caer en las noches que eran lápidas de sueño y no hacían el menor ruido. Ni hongos. Ni *flashes* boreales. Ninguna onda expansiva acelerando la carne perpleja contra las paredes. Cada noche caían bombas de miseria sobre la isla del sacrificio y cada mañana los moradores, al salir de sus casas-refugio, podían apreciar los daños colaterales: los ómnibus ostentaban racimos más grandes de personas colgando de las puertas, las casas estaban más agrietadas, la montaña de basura por recoger en la esquina se había duplicado, inexplicablemente no había agua o se prolongaban aún más los apagones y las moscas que tomaban por asalto las mesas domésticas parecían volar detrás de una lupa de lo mucho que habían engordado. Los habitantes hacía tanto tiempo que vivían en aquella guerrita peculiar que ya se habían acostumbrado. A nadie se le ocurría concebir que pudiera haber una tregua, cesar por un mes el bombardeo de la miseria.

Presionó el timbre sin tener la menor idea de qué iba a decirle a la esposa de su amante.

—¿Dime? ¿A quién deseas?

Era una señora algo mayor que no podía no ser gorda, pero que por el momento apenas asomaba la nariz, como si se tratara de un arma para protegerse de los intrusos. La sonrisa de Anabela se debió exclusivamente al hecho de darse cuenta de que aquella pregunta de «a quién deseas» nunca había sido más irónica para recibir a una amante.

—Soy alumna de Pedro, y me han informado…

—¡Ay, *mi'ja,* qué tragedia!

La mujer había empezado a llorar como si su interlocutora fuera quien acabara de darle la noticia. Era un llanto feo, impúdico, autocontemplativo.

—Cálmese, señora…, cálmese. ¿Usted…?

—Perdona, *mi'ja,* es que con este problema… Soy la tía de su mujer, ¿conoces a Rebeca? Pasa, pasa… Perdona, tómate un cafecito conmigo.

—No, no se preocupe, solo quería saber... —Sintió que, si no se callaba, lloraría ella también.

—¿Sabes dónde está Rebeca? Por favor, dime que está contigo, o con otra amiga...

—¿Cómo dice?

—Que ha desap... —La mujer volvió a atragantarse de lágrimas—. Bueno, se ha ido, nadie sabe dónde. Llamó a la vecina y dejó dicho que regresaba en unos días... Ay, Dios mío, no lo entiendo. La verdad es que nunca entiendo las cosas que hace. Nosotros todavía no sabíamos de la tragedia, y ella no sabe nada aún. Y, con el embarazo...

—Creo que mejor nos tomamos ese cafecito, si no le importa. —Nada podía ser tan terrible como lo de Pedro, pero el embarazo era una variable demasiado monstruosa para que pudiera ser despejada en soledad, de modo que Anabela olvidó todos los llantos allí presentes y decidió entrar, sobre todo porque la tal Rebeca no estaba.

Pero Rebeca sí estaba.

En el centro de la pared más grande de la sala, frente al sofá azul y descosido, el rostro de una enorme fotografía era todo lo que Anabela necesitaba para sospechar que quizá Dios —y el diablo— existían. Cuando había escuchado a la mujer plañidera diciendo que la esposa de su profesor se llamaba Rebeca, ni siquiera se había fijado en el nombre. En Cuba había miles de Rebecas. Y ahí tenía la foto de un rostro pelirrojo, el cuerpo envuelto en un vestido vaporoso. La nariz altiva, unos ojos como de ciervo quieto y una sonrisa fácil que parecía alejarla. Pero el resto del cuerpo daba la impresión —o tuvo Anabela esa impresión— de estar saliéndose de la foto. ¿Aquello era una broma? ¿Estaba alucinando? No, no, no. ¿Qué significaba que fuera *esa* Rebeca?

Cuando la señora regresó sosteniendo dos pequeños vasos de café, Anabela supo que estaba a punto de sufrir un desmayo. Comenzó por un erizamiento en las axilas y por la sensación de que Rebeca avanzaba hacia ella: no era la visión de Rebeca derramándose fuera de la foto, ni un encuadre alucinado, sino algo real, la suave certeza de que la mujer de la foto se le había acercado tanto que podía oler su aliento y sentir la temperatura de su cuerpo a esa hora del día. Anabela sostenía el vaso y notaba una cascada de pelos que no estaban, pero que le crecían a lo largo de todo el cuerpo. Punzantes. Mientras hilvanaba una palabra y otra sin enterarse de lo que hablaban, se iba hundiendo en esa nube. Y Rebeca parecía entrarle dentro. Poco a poco comenzaba la recolocación de las vísceras, un calor en la piel que le helaba la sangre. Tenía que aferrarse a algo para no gritar; tragó el café, apretó el vaso. No supo más: lo siguiente que vio fueron los pies de la pobre señora y la voz que bajaba hasta el suelo musitando un «Ay, Dios mío»; entonces supo que había gritado antes de desmayarse.

—Perdone —le dijo a la horrorizada señora cuando se puso de pie—, hace años, en sueños, me secuestraron unos extraterrestres y no quisieron devolverme a la vigilia hasta que consumaron sus experimentos con mi cuerpo. Por eso me pasa esto, así, sin más. Le ayudaría a limpiar todas esas babas que han quedado en el suelo, pero creo que usted prefiere que yo desaparezca cuanto antes.

Y ya en la puerta, aún mareada, le tendió un pequeño trozo de papel:

—Es mi teléfono, si Rebeca vuelve a llamar y deja una dirección o cómo localizarla, avíseme.

Anabela había mentido: no creía que unos extraterrestres la hubieran secuestrado para hacer experimentos; ella misma estaba convencida de ser una extraterrestre, dada su milimétrica e ilimitada buena memoria.

Sí, en un rapto de desidia o a causa de una simple amigdalitis, Anabela se hubiese negado a contestar el teléfono dos días después, la historia de aquellos tres, metidos en una casa perdida en una isla, no hubiera ocurrido. Y yo no habría entrado de aquel modo en sus vidas. Pero Anabela descolgó el teléfono y habló con la tía de Rebeca. Y, acto seguido, marcó el número que la buena señora le había dado y habló con un desconocido: «Me llamo Montalbán». Cuando confirmó que Rebeca seguía estando allí, le dijo:

—Dile que soy Anabela y que voy a ir a verla mañana mismo. Su marido ha muerto en un accidente, pero déjame a mí darle la noticia.

Se levantó antes de que empezara la mañana y estuvo una hora metida en la bañera carcomida y mohosa, maldiciendo el hecho de que en aquella isla ya no existieran la espuma de baño ni las cremas ni casi ninguna otra cosa para una mujer que estaba a punto de tener una cita de esas que ponen rocío salado en las manos y saltamontes en el pecho. Se secó meticulosamente, repasó su pubis con unas tijeras, dejándolo en una insinuación que nacía muy abajo, lloró de un modo profiláctico ante el espejo la muerte de su profesor Pedro, el marido de Rebeca, y sumió en radical alopecia sus axilas. Luego eligió su mejor vestido de verano, que estaba raído como todos los demás que no tenía más remedio que usar, y salió a la calle pensando que la vida era una moneda blanda si se la aprieta entre los dientes.

Una hora después de caminar bajo el sol, pone su mano pequeña sobre la aldaba con cabeza de león de la enorme puerta y, cuando lo hace, siente que la aldaba no solo le muerde la mano, sino también el vientre. Abre Rebeca, y se habrían estado midiendo durante un tiempo imposible de abarcar en el movimiento de los astros de no ser porque Montalbán aparece tras el biombo del camisón de Rebeca para frustrar todo preámbulo:

—Tú debes de ser…

—Anabela.

—Yo soy Montalbán.

—Déjala que pase —dice Rebeca, que no tiene la menor idea de que su marido ha muerto.

Todo se reconoce entre ambas: las manos y los ojos y el tiempo transcurrido sobre cada cuerpo. El pasado, como suele decirse, regresa con su peso muerto. Ambas entienden que no hace falta estirar las manos en una presentación ni estirar el momento de sentarse frente a frente en la sala; sin embargo, una vez sentadas, vuelven a medirse dentro del temor que posee, ante su inminente víctima, quien tiende una trampa. Mientras se alargan aquellos instantes de contemplación, Montalbán desaparece hacia el resto de la casa con la misión, asignada por Rebeca, de prepararles un cafecito.

—Y bien —empieza Rebeca—: ¿qué es lo que tienes que decirme después de tanto tiempo?

Anabela

Puro teatro

Si la buena memoria fuese un problema, Anabela tenía uno que parecía superarla. Nadie llegó a darse cuenta de su desmesurada capacidad para recordar ciertas cosas hasta que empezó la escuela. ¿Qué recuerda Anabela, ahora que tiene veintitrés años, de aquella mañana remota en que su madre la llevó a romper el hielo de su primer día de clases? Lo extraordinario no es que recuerde con lujo de detalles ese pedregal ocre con matas de mango al que llamaban patio del cole —tentado estoy de apuntar que recuerda con nitidez las formas de las tres matas y cada nervadura de cada hoja—, sino que además recuerda todos los detalles del vestuario de tres madres que se le cruzaron cuando iba hacia la formación.

Una vez en la fila, con su uniforme rojiblanco y los zapatos feos que acababa de comprarle su madre y que tanto la avergonzaban, Anabela oyó que una maestra que estaba vestida con un pantalón negro muy apretado comenzaba a leer los nombres de los alumnos de primer grado. O sea, del subconjunto pardillo al que ella pertenecía. Y no tardó en oír su nombre. Entonces levantó tímidamente la mano —Anabela era más tímida que un pez— y la mujer del pantalón negro dijo: «¿Anabela? *Pa'l* aula de la maestra Marta Abreu». Y señaló ambiguamente un horizonte de habitáculos despintados que quedaban al fondo. Anabela, mientras oía los nombres de otros niños que eran distribuidos en aulas —aún recuerda que oyó el nombre de un tal René García—, se dirigió a donde creía que debía hacerlo.

Su aula olía a sudor y parecía una pajarera de tanto bullicio. Era oscura, con los pupitres alineados y un enjambre de chiquillos que hacían lo típico: lanzarse bolitas de papel, sacarse mocos y hacer con ellos bolitas que pegaban en los pupitres, dibujar bolas con ojos y bocas sonrientes en las libretas nuevas. Tuvo que superar el terror de la timidez para dirigirse a un pupitre vacío a mitad del aula, y una hora después ya estaban todos más o menos calmados, con una maestra delante que intentaba explicar la importancia que tenían los pioneros para la Revolución. Y lo lindo que era comenzar esa nueva etapa de la vida. Y lo lindas que eran la Revolución y la poesía de José Martí y aprender a leer. Anabela por fin estaba tranquila, disuelta en el anonimato de su grupo…, pero no por mucho tiempo. De repente, la mujer del pantalón negro apareció en el umbral de la puerta y dijo su nombre casi a voz en cuello. Anabela Cerdá no se lo podía creer. Habían gritado su nombre y apellido en medio de la clase. Y, con semejante apellido, algo tenía que ocurrir. Enseguida un chiquillo medio bizco y sucio comenzó a canturrear: «Anabela ceeeerda, Anabela ceeeeerda», y todos se echaron a reír en un alarido selvático coral.

La estaban llamando desde la ventana porque aquella no era su aula, ni esos monstrucos eran sus compañeros, ni aquella mujer pequeña que hablaba de José Martí se llamaba Marta Abreu ni, por consiguiente, tampoco era su maestra. Anabela se había equivocado de aula. Y tenía que pasar otra vez por el trance de dirigirse a un aula y atravesar la inquieta gelatina estudiantil de ojos expectantes para ocupar su puesto. Hay que joderse. Ahora se dirige escoltada por la mujer del pantalón negro a su verdadera aula, llega al umbral y la mujer anuncia gritando: «Marta, aquí está la despistada».

Anabela ve que todos la miran como si estuviesen en una clase de Biología y ella fuese el bicho invitado, da un paso aliviada pensando que por lo menos no habían dicho su apellido y enseguida la maestra dice, corroborando la lista: «Eres Anabela Cerdá». ¿Qué necesidad tenía aquella mujer alta y negra de hacer una cosa así? A Anabela ni siquiera le da tiempo de terminar de pensarlo, porque enseguida otro chiquillo sucio y orejudo comienza a decir: «Ella se llama ceeeerda». En fin, el mismo desmadre, las risitas y las bolitas de papel y todo lo demás. Aunque no del todo, porque la maestra Marta Abreu no se andaba por las ramas, sino que poseía una rama de arbusto transformada en una larga varilla a la que llamaban puntero, y con la que procedió a hacer lo siguiente: primero golpeó con fuerza su mesa de trabajo y, a continuación, golpeó con fuerza el brazo del bizco orejudo que había inaugurado el jaleo y, a continuación, golpeó a los que estaban a su alrededor, que enseguida dejaron de reírse y empezaron a hacer pucheros. Anabela recuerda todo esto con volúmenes, olores, colores y texturas. Y hasta con el tono de voz con que cada cual decía cada cosa.

Fue la maestra Marta Abreu quien, siete meses después y cuando Anabela se empezaba a hacer famosa en toda la escuela gracias a que había aprendido a leer mientras que el resto de los borricos apenas articulaban monosílabos, se dio cuenta de que la despistada tenía una memoria prodigiosa.

Una memoria extraordinaria puede ser una desgracia no por aquello de Funes, el personaje de Borges que vivía atormentado porque recordaba «las aborrascadas crines de los potros» o «los muchos rostros de un muerto en un largo velorio». Una memoria como la de Anabela, en una escuela de un barrio de La Habana, en el primer curso escolar, era un problema porque cuando alguien descubriese esta extraordinaria facultad, no se le podía ocurrir otra cosa que explotarla en beneficio de la Revolución y de la escuela y del suyo propio. Esto significaba algo muy sencillo: Anabela empezó a tener que memorizar y recitar en público largos poemas de José Martí, Nicolas Guillén, Bonifacio Birne, discursos de Fidel Castro y panegíricos revolucionarios escritos por las autoridades de la escuela.

Al principio fue el verbo. La maestra Marta Abreu le dijo:

—Levántate y vamos.

Y llevó a la niña a la oficina de la directora, quien había sido previamente informada del prodigio. La directora, para comprobar *in situ* las dotes de la susodicha, le dio a leer unos versos de Martí que con seguridad Anabela no había visto en su vida. Y a continuación le dijo:

—¿Puedes repetir de memoria lo que acabas de leer?

Anabela respondió, orgullosa y aterrorizada:

—Sí.

Y bajo las miradas expectantes de la directora, la maestra Marta Abreu, el conserje y dos electricistas que estaban arreglando un ventilador ruso en el despacho, recitó:

> *¡Oíd! ¡Silencio! Quiero oír.*
> *A los cobardes, los valientes guerreros se abalanzan...*
> *¡Nubia venció, muero feliz,*
> *la muerte poco me importa pues logré salvarla!*
> *Oh, qué dulce es morir cuando se muere*
> *luchando audaz por defender la patria.*

Este fue el comienzo de una intensa carrera como recitadora en actos públicos. Para mayor desgracia y gloria de Anabela, detrás de la escuela estaba situada una sucursal del Ministerio del Interior Provincial o algo por el estilo, un edificio lleno de militares viejos y gordos que gustaban de visitar la escuela o de ser visitados por los pioneros tiernos y delgados.

Al principio, a Anabela le fue dado para aprender de memoria un horroroso poema titulado *Nemesia,* que contaba en versos cargados de retintín la historia de una niña carbonera cuyo pueblo es bombardeado por aviones imperialistas. Una bomba cae en los zapatitos blancos que habían sido la ilusión de su vida, otra cae sobre sus hermanos pequeños y la siguiente le cae encima a ella misma.

Cuando Anabela empezó a recitar su segundo poema ya era famosa en toda la escuela y los colegios aledaños. Era la preferida de la maestra Marta Abreu, que no era poca cosa. En aquellos tiempos, los sueldos en Cuba todavía servían para algo y los maestros eran exigentes profesionales que daban sus clases como Dios (y la Revolución) manda.

El segundo *hit* de Anabela se titulaba *Marines USA,* y se trataba de un panfletario poema de Nicolás Guillén que, básicamente, se concentraba en llamar piratas, bandoleros, abusadores y cabrones a los Estados Unidos y su fuerza naval. El alma tímida de Anabela se vio expuesta de un día para otro a ojos y aplausos sobre estrados, tarimas y escaleras. Todo el mundo quería ver a ese bicho raro capaz de declamar de memoria decenas de páginas. De modo que era reclamada en cuanto acto público se celebraba en la sede del Ministerio del Interior Provincial, las escuelas vecinas y hasta como entretenimiento y ejemplo para la muchedumbre de pioneros díscolos en su propia escuela.

Anabela quería desaparecer. Pero, como suele decirse porque siempre es así, sus problemas no habían hecho más que empezar.

Un día, a la maestra Marta Abreu se le ocurrió que Anabela podía aprender de memoria una cosa titulada *La Historia me absolverá,* en versión más o menos resumida. ¡Se trataba del famoso alegato con que Fidel Castro se defendió en el juicio del asalto al cuartel Moncada, allá por el año 1956! Se conmemoraba algún aniversario y era un buen momento para que todo el mundo hablara de la escuela Juan Ronda, de su directora y de la maestra Marta Abreu. Así fue como Anabela fue lanzada definitivamente al estrellato.

Pero había un pequeño problema: Fidel Castro, como todo el mundo sabe, es varón. Que en Cuba quiere decir *machoman,* el caballo, el *number one* con los pantalones bien puestos. ¿Cómo arreglar eso de que una niña escuálida, de pelo negro y alucinantes ojos azules, encarne la figura del Comandante nada menos que en el heroico, chulesco y corajudo alegato del juicio del Moncada? Para la maestra Marta Abreu aquello fue la parte *light* del asunto. Anabela tenía el pelo corto y era plana por delante como una moneda aplastada por un tren. Estaba claro: un uniforme militar verde olivo —con las insignias que ostentaba el Comandante, esos rombitos rojinegros diseñados por él mismo—, la gorra militar de rigor, una barba postiza y hala, Anabela se convirtió en una especie de Comandantico en Jefe.

¿De verdad hay que explicar cómo se lo tomó Anabela? Todo sea dicho, a la niña le gustaba su fama. Su ego se daba pantagruélicos banquetes de bifes de aplausos y jamones de elogios. Y como era muy tímida, verse expuesta con éxito ante pequeñas multitudes la ayudaba a superar esa faceta tan fastidiosa de su personalidad. Eso era lo bueno. Pero ¿de verdad hay que decir cómo se lo tomaba en el mal sentido? Que en la preadolescencia —que en Cuba significa los primeros toqueteos con machitos y el estar todo el santo día observando si las tetas crecen— a una niña tímida, reflaca e insegura de su cuerpo la disfracen de Comandantico en Jefe tiene sus consecuencias.

Para empezar, odiaba el aspecto que había asumido su nuevo personaje en el teatro de su vida de pionera. Ojo: odiaba «el aspecto de su personaje» y no al personaje en sí. Pero una cosa lleva a la otra, pues aunque el hábito no hace al monje, todo el mundo identifica al monje por el hábito.

Así que Anabela, que se tomaba todo muy en serio, comenzó a sentirse un poco Comandante en Jefe. Pero ¿esto le garantizaba montañas de orgullo y océanos de seguridad en sí misma? Sencillamente, andar de Fidelito Castro siendo niña preadolescente puede ser, por decir lo menos, un fastidio. ¿Quién iba a querer besarla cuando se quitara la barba? ¿Cómo podía afrontar el hecho de que en las primeras fiestecitas casi infantiles del colegio, después de clases, de pronto la maestra la llevara al baño, la desnudara suavemente y la embutiera en el uniforme verde olivo para que recitara por enésima vez el mamotreto delante de los padres de sus compañeros?

Y, dado que el alegato recitado por Anabela tuvo un éxito arrasador —más incluso que cuando el propio Comandante lo dijo en su momento, pues luego se fue derechito a la cárcel—, tenía que pasar mucho tiempo vestida de verde olivo. Y también pasaba mucho tiempo pensando en el Comandante. Y observándolo en la tele. E intentando perfeccionar el remedo que hacía de sus gestos. La maestra Marta Abreu, que era excelente en matemáticas pero una piedra en cuanto a sensibilidad para el teatro, insistía en que durante la media hora que duraba la recitación Anabela gesticulara todo el tiempo con el dedo índice, tal y como hacía Fidel. Esto hay que verlo y no leerlo: flaca como una lagartija, afeminada por obvias razones, vestida de guerrillero barbudo y con el enérgico índice en alto, semejante a la efigie de Fidel en los billetes de diez pesos.

Y como el éxito era una espiral ascendente que implicaba cada vez más recitaciones de versiones corregidas y aumentadas, Anabela observó por sí misma, a la edad de ocho años, una primera cosa fundamental: el Comandante en Jefe, el de verdad, hablaba mucho. Muchísimo. Cada vez que tenía un micrófono delante. Solo esto, sin que todavía llegara a molestarle.

Es difícil hacer un balance de cuánto le gustaba o disgustaba aquella vorágine de triunfos en el mundo del teatro infantil revolucionario cubano. Era la estrella de su escuela, y ganó primero la competencia municipal de teatro, luego la provincial y otro sinfín de competencias paralelas en el Campamento de Pioneros José Martí (más conocido como Tarará), ante miles de niños que no sabían muy bien qué pensar cuando miraban a aquel Comandantico andrógino echarse un discurso de media hora, pero a quienes les entusiasmaba el rollo patriótico.

No obstante, no se puede andar de Fidel Castro por el mundo estudiantil cubano sin tener que enfrentar, tarde o temprano, algún lío medio surrea(socia)lista.

La cosa ocurrió precisamente unos meses después de que Anabela ganara de un modo aplastante la competencia municipal de teatro entre colegios. Era la favorita absoluta para la siguiente fase, una especie de precampeona nacional: donde hablaba el Comandantico, el resto no tenía nada que hacer. Así de claro y contundente, como en la vida misma. Pero a ese nivel la competición adquiría otros matices. Para empezar, no era lícito presentar en el teatro Carlos Marx obras de teatro pioneril ante los cuadros del Partido Comunista sin antes hacer una especie de chequeo, control o revisión de contenidos. Y apareció la Comisión de Censura.

El budismo zen plantea que un maestro siempre aparece en el momento preciso, ni antes ni después. Lo mismo ocurre con las comisiones en Cuba. Los cubanos no están unidos: están reunidos. Y más si las comisiones son de censura. En un teatrico de barrio —no hay que dar mucho bombo a las actividades de control, que siempre tienen perfil bajo— se pidió que todas las escuelas competidoras a nivel nacional hicieran una especie de preestreno, ensayo general o *training* a puerta cerrada de sus obritas de teatro. ¡Ah, maestra Marta Abreu, directora del cole y madre de Anabela! Ustedes que creían que se trataba de una especie de ensayo rutinario con autoridades que estaban allí por el antojo de ver, sobre todo, al famoso Comandantico en Jefe para goce y júbilo del Partido.

Anabela subió al estrado con su barba más arreglada que nunca y su uniforme sudado después de tragarse horrorosas obritas de pioneros sin talento. Declamó su monólogo. Enardecida. Precisa. Enfática. Brillante y brillosa de sudor. Y hubo todo el estallido de aplausos que la presencia de un reducido público, compuesto por los otros competidores, las madres, las maestras y la Comisión, permitía. Y Anabela sintió una vez más atizado el incendio forestal de su ego…, pero solo por unos segundos. Porque enseguida comenzó a observar un cuchicheo, cierto tejemaneje entre la mesa de la Comisión, su madre, la maestra y la directora de la escuela. E intuyó que algo no iba bien.

Después de una deliberación que pareció suspender no solo los «ensayos» de la competencia nacional, sino el paso del tiempo y el funcionamiento de todo el universo, Anabela vio que la directora, la maestra Marta Abreu y su madre se alejaban con caras largas de las mesas de la Comisión. Y venían hacia ella. ¿Cómo decirle a una niña que llevaba un año entero machacándose de estrado en estrado, disfrazada de Comandantico y ganando todas las competencias del mundo, que se había acabado? Literalmente: «Se acabó la diversión / llegó el Comandante y mandó a parar», como dice la canción. La Comisión declaró categóricamente que la figura del Comandante no podía ser representada en absoluto. Y menos por un ser andrógino y flacucho y amanerado, aunque esto último quedó entre líneas. ¿La maestra y la directora de la escuela Juan Ronda estaban locas o qué? ¿A quién se le ocurre que el Comandante aparezca como un mariconcito púber en una obra de teatro? Aquello había llegado demasiado lejos.

La maestra Marta Abreu estaba desconsolada. La madre de Anabela, decepcionada. Y la directora de la escuela estaba aterrorizada porque podía perder su puesto.

¿Cómo le dieron la noticia a la niña hipersensible? Aludiendo, más que nada, al vestuario. Su madre y la maestra fueron las encargadas. Observemos en presente, como si estuviésemos allí mirando por un agujero.

Anabela tiene un puchero atragantado cuando salen del teatrico de barrio porque sabe perfectamente que pasa algo. Se sientan en el banco del parque y su madre le dice:

—Ya no va a ser posible que sigas llevando ese uniforme.

Y la maestra Marta Abreu:

—Siempre debes sentirte orgullosa por haber llevado ese uniforme.

Y otra vez la madre:

—Y has ganado todas las competencias, pero no se puede seguir compitiendo con el uniforme de nuestro Comandante en Jefe.

Anabela ya no tiene ningún puchero atragantado. Sencillamente, quiere golpear a alguien, pero entre su madre y la maestra no es fácil decidirse. Entonces dice:

—¿Y no puedo declamar sin el uniforme?

El puchero acaba de trasladarse a la garganta de la madre de Anabela.

—Por supuesto —dice la maestra, dejando vagar la vista sobre la abundante basura que hay en el parque—, puedes declamar; de hecho, vas a seguir haciéndolo, pero vas a tener que aprenderte otra obra.

Y punto.

Fue el fin de su meteórica carrera como actriz de teatro. Pero todavía hubo un tenaz intento sugerido por la Comisión: que la ejemplar pionera aprendiera de memoria una obra de José Martí.

Así fue como Anabela entró en la era *Abdala*. Porque este era el título de aquella obra que un año antes le había dado a leer la directora para comprobar *in situ* su buena memoria. El alfa y la omega de todo el jaleo. Se trataba de un inmenso poema teatral en el que el héroe nacional narraba con versos cargados de emoción la muerte de un príncipe nubio mientras luchaba por su patria, y con la que pretendió, en el siglo XIX, expresar su disposición ante la perspectiva de ofrendar su vida por la noble causa cubana. Vamos, que en ese aspecto fue profético Martí —alias *Pepe Ginebrita*—, ya que, en cuanto decidió pasar a la acción sin ni siquiera saber montar a caballo, se vio en medio de un cuadro de la infantería española que dio por terminada su carrera de guerrero en menos de lo que se escucha el disparo de una máuser y lo consagró como mártir.

Pero, volviendo a nuestra otra mártir y a la era *Abdala*. La depresión poscensura tiene raros efectos, sobre todo si estamos hablando de una niña de ocho años que no comprende la causa de la censura. ¿Qué quería decir que el Comandante no podía ser representado? Darle vueltas a esta idea no la llevaba a ninguna parte, salvo por un detalle: se pasaba todo el santo día pensando en Fidel Castro.

Un mes después de la debacle, comenzaron los ensayos de la obra *Abdala* hasta que, ¡alarma!, llegó el momento de resolver el escabroso aspecto del vestuario. Para quienes no conocen la obra, hay que insistir en esto: el protagonista es un príncipe nubio. ¿Cómo se vestía la gente en Nubia? Yo qué sé, pero hoy existe Google. En la era *Abdala* no había forma de que la maestra Marta Abreu se enterara de este aspecto tan necesario. Pero, tal y como había hecho un año antes con el uniforme verde olivo, decidió tomar cartas en el asunto. En todas las tiendas de la capital, uno de los pocos juguetes para niños que se vendía —y que nadie compraba— era un uniforme de centurión romano. O, más exactamente, una parafernalia consistente en un peto, una espada, un escudo y un casco. Todo de un plástico tosco *made in the USSR*. Cuando metieron a Anabela dentro de *aquello,* con solo verla daban ganas de llorar. Y a Anabela también le dieron muchas ganas de llorar.

Pero supo aguantarse. O casi.

Después de tres o cuatro representaciones mediocres, le tocó ir al Campamento de Pioneros José Martí. Sus representaciones de la obra *Abdala* eran mediocres porque aquel lenguaje arcaico del siglo XIX no emocionaba ni a la señora madre de José Martí de haber resucitado. Pero no olvidemos, sobre todo, que Anabela tenía depresión poscensura y estaba algo decepcionada del mundo del teatro pioneril cubano. De modo que se fue limitando, competición tras competición, a repetir mecánicamente, como una especie de loro vestido de centurión romano, los versos de Martí. Hasta que le tocó otra vez subirse a un estrado en Tarará e impresionar a medio mundo con su buena memoria y su talento.

Una acotación imprescindible: ¿Por qué llegó a Tarará si sus representaciones eran mediocres? Porque el resto de las obritas de teatro representadas por otros niños de diferentes escuelas eran un espanto.

Y observemos lo que ocurrió a través de ese agujero por el que ya echamos un ojo, en presente.

Media hora antes de la obra, la maestra Marta Abreu se lleva al prodigio Anabela a un cuartito al fondo del anfiteatro para que se ponga el disfraz de centurión romano. Pero antes, Anabela debe quitarse toda su ropa —a excepción de la ropa interior— para embutirse dentro de una especie de overol. Ha llegado el momento en que resulta imprescindible dibujar físicamente a la maestra Marta Abreu. Negra. Negrísima.

Y bella dentro de los códigos cubanos. O sea, tiene el pelo estirado a modo de casucha mojada gracias a sesiones de peine caliente, técnica conocida en Cuba como «derriz» (es decir: quitar los rizos). Labios y boca grande. Cuello estirado como una especie de periscopio *sexy*. Hombros atléticos y muy rectos y un torso presidido por dos enormes tetas incapaces de ser disimuladas ni dentro de un saco de dormir. Caderas de diseño. Y un culo redondo de los que dan tortícolis a todo el que se cruza a su paso. En general y para colmo, alta. Anabela está en ropa interior y la maestra Marta Abreu le dice:

—Anita, quítate eso y ponte esto.

Eso se refiere a las pequeñas bragas, y *esto* es una especie de pantaloncito ajustado que puede ir perfectamente sobre las pequeñas bragas. Y así lo piensa Anabela, pero...

Pero, en un santiamén, la maestra Marta Abreu le ha ido bajando las bragas y Anabela hace un gesto reflejo por evitarlo, pero ya está desnuda. Hay que detenerse un instante y sembrar los antecedentes. Desde mucho antes, Anabela había sentido que la maestra Marta Abreu la ayudaba a vestirse de una manera rara, pero agradable. O sea, Anabela había reconocido casi desde el primer momento que las manos de la maestra la rozaban, pero, como no le desagradaba, sino todo lo contrario, había hecho la vista gorda. Pero nunca la había desnudado totalmente. Y Anabela, además, consideraba —sin ni siquiera formularlo a modo de idea— que la maestra era una dama atractiva. O sea, un pedazo de negra linda. Así que se deja vestir despacito por la maestra de dedos largos, que parecían envolverla. Pero la maestra comete un error, o va demasiado lejos, o da un paso más allá de lo que podía aceptar una niña hipersensible de ocho años: con uno de sus dedos toca el sexo de Anabela, con la actitud de quien puede hacerlo cada vez que le dé la gana. Y Anabela siente asco erótico por primera vez en su vida.

Cuando la estrella subió al estrado del campamento internacional de pioneros José Martí, bajo la mirada monstruosa de miles de niños y maestros y padres, ya lo tenía decidido. Comenzó su declamación de *Abdala* muy metidita en su papel. Y, a los cinco minutos, decidió hacer silencio. Fue el silencio más grande de su vida. Parecía que todo el mundo se había quedado sin habla y ni siquiera las luces del anfiteatro daban luz. Porque, cuando Anabela decidió fingir que había olvidado el texto, cerró los ojos. Y escuchó aquel silencio macizo hasta que un murmullo se fue tejiendo como si alguien le abriera agujeros al gran queso del aire. El murmullo se convirtió en escándalo y Anabela comenzó a llorar en silencio. Entonces el escándalo se convirtió en un aplauso que fue creciendo como un incendio forestal. Abrió los ojos y descubrió que estaba bajo el agua. Las altas farolas del anfiteatro eran luces de coches atravesando un aguacero. Hasta que el salado de las lágrimas le hizo saber que la lluvia ocurría dentro de sus ojos. Y los aplausos no hacían más que empeorarlo todo.

Los trabajos y los días

Las consecuencias de tanto verso patriótico aprendido de memoria fueron casi irreversibles. Cuando Anabela cambió de escuela, a los diez años, ya era íntegramente una «superpionera revolucionaria». Adoraba a Fidel, al Ché, a Camilo Cienfuegos, al yate *Granma,* la bandera, el escudo, la palma que es el árbol nacional y muchas otras cosas por el estilo.

Su fama la había precedido, de modo que cuando ingresó en la escuela primaria Gonzalo Quesada, en Alta Habana, fue elegida dirigente estudiantil. En Cuba existía algo llamado Consejo del Colectivo, que se trataba de un grupo de ocho pioneros que eran propuestos y elegidos mediante votación a mano alzada por el resto de sus compañeros en el patio de cada escuela. Cada miembro elegido ocupaba un cargo: jefe de trabajo, de estudios, corresponsal pioneril y otros inventos. La misión de estos jefecitos era la de dirigir al resto de los pioneros según el perfil de cada cargo.

Durante muchos años, cuando yo era estudiante de primaria, me preguntaba para qué servía todo eso del Consejo del Colectivo y los cargos. Demoré en comprenderlo. En realidad era un rollo, porque nadie dirigía a nadie, sino que estos cargos repartidos entre pioneros servían sobre todo para hacer eso que en la nomenclatura cubana llaman «formar cuadros revolucionarios». O sea, entrenar a ciertos especímenes, desde la niñez, para que ocupen cargos en el Partido. ¿Cuál es el primer efecto psicológico de ocupar un cargo escolar revolucionario para un niño de diez años? A ver, niño, te presento a tu ego. Mucho, muchísimo gusto, un verdadero placer. Y el otro efecto importante en el mundo de la militancia es lo que denominan «sentido de la responsabilidad».

Ya tenemos a la pionera Anabela con su eguito restaurado a pesar del silencio de Tarará, de la maestra Marta Abreu, que ya no es más su maestra, y de los lineamientos del Comandante que no se deja representar en obras de teatro. Y está atareadísima. Porque la consecuencia práctica de ser miembro del Consejo del Colectivo es que, si el profesor encargado de formar a estos cuadritos revolucionarios hace bien su trabajo, el pionero se mantiene muy ocupado. Había reuniones diarias para hacer como que hacían algo. Planes quincenales con rigurosas metas por cumplir que después demandaban nuevas reuniones para evaluar el incumplimiento de las metas. Y fines de semana encerrados a cal y canto con jefecitos de otras escuelas en algo llamado «capacitación», o sea, *coaching* para pioneros. Sencillamente, Anabela flotaba. Quien haya experimentado en carne propia el júbilo de verse poseído por el embrujo de un estado militante-romántico-revolucionario del alma sabe cómo se sentía nuestra dirigente estudiantil.

Hay niños que, a los diez años, se hacen adictos al McDonald's o a los videojuegos. Anabela se estaba volviendo adicta a la Revolución cubana. Hay que verla tan oronda, erguida sobre el estrado de su escuela Gonzalo Quesada dirigiendo algún acto estudiantil o la formación de cada mañana para izar la bandera y cantar el himno nacional. Anabela ostentaba el cargo de «jefa de estudios», que era el segundo al mando, así que todavía no llevaba la absoluta voz cantante. Pero ver ese mar de cabezas formando líneas bajo su tutela y controlar que los díscolos no hablaran ni hiciesen cosas como pegar mocos —a falta de chicles— en el pelo de la compañera de delante la llenaba de una exclusivísima satisfacción revolucionaria. Porque cada día, cuando su madre la despertaba a las cinco y media de la mañana con una taza de café concentrado, lo que le daba fuerza adulta para aceptar aquel madrugón no era el café, sino pensar en los pioneros, en la Revolución, en Fidel y en su flamante cargo. Pensaba en versos. Recitaba en su cabeza lo que iba a hacer durante el día y fantaseaba con las reuniones como si fueran una promesa de visita a Disneylandia con barra (de refrescos) libre.

Volvamos a un punto: su madre la despertaba a las cinco y media de la mañana. ¿Y eso por qué? ¿Qué barbaridad proletaria es esa?

Los padres de Anabela pertenecían a ese sector social cubano al que podríamos denominar «compañeros revolucionarios». Gente que no participó directamente en la lucha clandestina contra la dictadura de Batista, ni se unió a la banda de guerrilleros en la sierra Maestra, ni estuvieron involucrados en bombitas callejeras, grafitis subversivos o ambiente de mafias universitarias contra la dictadura. Venían de familias tan pobres que no tuvieron oportunidad ni tiempo libre para hacer la Revolución, sino que, desde muy pronto, empezaron a trabajar duro para ayudar en casa. Y, dado que venían de familias pobres, estaban tan hartos del general Fulgencio Batista y de toda su pandilla de delincuentes proestadounidenses como casi todo el pueblo de Cuba, que, aunque no participaron, aplaudieron y gritaron de felicidad cuando triunfó la Revolución.

Pero, ¿cómo era esencialmente el padre de Anabela? Veámoslo a través de un recuerdo de la propia Anabela. El compañero López lleva años trabajando en los talleres de carpintería del Ministerio de la Construcción, se levanta todos los días a las cuatro de la madrugada y abre los talleres. Acaricia a los perros callejeros que han sido adoptados en el patio del taller y también trabajan horas voluntarias como guardianes del progreso. El compañero López ha acumulado miles de horas de trabajo voluntario y por ello ha alcanzado el rango de «trabajador vanguardia» a nivel nacional y le han dado muchas medallitas y diplomas. Anabela tiene seis años y está con él en la enorme sala de reuniones, llamada sala Granma, del Ministerio de la Construcción, en cuya fachada aún hoy puede leerse la frase del Comandante: «Revolución es construir». ¿Qué hace una niña de diez años con su padre en un sitio como ese? Lo normal en Cuba, acompañarlo al trabajo porque no existen las niñeras y la guardería no abre los sábados. ¿Qué hacen allí los cubanos que no están unidos sino reunidos? Lo normal en Cuba, elegir a los nuevos miembros del Partido Comunista. Y entonces alguien levanta la mano y propone con entusiasmo al compañero López como miembro del Partido. El padre de Anabela, con esa voz franca y apurada con que suele argumentar sus decisiones, dice: «No acepto, no acepto porque…». Pero, acto seguido, uno de los compañeros que está apoltronado en la mesa directiva se apura en decir: «No es necesario, López, que nos des explicaciones, todos en el Consejo de Dirección respetamos tu decisión de no ser miembro del Partido». De tarde en tarde, cuando a Anabela le da por recordar cosas de este tipo, se hace dos preguntas: ¿Por qué su padre, siendo más revolucionario y fidelista que Fidel Castro, nunca quiso ser del Partido? ¿Y por qué aquel compañero apoltronado en la mesa directiva no le dejó explicar, argumentar, aclarar este punto? No ha llegado a una respuesta satisfactoria, aunque Anabela tiene su hipótesis con respecto a lo primero. Su padre, siendo más revolucionario y fidelista que Fidel, nunca quiso ser del Partido porque precisamente era más revolucionario y fidelista que Fidel. Dejémoslo ahí. Falta agregar que ser más revolucionario y fidelista que el Comandante no es en absoluto buena idea. De hecho, si en Cuba todo el mundo trabajara como lo hacían el padre de Anabela y otro puñado de revolucionarios, el sistema hace tiempo habría fracasado. ¿Contradictorio? Por supuesto: todo lo es cuando navegamos en las aguas mansas del comunismo. Quizá el gran secreto de la perpetuidad revolucionaria cubana está en el tremendo relajo laboral y la desaforada vagancia de la que ha gozado todo el pueblo trabajador. Pero no, en aquellos tiempos mucha gente todavía trabajaba. Todavía...

¿Qué tienen en común los padres de Anabela? Además de haberse convertido en compañeros revolucionarios, poseen, cada uno a su estilo y según la circunstancia, un ilimitado espíritu de sacrificio y entrega.

Cada día, cuando su madre la despertaba a las cinco y media de la mañana con un vaso de café concentrado, lo que le daba fuerza adulta a Anabela para aceptar aquel madrugón era pensar en los pioneros, en la Revolución, en Fidel y en su flamante cargo. Pero, ¿qué barbaridad es esa de despertar a una niña a las cinco y media de la mañana con un vaso de café concentrado? Ya estamos en condiciones de responder a esa pregunta: el compañero Orlando y la compañera Felipa estaban convencidos de que ningún sacrificio era poco para cumplir con la Revolución. Vivían en el barrio de Buenavista, pero Felipa trabajaba en el Hospital Nacional, que queda en Alta Habana. Y por lo tanto matriculó a su hija en una escuela cerca de su trabajo, para poder llevarla y traerla. Nadie que no haya vivido en Cuba puede comprender por qué, para hacer un trayecto de veinte minutos —las clases y entrada a la oficina eran a las nueve—, hay que salir de casa antes de las seis de la mañana.

Anabela bebía su sorbo de café concentrado levantando la cabeza-yunque de la almohada. Se lavaba la cara y se cepillaba los dientes, su madre le ponía el uniforme de pionera y ya estaban las dos caminando por la avenida 70 en el barrio de Buenavista hacia la parada del ómnibus. Completamente a oscuras salvo por algún poste que conserva su bombilla casi intacta, titilante. Sopla un viento frío porque, aunque estamos en el Caribe, en aquella época la capa de ozono no tenía un hueco tan grande ni existía el fenómeno El Niño. Así que hace mucho frío si es invierno, silba el viento y las ramas de los árboles suenan como papeles estrujándose.

Sería el cuadro perfecto de una película de terror salvo por un detalle: no estamos en una calle solitaria. Porque cien metros antes y cien metros después de la parada de autobuses se revuelven grupitos de gente impaciente y malhumorada porque la guagua no llega. Doscientos metros salpicados de grupúsculos humanos que parecen destacamentos preparados para una emboscada. Cada tumulto con su líder de opinión, su escéptico que asegura que no va a pasar nada y el compañero que afirma que todo esto es culpa del bloqueo norteamericano. Y, en el paradero de la guagua, se arremolina el epicentro. Es como una ruleta: la guagua se detendrá en algún punto indeterminado antes o después, y los destacamentos estarán listos para el asalto. Una vez que el ómnibus se detiene, Felipa corre remolcando a Anabela y ejecutan el protocolo, consistente en empellones, manotazos, insultos y patadas, imprescindibles para consumar el abordaje.

La Lenin

Todos los esfuerzos de los padres de Anabela para que su hija fuera *la* mujer nueva de la que (casi) hablara el Che se concentraron en un superobjetivo práctico. Cuando terminara de cursar la escuela primaria Gonzalo Quesada había que lograr que la niña ingresara en la Escuela Vocacional Vladimir Ilich Lenin. Madrugones, obritas de teatro, interminables sesiones de estudio, puntualidad absoluta y cero faltas, sermones revolucionarios a cargo de Orlando y una completa fiscalización disciplinada de la vida de Anabela tenían el propósito inmediato de que lograra ingresar en la Lenin.

¿Y eso qué cosa es? La Escuela Vocacional Vladimir Ilich Lenin es la escuela de élite de la Revolución cubana. Se ubica en el municipio Arroyo Naranjo, una ambiciosa instalación con capacidad para más de tres mil pioneros, que entraban a la edad de doce años y salían a la de dieciocho, directos a la Universidad. Es lo que en Cuba llaman «la beca», o sea, una escuela-internado, donde los estudiantes han de permanecer día y noche durante toda la semana y solo los dejan ir a casa el sábado y el domingo.

Todo el mundo sabe que para apreciar la cualidad de una cosa lo mejor es compararla con otra. Así que vamos allá. En Cuba había muchísimas becas, o sea, escuelas-internado donde los pioneros se pasaban toda la semana. A la Revolución le encantaba eso de que los hijos fueran educados en reductos lejos de sus padres. Pero estas escuelas-internado solían ser bastante sucias, promiscuas, con bajas exigencias docentes, pésima comida y una anarquía que no es nada recomendable con adolescentes de doce o trece años. Y un detalle: quedaban ubicadas en medio del campo, donde el diablo perdió la guayabera, así que los pioneros tenían que trabajar mucho en la agricultura, porque ya se sabe que el trabajo ennoblece. La Escuela Vocacional Vladimir Ilich Lenin —como su nombre indica— era otra cosa. Sus interminables pasillos de granito brillaban reflejando el ir y venir ordenado de uniformes impecables. Estaba dividida en seis unidades, que eran como escuelas menores que permitían la organización, la disciplina y el funcionamiento eficaz de más de tres mil pioneros. Su arquitectura imponente, de estirpe soviética, se ordenaba en paredes de un blanco inmaculado y ventanas muy azules y, en el centro de cada unidad, había una plaza para las formaciones matutinas y actos de todo tipo. Tenía dos gimnasios; tres piscinas; veinte canchas de básquet; un campo de fútbol y una pista de atletismo; dos enormes comedores; dos pequeñas salas de teatro; un cine; un museo de ciencias naturales con bichos disecados de todo tipo; una enorme biblioteca; un anfiteatro donde podían reunirse los más de tres mil pioneros si, por ejemplo, el Comandante visitaba la escuela; un hospital con buenos médicos y salas para ingresos; una fábrica donde los pioneros aprendían a ensamblar las famosas radios Siboney que luego se vendían por todo el país; un huerto escolar bastante grande, y un campo de cítricos de una hectárea. Y los mejores maestros de la capital, a nivel preuniversitario, iban a parar a la Lenin, donde cobraban sueldos más altos y eran mucho más exigentes. Y lo más importante: los alumnos de la Lenin recibían el doble de horas lectivas que el resto de los alumnos del país. Con el puntillazo: cada clase no contaba con un solo salón, sino que había que cambiar de recinto según la materia porque había laboratorios de Biología, Química, Física, Electrónica, Astronomía, idiomas y un taller de Artes Plásticas. ¡Todo esto sin pagar un centavo, desde los doce hasta los dieciocho años! A que suena bien. Es ese tipo de iniciativas gracias a las cuales tanta gente de izquierda abren mucho los ojos, abren los brazos, y luego abren la boca y mencionan el sistema educativo cubano para que los disidentes se callen. ¿En qué país capitalista del tercer mundo —u otros mundos— hay una escuelota como la Lenin?

¿Hay que explicar ahora por qué los compañeros Orlando y Felipa querían que su única hija ingresara en la Lenin? Casi nadie conseguía este propósito, o ni siquiera se lo planteaba, pues ya lo hemos dicho: era una escuela de élite al estilo socialista. Había que hacer méritos, que iban desde una impecable disciplina durante la escuela primaria —la que ahora mismo cursa Anabela— hasta una profusa participación en actos políticos, cargos pioneriles y excelentes notas. ¿A nuestra superpionera le falta algo de esto? Más bien le sobra. Lo mismo que a esos millonarios fabulosamente acaudalados con los donativos que hacen, Anabela tenía para repartir méritos a todos los díscolos de su escuela y aún le quedaría una gran fortuna de méritos en las arcas de su impecable educación revolucionaria.

Antes de saber si por fin Anabela consiguió ingresar en la Lenin a la edad de doce años, demos un rodeo.

Anabela había sido educada para ser una máquina de disciplina y virtudes revolucionarias. Pero, como suele decirse, la cabra tira al monte. ¿Qué cabra? ¿Y qué monte? Vale, Anabela distaba mucho de ser una cabra, se parecía más a un cordero cruzado con lagartija. Y mucho menos es momento de meternos en el monte. Salvo por un par de delgados rasgos de su personalidad que iban tomando forma. Y, si apunto «delgados rasgos», no hay que imaginarse algo débil, piénsese precisamente en un delgado hilo de acero. No hay nada más cortante y resistente que un hilo de acero del grosor de un pelo.

Con diez años, sus hormonas se portaban muy indisciplinadamente. Pugnaban por reventar, aflorar en toda su piel y quemarla por dentro. Vamos, sus hormonas se comportaban como lo harían las de una guaricandilla (puta vocacional caribeña) de diecinueve años metida en un convento. Recordemos —porque ella también lo recuerda con sensual precisión— aquel extraño placer que sentía cuando, a los ocho años, la maestra Marta Abreu la semidesnudaba para vestirla de Comandantico en Jefe. Y el otro rasgo de su personalidad —un poco más grueso que un hilo de acero, digamos un clavo— es que Anabela era una niña aventurera. Y no en el sentido metafórico. Era tomsawyerianamente aventurera. Aventurera y buena como Huck Finn. Como Oliver Twist. Como tantos niños inteligentes y despabilados.

Le encantaba irse con su padre a los talleres del Ministerio de la Construcción, aunque tuviera que levantarse a las cuatro de la madrugada del sábado. Orlando abría los talleres a las cinco de la mañana, acariciaba a sus perros revolucionarios y, durante tres horas, les dictaba clases a otros compañeros jóvenes que querían aprender a ser buenos carpinteros. Por supuesto, clases voluntarias y horas voluntarias para el país que se estaba desarrollando ante las narices y en contra del Imperialismo. Anabela admiraba aquello, sobre todo porque ver de maestro a su padre, un simple carpintero antes del año 1959, la llenaba de orgullo. Y se iba de lo más orgullosa a mataperrear por los talleres, entre lomas de serrín, enormes máquinas que bramaban como ríos crecidos, matas de guayaba y almacenes atestados de cosas misteriosas. Los obreros sudorosos hablaban como obreros, bebían ron a escondidas como obreros y les hacía muchísima gracia que la hija del carpintero López se pasase el día cazando lagartijas, trepando a las matas y revolcándose en lomas de virutas. Al final de la jornada su padre la llamaba con un par de gritos y Anabela regresaba sucia y feliz como un pordiosero que secretamente sabe que es millonario.

Pese a la férrea disciplina impuesta, la relación de Anabela con sus padres era de amor absoluto.

Ya en el último año de la escuela primaria, cuando Anabela ocupaba el cargo más alto de la pirámide, jefa del Consejo del Colectivo, el tremendo lío de sus hormonas empezó a manifestarse. Mientras estaba sobre el estrado con un silbato dirigiendo el orden y el silencio de la formación matutina, reparó en un chico. Luego siguió con la rutina del lema de los pioneros; Anabela decía «Pioneros por el comunismo», y el coro de cientos de alumnos respondía: «¡Seremos como el Che!». Pero, esta vez, Anabela no se emocionó tanto con el lema. Seguía observando, para su propio asombro, a aquel chico rubio de la cuarta fila.

Sus hormonas podían llegar cada vez más lejos. Una de las tareas de la jefa era velar porque todos tuvieran el uniforme bien uniformado, o sea, la camisa muy metidita por dentro y la pañoleta a la altura correcta. Así que esa misma tarde Anabela le dijo al chico:

—Arréglate el uniforme.

Y el chico, que era un caribeñito castigador, le dijo:

—¿Quieres arreglármelo tú?

Entonces Anabela decidió que estaban hechos el uno para el otro.

Al día siguiente, en un pasillo apartado que desembocaba en un enorme patio con árboles y césped, Anabela volvió a decirle lo del uniforme.

Y el tarambana le respondió:

—Ya te lo dije, chica, que me lo arregles tú si quieres.

Ya Anabela había tomado una decisión disciplinaria impostergable con respecto a aquel díscolo. Entonces le dijo:

—A ver, ven *p'acá*.

Y procedió a meterle la camisa por dentro, muy hacia adentro.

A partir de ese día ambos buscaban lugares apartados para que ella le arreglara el uniforme. La segunda vez las manos de Anabela fueron más osadas y estrictas y llegaron un poco más lejos. La tercera vez él le dijo que a ella también había que arreglarle el uniforme y le metió las manos bajo la falda para tirar de la blusa por dentro y hacia abajo. Anabela sintió algo increíble que le erizó toda la piel. La cuarta vez él le dijo, en medio del proceso disciplinario:

—¿Quieres que te la enseñe?

Y, acto seguido, sacó su minúsculo pene erecto ante los ojos azorados de Anabela, quien, la quinta vez, fue directamente al grano y le dijo:

—Enséñamela.

Y la envolvió entre sus manos tiernas de pionera revolucionaria.

La sexta vez nunca llegó a ocurrir porque el galán comenzó a jactarse con sus amiguitos de que era novio de la jefa de escuela. Y los amiguitos comenzaron a jactarse de que eran socios del tarambana que era novio de la jefa de escuela. El efecto práctico de esta situación se manifestó en medio de la formación matutina. Mientras Anabela, silbato en boca, intentaba imponer orden y silencio en las filas, un grupúsculo de ojos insolentes la miraba entre cuchicheos y tendencia al desmadre.

Anabela aprendió de golpe y definitivamente algo: resultaba incompatible el rol de superpionera revolucionaria jefa de escuela con el rol de guaricandilla cubana que empieza sus escarceos y toqueteos con amigos del colegio.

¿Cómo resolver la esencial contradicción entre estos dos mundos tan emocionantes y fundamentales para Anabela? Primero pensó que escondiéndose. Pero ¡si ya se había escondido y mira lo que pasaba! Además, alguna vez había escuchado que «la Revolución lo ve todo». ¿Y eso qué cosa es? La gente. Si saben que vas derechita a convertirte en cuadro revolucionario debes evitar ciertos comportamientos, pues el prójimo estará encantado de informar sobre cualquier desliz que cometas.

Por lo pronto, tenía portarse bien y no meterle mano a ningún subordinado. Había que esperar que a todos madurasen.

Durante el último año en que Anabela se desempeñó como jefa en la escuela Gonzalo Quesada hizo otras cosas temerarias. Se iba a la hora del almuerzo a chismorrear con las otras niñas en el parque frente a la escuela, cosa que estaba prohibida vaya usted a saber por qué. De vez en cuando se unía a pequeñas pandillas de pioneros que incursionaban en los arrabales vecinos a buscar mangos que caían de las matas. Y una vez le escondió un zapato al compañero que se sentaba delante de su pupitre.

Fue así: el chico escuchaba la clase muy concentrado, pero se había descalzado para estar más cómodo. Aquello apestaba. De modo que Anabela se inclinó sigilosa, agarró el zapato arrugado y sucio, y lo escondió debajo de un pupitre vecino. Con tan mala suerte que la maestra le ordenó al chico que fuera a la pizarra y escribiera la tabla de multiplicar del nueve. Se avecinaba la catástrofe: el chiquillo se inquietó porque, además de no encontrar en su memoria de pez-burro los múltiplos del nueve, no encontraba su zapato. Y dijo:

—Coño, dónde está mi zapato.

Al principio la maestra no entendía. Pero, cuando entendió, gritó:

—¡Que alguien me diga dónde coño está el zapato de Luis Ángel!

Terror. Hay que aclarar que una maestra revolucionaria cubana no dudó nunca en darle una paliza a un pionero. Entonces la niña bajo cuyo pupitre Anabela había escondido el zapato decidió entregarlo. Y entregar a Anabela para hacer méritos de delación, que en una sociedad socialista es casi un instinto reflejo.

Huelga consignar lo ocurrido: la maestra montó un escándalo para avergonzar a la jefa de escuela y, si no le dio una paliza delante de todos, fue porque Anabela era la jefa de escuela. En su lugar, sencillamente, citó a su madre para hablar de los problemas de la hija. Anabela casi muere de vergüenza; aquello era lo peor del mundo.

El *Tao Te Ching* afirma: hay que ordenar lo que aún no se ha desordenado. Y, por pura intuición taoísta, Orlando y Felipa fueron muy severos. La reprendieron como si hubiesen descubierto que Anabela era agente de la CIA. Dejaron claro que tales comportamientos podían atentar contra el superobjetivo: el ingreso a la escuela Lenin. A partir de ese momento, la Lenin se convirtió para Anabela en algo así como el hombre del saco. Una amenaza fantasma que gravitaba sobre ella y le impedía comportarse como lo hacían el resto de los niños de once años en Cuba.

Continuó subida al estrado en calidad de jefa de escuela lo más tranquilamente posible, evitando los guiños del rubito tarambana y de sus socios, cuando una mañana vio a la directora de la escuela presa de una alegre inquietud. Iba y venía sonriendo de la oficina al patio de la formación como si le hubiera tocado una especie de lotería socialista. Terminado el acto matutino, la directora le dio la noticia:

—Anabela López Cerdá, has conseguido ingresar en la gloriosa escuela Vladimir Ilich Lenin.

Antes del primer día

Tres años después, también subida a un estrado, delante de todos los estudiantes y a punto de ser expulsada deshonrosamente de la escuela Lenin, la pionera Anabela López habría de recordar aquel remoto mediodía en que ella y sus padres se comieron tres pollos asados.

Y fue así. Cuando recibieron la noticia de que su hija había sido aceptada en la Lenin, Felipa y Orlando sintieron que la Revolución era lo mejor que había acontecido en el universo. ¡Pobres a tiempo completo antes del año 1959, y ahora la hija de un carpintero y una secretaria podía ingresar en la mejor escuela del país! Y aprender mucho. Y de ahí ir de cabeza (sapiente) a la Universidad. La Revolución era la tierra prometida. Ellos eran felices porque habían descubierto la clave del socialismo (y del cristianismo y otras religiones): sacrificarse es la salvación. Además, habían tenido la suerte de procrear la mejor hija del mundo.

Y Anabela era feliz porque, al mirar la cara jubilosa de sus padres, tenía la certeza de haber sido procreada por los mejores padres de Cuba que, a su vez, era el mejor país del mundo.

Para celebrarlo le dijeron a Anabela que pidiera un deseo. Y esto es un decir, porque, en la Cuba de aquellos años (y de todos los años), casi nadie podía pedir nada. Pero Felipa y Orlando estaban pletóricos y suponían que Anabela iba a pedir lo de siempre por el día de su cumpleaños: que la llevasen a visitar el casco histórico de La Habana y los museos de los alrededores, y a dar un paseo en la lanchita de Regla, que cruza la bahía. Pero los designios de una pionera revolucionaria cubana son inescrutables. Anabela, con una sonrisa de oreja a oreja, les pidió que compraran tres pollos, los asaran y cada cual se comiese uno entero.

Hay que haber vivido en Cuba para poder imaginarse lo que representa conseguir tres pollos y zampárselos así sin más, como si fuesen palomitas de maíz, en lugar de estirarlos para que duren dos meses en las comidas de los fines de semana. ¿Por qué a Anabela se le ocurrió semejante cosa si no tenía un pelo —un diente— de glotona, sino más bien todo lo contrario? Ni ella misma lo sabe. Si vamos a hablar por hablar, en la línea de Nostradamus, podríamos decir que Anabela profetizó lo que iba a ocurrir en Cuba muchos años después, cuando se derrumbara el campo socialista y desaparecieran los pollos de la faz de la isla. Mejor aceptamos, simplemente, que Anabela era una niña. Y ya se sabe lo caprichosos que son esos monstruos.

Felipa y Orlando, por encima de todo, siempre habían tenido una cosa: palabra. Y le habían dicho a su hija que pidiera un deseo como premio por la Lenin. Pero había un pequeño problema: en Cuba la gente no podía andar comprando pollos por libre, sino que eran asignados de vez en cuando, en forma de trocitos, a través de la libreta de racionamiento. ¿Y entonces? Elemental: hágase la luz, y se hizo el mercado negro. Pero Orlando se negó de plano a incursionar en el mercado negro porque él era eso que en Cuba llaman «un comecandela», o sea, un revolucionario incorruptible.

La bronca fue sumamente didáctica para Anabela, que observaba gritos y argumentos con taimada sorpresa. Aprendió de golpe, dado las antagónicas posturas entre ambos progenitores, que su padre era «un comecandela» y su madre no. ¿Y eso qué quiere decir? La palabreja alude a un oficio circense y, ahora que lo pienso, algo de eso puede aprovecharse para explicar su sentido cubano. Un «comecandela» es alguien muy pero que muy revolucionario. Vamos, de los que pueden morirse de hambre antes que comprar un huevo en el mercado negro —que ha sido prácticamente el único mercado en largas etapas de la Cuba revolucionaria—, de los que van a cortar caña en la zafra de los diez millones mientras su mujer malvive a punto de dar a luz en casa de sus suegros, de los que no se pierde una manifestación en la plaza de la Revolución ni un trabajo voluntario aunque padezca fiebre amarilla y dengue simultáneamente. Si la Revolución cubana fuese un circo, el comecandela sería el tipo duro, *the real thing,* el más sacrificado del espectáculo. Orlando. Y, gracias a aquella discusión, Anabela comprendió una máxima que luego se repetiría a sí misma el resto de su vida: no dejes que los principios te impidan hacer lo correcto. Felipa ganó el tira y afloja gracias a dicha máxima. Ellos eran personas *de palabra* y Anabela había pedido tres pollos asados sobre la mesa. Había que olvidarse por esta vez de los principios revolucionarios, salir a chancletear el barrio y negociar con los negros santeros que criaban aves clandestinamente.

No vamos a relatar aquí las tribulaciones en el mercado negro y las retorcidas contradicciones de principios que esto acarreaba en la ética orlandiana. El caso es que, con esfuerzos de búsqueda de vellocino de oro, encontraron los delictivos tres pollos. Luego los asaron y devoraron como si fuesen una familia de trogloditas clandestinos en una casa anónima de un barrio de La Habana. Todo sea dicho: comieron felices como nunca.

Ha llegado el momento de sentar una premisa definitiva, hasta ahora velada: mientras que Orlando era revolucionario hasta la médula, Felipa era revolucionaria solo a flor de piel. Pero se lo ocultaba a Anabela (y a casi todos) por el propio bien de su hija, dado el momento histórico en que le había tocado vivir. Vamos, en lo más profundo de su ser pensaba que a la Revolución había que observarla con lupa escéptica, porque quizá no era tan revolucionaria. Pero había que hacer esto muy en secreto para evitar meterse en un castrolío.

Y por fin llegó la citación anunciando que Anabela debía presentarse en una rotonda, frente a la Academia de Artes Plásticas de San Alejandro, en Marianao, desde donde salían los ómnibus para la Escuela Vocacional Vladimir Ilich Lenin. No se trataba del primer día de clases, pues faltaban todavía dos semanas de vacaciones, sino de una visita guiada para los estudiantes de nuevo ingreso. Tenían que ver, admirar, extasiarse, tomar un primer contacto con la escuela de élite del país.

En aquel año 1982 a la Lenin la llamaban Villa Centroamericana. En Cuba acababan de celebrarse los XXV Juegos Deportivos Centroamericanos y del Caribe. Y las instalaciones de la escuela Lenin fueron el espacio para alojar a deportistas, entrenadores, personal acreditado y toda la humanidad que participaba en los juegos.

La escuela entera, de punta a cabo, había sido lijada, pintada, pulida, decorada, equipada y ampliada. El mobiliario parecía recién sacado de un gigantesco estuche de regalo. Los pasillos duplicaban la imagen de quien caminara sobre ellos y la mejoraban. Las instalaciones deportivas y los gimnasios inducían a hacer deporte aunque uno fuese un militante fundamentalista del reposo. Y algo extraordinario: las despensas de la Lenin estaban desbordadas, y de productos de una calidad que no tenía nada que ver con la austeridad socialista.

Entre el cardumen revuelto de pardillos sin uniforme que iba abordando los ómnibus en Marianao, Anabela comenzó a observar algunas cosas. Primero: que ella era una de las peores vestidas. Segundo: que la mayoría eran gritones, extrovertidos y sobresalientes. Tercero: que todos competían por mostrarse de lo más inteligentes y comunicar sus amplios méritos de pioneros.

Desglosar estas tres intuiciones de Anabela puede servirnos para dibujar un primer boceto de la fauna de la Lenin. En cuanto a su primera observación, que era una de las que peor vestía, esta tiene su causa en algo que, con el transcurso de los años, sería motivo de una especie de complejo de inferioridad. Los dirigentes del Partido y de la pirámide laboral del país, los profesionales «integrados» a la Revolución, los artistas oficialistas y, por tanto, gente que por motivos laborales y revolucionarios tenía el privilegio de viajar al extranjero, habían conseguido que sus hijos ingresaran en la Lenin. Y ese primer día en que no había que ir de uniforme los hijos de papá se vestían con ropas que Anabela ni siquiera sabía que existían. Un matiz imprescindible: esto no quiere decir que el ingreso a la Lenin fuese un fraude. Los hijos de los dirigentes también tienen derechos inalienables en una sociedad socialista, sobre todo si, a base de regalos y otras artimañas, consiguen que los maestros les pongan buenas notas.

Anabela quería que la tierra se la tragara, embutida en un pantaloncito de lo más feo que le había cosido su abuela materna y con una blusa heredada de alguna prima, que le quedaba un poco grande y le daba aspecto de asta con la bandera raída de mil batallas.

Su segunda observación fue aun más visceral: todos eran extrovertidos. Y renació en un abrir y cerrar de bocas gritonas el antiguo fantasma de su timidez, como durante aquel primer día de colegio en que había ido a parar a un aula que no era la suya ni la de la maestra Marta Abreu.

Y por último, Anabela comprendió algo que no supo si era un valor, un reto o un horror: ¡Ella no era la excepción de la regla en ese entorno! Estaba acostumbrada a saber más que nadie, a que su inteligencia fuese el privilegio de una pionera admirada por sus compañeros medio borricos y sobreprotegida por los maestros. Pero allí todo el mundo parecía saber más que nadie, y haber ostentado cargos y méritos suficientes para hacer otra Revolución.

Por fin subió al ómnibus, dijo adiós a sus padres, que la despedían muy juntitos y orgullosos, también vestidos de proletarios entre tanta parafernalia ostentosa, y se sentó al lado de una chica pelirroja que estaba más callada que un pez. Y que retorcía ambas manos como peces fuera del agua.

—Yo soy Rebeca —le dijo la chica bajando la vista—. ¿Y tú cómo te llamas?

—Anabela —le contestó, también bajando la vista.

Pero enseguida ambas decidieron que mirarse era la mejor manera de evitar mirar al resto; entonces Anabela comprendió que podían llegar a ser amigas.

Su primera impresión de la Escuela Vocacional Vladimir Ilich Lenin fue, sencillamente, que era enorme. Inabarcable. Mientras los maestros encargados de la visita guiada la conducían por pasillos, espacios abiertos, aulas, comedores y anfiteatros, Anabela se preguntaba cómo iba a hacer para no perderse en aquella alucinante ciudad de pioneros. Grande como la Revolución. Grande como su propio futuro.

Y, al ver que a su cuasi amiga Rebeca parecía sucederle lo mismo, le dijo:

—¿No te sientes como Rebeca en el País de las Maravillas?

Y Rebeca le respondió:

—No, me da miedo, todo es muy sólido.

Y Anabela supo que Rebeca pelirroja era inteligente. Y le gustó, porque ya sabía que ser inteligente era bueno.

Entonces le dijo:

—A eso me refiero, ¿crees que Alicia en el País de las Maravillas no tenía miedo?

De ese día, Anabela guarda una impresión más fuerte que todas las demás: conoció al Brismar. ¿Y ese quién era? El director general de la escuela Lenin.

Les habló en el pequeño anfiteatro situado frente al edificio donde estaban los talleres de música y artes plásticas. Era un hombre precedido por una barriga gubernamental, enérgico y prepotente. Tenía un estilo oratorio absolutamente fidelista —cosa que Anabela dominaba al dedillo—, pero el Brismar le ponía el toque personal de decir las cosas más importantes en voz muy baja, para que pareciesen aún más importantes. Se llamaba Julio César Brismar y todos se referían a él por su apellido. Pero no nos dejemos engañar por la camaradería que sugiere aquello de colgarle el artículo delante. El Brismar era el terror de todos los estudiantes de la escuela Lenin. Una especie de mito viviente, de prototipo de intransigencia exigente y disciplinada. Quizá se consideraba a sí mismo una perfecta máquina de fabricar al hombrecito nuevo de que hablara el Che. Andaba por los pasillos de la escuela como un general al que le han dicho que debe atajar un motín en la primera línea de combate. Y siempre sacaba tiempo para irle señalando a cuanto estudiante se cruzaba a su paso alguna falta, que iban desde una invisible incorrección en el uniforme hasta un tono de voz que no era el más adecuado. El Brismar parecía estar siempre muy furioso. Muy preocupado. Muy atento a todo lo que se movía a su alrededor.

Ha llegado el momento de una aclaración taxativa: dentro del género de los comecandelas hay muchas especies. El padre de Anabela pertenecía a la especie de los comecandelas consecuentes, la gente humilde y franca sobre cuyas espaldas se sostenía casi toda la Revolución. Pero también estaban los comecandelas extremistas (y ya se sabe que detrás de un extremista se esconde un oportunista). Y los comecandelas de boca para afuera. Y los fanáticos. Entre una y otra especie, como en toda selva, se establecían híbridos y jerarquías. ¿A qué especie pertenecía el Brismar? Por el momento, digamos que si el padre de Anabela era un comecandela consecuente y honrado que tragaba antorchitas, el Brismar era un comecandela de incendio forestal.

Anabela, Rebeca pelirroja y el resto de los novatos lo escucharon concluir su discurso enardecido con la siguiente frase:

—¿Qué cosa fuera la masa sin cantera? ¡Y ustedes, pioneros de la Escuela Vocacional Lenin, son la cantera de la Revolución! ¡Pioneros por el comunismo…!

Y el coro emocionado, respondió:

—¡Seremos como el Che!

El hombrecito nuevo

Dos años después, subida a un estrado, frente todos los estudiantes y a punto de ser expulsada deshonrosamente de la Lenin, la pionera Anabela López habría de recordar aquellos remotos primeros días en que conoció la tristeza.

Si tuviésemos que atrapar en una palabra la existencia de Anabela en su primer año en la Lenin, sería *tristeza*. Tenía doce, era hija única y echaba muchísimo de menos a sus padres. Y a su casa. Y a su club social de Buenavista, barrio donde vivía. Los fines de semana en que salía «de pase» ponía un pie en el barrio y la tristeza persistía durante las fiestas del sábado porque, al día siguiente, tendría que embutirse dentro del flamante uniforme azul, ponerse la corbatita y regresar al internado.

La dichosa corbatita era tener la soga al cuello, simbólica y literalmente. Si no estaba a la altura correcta, con el nudo perfecto, le ponían una sanción, también llamada «reporte». El día de la visita guiada le habían entregado dos documentos imprescindibles: el carné de la escuela y el carné de conducta. ¿Qué cosa era esto último? La versión impresa del terror. Se trataba de una especie de libretita que tenía tres rubros verticales: fecha, una línea en blanco y firma del profesor. Los estudiantes de la escuela Lenin eran permanentemente fiscalizados y, cada vez que se les cogía en falta, el profesor en cuestión ponía la fecha de la falta, especificaba en la línea en blanco de qué se trataba y luego firmaba. A esto le llamaban «un reporte», porque, con dicho recurso, se les reportaba a los padres y a todo el que quisiera chequear el carné de conducta cómo iba el estudiante. Era obligatorio llevarlo siempre. Y la cosa no quedaba ahí, sino que se parecía a los bonus de un videojuego, pero al contrario: acumular determinada cantidad de reportes te llevaba a un Consejo Disciplinario, una especie de juicio con varios fiscales y ningún abogado. Y acumular un determinado número de consejos disciplinarios implicaba fuertes sanciones o incluso la expulsión.

Cada domingo, al ingresar en rígida formación, pasaban revista al uniforme de cada estudiante para verificar que los calcetines estuviesen a la altura de las rodillas, la corbata bien puesta, la blusa por dentro y los zapatos como espejos. Cada mañana, un profesor inspeccionaba los dormitorios verificando que las camas estuviesen impecablemente hechas y lisas. Algunos tenían la terrorífica costumbre de echar a rodar una moneda desde la almohada y, si no llegaba al final, era porque había alguna arruguita que no se notaba a simple vista. Para comprobar que los pequeños armarios no tenían una mota de polvo pasaban una hoja inmaculadamente blanca sobre la tabla. Y verificaban que cada cosa estuviese distribuida según un estricto reglamento: los libros en el compartimento superior por orden de tamaño, las blusas colgadas a un lado y las faldas al otro, y otro montón de detalles que resultaría tedioso especificar aquí.

La vida entera de cada estudiante, desde el silencio en clase al saludo a la bandera con la mano bien estirada y los ronquidos dentro del sueño, era microscópicamente vigilada. En caso de hallarse alguna incorrección, se hacía constar en el carné de conducta.

Pero la primera mala impresión de Anabela tuvo que ver con otra cosa.

Ese domingo ubicó a Rebeca con la vista y enseguida se puso a su lado. Fueron conducidas al dormitorio con un grupo numerosísimo de chicas. Entonces pudo ver de qué se trataba. El dormitorio (albergue) contaba con ochenta camas distribuidas en cuarenta literas distribuidas en diez cubículos de cuatro literas cada uno. Cada cubículo iba uno a continuación del otro y la puerta de cada uno se abría a un largo pasillo, hasta el fondo. En la parte de atrás estaba el área de las duchas —¡horror!, sin puertas ni separaciones, y Anabela todavía no tenía algo a lo que pudiésemos llamar tetas— y la zona de los váteres. ¿Se parecía a un barracón? En absoluto. ¿Se parecía al pabellón de una cárcel? Tampoco, a no ser que se tratara de una cárcel de lujo para delincuentes con pasta. Porque los dormitorios también habían sido remozados gracias a los Juegos Centroamericanos.

Lo que impresionó a Anabela fue otra cosa.

Las formaron en el salón previo a los cubículos, conocido como «sala de estar», y entonces comprendió que un pequeño grupo de las compañeras de albergue no eran alumnas de nuevo ingreso, sino veteranas. Y una de ellas, muy parecida a King Kong pero en versión femenina, habló:

—¡Mi nombre es Mileidi, soy la jefa de albergue, y más les vale andar con cuidado!

Entonces ocurrió lo inevitable: un murmullo, como una brisa entre las novatas, que floreció en risitas aisladas que parecían querer decir «¿Y esta qué se cree?».

Entonces la prima de King Kong sacó pecho —tetas como carretas—, tomó aire y dijo:

—¡Ustedes son de séptimo grado, yo soy de noveno! No se me hagan las chulas que a mí no me conocen. Y las agarro de las greñas y no las suelto hasta que tenga el suelo limpito.

Según la idea que se hacía Anabela —y el resto de las novatas— de lo que era la fraternal convivencia socialista en la mejor escuela del país, aquello no encajaba. Y les dio miedo y cerraron el pico porque comprendieron que la enorme Mileidi no hablaba por hablar, y aquello de las greñas y el suelo sonaba francamente desagradable.

¿Y qué cosa era aquello de llamarse Mileidi? Por algún motivo cultural bastante complicado y estúpido, a partir de los años ochenta comenzaron a florecer en Cuba nombres inventados por la ¿imaginación? popular. Y todos tenían que ver con frases o palabras sacadas del inglés o vaya usted a saber de dónde. Mileidi, evidentemente, viene de *my lady*. Proliferaron Fruticubis, Yusniel, Milusleidis, Isnaildis, Yusimí *(you see me)*, e incluso Lobi *(lobby)*. Y uno de los casos más folclóricos se dio en la zona cercana a la base naval de Guantánamo. Los padres empezaron a ponerles a sus hijos Usnavi. O sea: US Navy.

El caso es que Mileidi tenía su séquito de amigas veteranas que reían amenazadoramente. ¿Había que convivir con esa pandipesadilla todo el año? Por supuesto. Y portarse bien.

El régimen era el siguiente: En cada cubículo había una enorme bocina pegada al techo y, a las seis menos cuarto de la mañana, se activaba un sonido entre alarma de combate e himno patriótico. Entonces había que salir disparadas al pasillo, en pijama o ropa interior, con los pelos desgreñados y legañas, a hacer flexiones durante cinco minutos comandadas por Mileidi. Luego contaban con otros quince minutos para ir al váter, asearse, vestirse impecablemente, hacer la cama y arreglar el armario. Y salir disparadas del albergue escuchando el conteo hasta diez que hacía Mileidi. Un segundo después del conteo y la matrona les pedía el carné de conducta con una sonrisa sádica y les ponía un reporte. Se desayunaba y, a las siete, todos se reunían en la plazoleta de la Unidad para proceder a izar la bandera, cantar el himno nacional, recibir alguna información y empezar las clases.

Anabela estaba triste. Rebeca estaba triste. No hay nada que una más a dos novatas en la Lenin que una misma tristeza compartida. En esa época comencé a observar a Anabela y Rebeca sin ni siquiera saber sus nombres. Parecían zombis impecablemente uniformados vagando por las áreas verdes de la Unidad 1. Lloraban en silencio escondidas del resto porque echaban de menos a sus padres y añoraban la libertad de sus respectivos barrios. Verse de pronto sometidas a aquel régimen de convivencia a los doce años, cuando todavía no habían tenido la primera regla y las tetas no eran ni siquiera bonsáis de tetas, era demasiado para sus tiernos corazones de exalumnas mimadas y admiradas.

Me gustaba mirar a Anabela, o mejor, no podía evitarlo. Desde el primer instante, sentí el impulso de pisar el suelo por donde caminaba, de quedarme con ella en una isla desierta para matar monstruos en su nombre y hacerle abrigos de piel. ¿Es posible ser tan vulnerable a un no sé qué de alguien que, para los códigos adolescentes, no era la belleza? Ese no sé qué, a partir del momento en que me crucé a Anabela, no me dejaba en paz.

Todo cubano le cuenta sus problemas personales al primero que se cruza en su camino. Imagínese el alud de confidencias y el tsunami de consuelo recíproco que fue circulando entre Anabela y Rebeca durante las primeras semanas en la Lenin.

Pero había una diferencia fundamental en la situación de cada una. Con Rebeca, sus padres hacían lo que hacían casi todos los padres de los novatos de la Lenin: darles cuerda. O sea, comerles la cabeza cada fin de semana dejando caer a la primera oportunidad el siguiente mandamiento: «No te rajes». Persiste, aguanta, esta etapa pasará y todo es por tu bien. En cambio, Felipa y Orlando —sobre todo Felipa, que trabajaba en un hospital y era muy nerviosa— no le decían a

Anabela que aguantara. Felipa conocía más que nadie a su hija y sabía que aguantaría. Pero, además, tenía miedo de que, de tanto aguantar en contra de su voluntad, sencillamente se lanzara por un balcón de un cuarto piso del edificio docente y un día recibiera una llamada telefónica inapelable. Felipa y Orlando, cada fin de semana, le decían a Anabela que si no podía seguir en la Lenin lo dijera, y en ese mismo instante la sacarían de la escuela.

Una vez vi en una película posperestroika que un líder comunista le explicaba a uno de sus secuaces políticos cómo mantener sometida a la masa. El cabronazo agarraba un pajarito y lo apretaba dentro del puño, y mostraba cómo el desdichado se revolvía haciendo esfuerzos por salir de aquella manopla que lo oprimía y lo exprimía. Luego tomaba otro pájaro delicadamente, lo ponía en la palma abierta de la mano y apenas lo presionaba entre el índice y el pulgar. Insisto: muy delicadamente. Entonces, con una gran sonrisa, decía: «¿Ves? Este no quiere escapar. También está preso y sin embargo no quiere irse porque cree que es libre». La actitud de los padres de Anabela, aunque sincerísima, amorosa y protectora, tenía el mismo efecto. Ya Anabela estaba entrenada para permanecer en la palma de la mano, entre el índice y el pulgar, y ningún ofrecimiento de libertad podía tentarla sino todo lo contrario: inducirla a quedarse. Ni la tristeza empujarla fuera. Precisamente porque podía irse cuando le viniera en gana.

Un día, Anabela escuchó por primera vez un nombre que ya le sonaba demasiado conocido: Ernestico Guevara. Andaba con Rebeca barriendo la tierra y las hojas secas de uno de los caminos que conectaban el edificio docente con el comedor —no había empleados de limpieza, sino que a los propios estudiantes se les asignaban dichas tareas— y oyó que un veterano de noveno grado decía en medio de un coro:

—Ernestico Guevara era el más *estancao*.

Ya Anabela había tenido tiempo para familiarizarse con el vocabulario de la Lenin, que era como el dialecto de una secta. Contaba con palabras que solo los de dentro entendían. Una de las más usadas era *estancao*. Quería decir indisciplinado, díscolo, tarambana. El término correcto sería *estancado*, y proviene de «estar metido en un estanque», como agua turbia y pútrida, sin moverse, sin evolucionar.

A Anabela el apellido del Che, unido a un diminutivo, le sonó raro. Entonces se acercó cautelosamente a los de noveno, que parecían orangutanes sentados debajo de una mata. Tenía miedo, miraba hacia todas partes porque estaba en horario de limpieza y, si la pillaban charlando con los monos bajo un árbol, le pondrían un reporte. Pero aquello de «Ernestico Guevara era el más *estancao*» merecía la pena.

Entonces comenzó a trabar conocimiento de uno de los grandes mitos que circulaban en la Lenin de aquellos años: el del hijo del Che, que había sido expulsado tiempo atrás.

Resulta que, al parecer, el hombrecito nuevo procreado por Guevara de la Serna había sido todo un personaje, pero dudo que un motivo de orgullo para su padre, aunque con los héroes nunca se sabe. Amparado en la mística de su nombre, campaba a sus anchas en los predios leninistas. Eran como su coto de caza.

Uno de los de noveno se puso a contar la vez en que Ernestico había sido expulsado del aula por un maestro. El hijo pródigo se aburría de tanta matemática y tuvo la ocurrencia de empezar a lanzarle bolitas de papel masticado al profe, que escribía en la pizarra de espaldas a los alumnos. El profe no se lo podía creer. Se volvió iracundo y gritó que inmediatamente se pusiese de pie el que había osado hacer aquello.

Pero Ernestico no se puso de pie. Continuó muy repantigado en su silla con una cuchara que había sustraído del comedor para utilizarla como catapulta. Y lanzó otro proyectil, y otro, ante las narices del profesor. En dirección al profesor. Sus compañeros no estaban perplejos. ¿Por qué? Porque Ernestico ya había probado su catapulta en las clases de Física y Literatura. Los maestros, al verificar que se trataba del hijo del héroe, trocaban su ira en una actitud de tomárselo a broma. Incluso el profe de Física hizo alguna observación, acompañada de risita nerviosa, referida a las leyes de Arquímedes con aquello de la palanca y la cuchara de Ernestico, mientras una bolita de papel ensalivado se le pegaba en la oreja derecha. Sin embargo, el maestro de Matemáticas era un negro comunista de la vieja escuela que no estaba dispuesto a aguantar aquello y lo expulsó del aula, diciéndole que lo esperase en la Dirección. Pero el hijo del Che pensaba a lo grande. ¿Cómo podía desaprovechar la oportunidad de aquella expulsión temeraria para demostrar el tamaño de sus cojones? ¿Saldría andando, cabizbajo y asustado, rumbo a la Dirección, como lo haría cualquier otro estudiante? Ah, él sí que era el hombre nuevo. Así que, en lugar de salir con sus libros bajo el brazo, ¡cargó con toda su mesa de trabajo! Era fornido, de modo que pudo echarse sobre los hombros el enorme armatoste y salir silbando. Luego llegó al balcón del edificio docente, un tercer piso, y lanzó la mesa, que se hizo añicos contra la plazoleta.

Los alumnos de noveno reían a coro al contar la hazaña. Y Anabela y Rebeca huyeron despavoridas porque sintieron que el mero hecho de escuchar aquello ya era un acto delictivo.

Un apunte imprescindible: antes de salir pitando del coro de los de noveno, Anabela se fijó en uno de los chicos, que parecía un Adonis en versión caribeña. De pelo negro encrespado y violentos ojos verdes.

Se contaban muchas cosas acerca de Ernestico Guevara. Que pasaba la noche cazando gatos detrás de los albergues para luego lanzarlos a la piscina. Que fue el precursor de la temeraria costumbre de robar en el comedor durante la noche. Convocaba a algunos amigotes incapaces de negarse a seguir los caminos heroicos de Ernestico Che, rompía una ventana y hurtaba ruedas de queso, panes y tinas de helado, y luego montaba un negocio clandestino en el albergue vendiendo el botín en pequeñas raciones. Pero nada de hacer ahorros. El dinero lo reinvertía en botellas de ron que le traía algún profesor. Beber en la Lenin era como incurrir en pedofilia en la Iglesia. Malo malito, pero se hacía. Además, si el hijo del Che (Dios) le decía a algún maestro (cura) que le consiguiera algunas botellitas de ron (agua bendita en Cuba), aquello no podía estar mal si nadie más se enteraba. A fin de cuentas, se trataba del hijo de Dios. Y ya se sabe que este perdona el pecado, pero no el escándalo. Entonces Ernestico montaba escandalosas borracheras en el albergue a altas horas de la noche para ver si de verdad alguien era capaz de no perdonarle el escándalo.

Se lo permitían todo, pero el hombrecito nuevo cada vez llegaba más lejos. Su carrera de *estancao* era meteórica. Hasta que el Brismar fue asignado como director general de la escuela Lenin. En este punto la historia alcanza dimensiones míticas. Con etapas oscuras, diversos y contradictorios testimonios y hasta evangelios apócrifos. Unos dicen que incluso pusieron al Brismar como director porque era el único capaz de controlar a Ernestico. Otros afirman que el Brismar no estaba enterado de nada y de pronto se vio abocado a una especie de duelo de titanes. Y un sector alternativo de la opinión pública leninista asegura que, cuando el Brismar asumió el cargo, ya Ernestico se estaba aburriendo de pasarse la vida en la Lenin, que había tocado techo en su carrera de *estancao* y que ambos llegaron a un acuerdo para fingir ante la masa estudiantil que el director general lo expulsaba.

La Lenin contaba con dos piscinas olímpicas y un tanque de clavado, pero, para que el desmadre tropical bañista no cundiera entre la masa estudiantil, casi siempre permanecían vacías. Esa mañana Ernestico se levantó —es un decir, pues se había pasado toda la noche despierto— con ganas de darse un chapuzón. Estuvo la noche entera supervisando que una de las piscinas se llenase tras violentar la llave de abastecimiento. La enorme piscina olímpica no llegó a llenarse más que unos cincuenta centímetros, pero el objetivo se había cumplido. Así que el tarambana, después de exhortar a su tropa, que esta vez se negó porque un baño en plena hora del acto matutino era demasiado, se puso el bañador y hala, a gozar, que Cuba es un eterno verano.

Esa mañana el Brismar había decidido, por algún motivo, darse un paseíto a través del pasillo central, que cruzaba justo frente a la piscina. Con paso firme, el rostro airado de cada día y la enorme barriga de toda la vida precediéndole, el director general divisó en lontananza que el hijo del héroe estaba chapoteando. Pero en la distancia solo era un estudiante más. Y hay que recalcarlo. Algunas versiones aseguran que, si el Brismar hubiera sabido que se trataba de Ernestico Guevara, habría hecho la vista gorda como hacían todas las autoridades y el resto del profesorado. Pero no. El comecandela de incendio forestal no podía creerlo. ¿Quién coño había permitido llenar la piscina? ¿Y qué significaba que, mientras toda la escuela Lenin izaba la bandera y cantaba el himno nacional, un estudiante estuviera dándose un sabroso baño mañanero como si aquello fuese un *resort*? En este punto las versiones se oscurecen, pues hubo muy pocos testigos. Unos dicen que el Brismar le gritó: «¡Estudiante, salga inmediatamente!», y Ernestico obedeció..., pero a medias. Porque salió del agua, extendió la toalla en el césped y se puso a tomar el sol. Otros aseguran que el director, tras desentrañar el enigma de que el bañista no era ni más ni menos que el hijo del héroe, fue directo a su oficina, llamó al Ministro de Educación y le dijo que, si no le permitían expulsar inmediatamente al susodicho, él mismo renunciaría a su cargo.

El caso es que esa mañana, mientras las hileras disciplinadas de estudiantes entraban en las aulas para empezar la jornada docente, comenzó a circular el rumor de que el Brismar había pillado a Ernestico Guevara en la piscina y lo había expulsado de la escuela sin ni siquiera un consejo de disciplina. Sin dejarlo despedirse de nadie ni hacerlo público. En bañador y toalla.

Fiesta, forever

Dos años después, subida a un estrado frente a todos los estudiantes y a punto de ser expulsada deshonrosamente de la Lenin, la pionera Anabela López habría de recordar aquellos remotos días en que expulsaron con perfil bajo a Ernestico Guevara.

Y también recordó a Jorge Gaspe, más conocido como Gaspe, a secas, porque la Lenin estaba llena de Jorges. ¿Y quién era ese? Aquel estudiante de noveno que parecía un Adonis, pero en versión caribeña, y que formaba parte de la manada bajo el árbol.

Un par de días después, mientras Anabela caminaba muy apuradita —siempre de la mano de Rebeca— del aula al laboratorio de Biología, se lo cruzó en el pasillo, acompañado por algunos miembros de la misma manada. Los violentos ojos verdes de Gaspe ni siquiera la rozaron, pero, a partir de ese día, se dedicó a observarlo. Esto no es nada nuevo: el amor casi siempre comienza por ser un fenómeno de atención. Como el mío con respecto a Anabela, aunque aún yo no sabía qué era el amor.

El bonitillo Gaspe acaparó la atención de Anabela hasta tal punto que los paseos con Rebeca se fueron convirtiendo en una especie de búsqueda constante de una Gaspecoincidencia. En las áreas verdes, en algún pasillo, en el comedor o mirando ocultas tras los visillos del albergue por si él cruzaba la plaza, noche a noche. Pero había un detalle: Anabela era una lagartija de doce años y estaba en séptimo grado, y Gaspe era un chulito de noveno. En la Lenin, que un veterano le echara el ojo a una novata solo era posible si esta contaba con un buen par de tetas y un culo auténticamente bosquimano. De hecho, la frase de los de noveno era: «Qué chica tienen las tetas esas».

¿Tenía alguna posibilidad Anabela? Al parecer, no. Pero…

Esa misma mañana en que se cruzaron con el Adonis caribeño mientras se dirigían al laboratorio de Biología, Rebeca, que se volteó para seguirlo con la mirada, vio algo importantísimo. Y, apretándole la mano, le dijo a Anabela:

—¡Mira, mira!

Anabela se dio la vuelta y miró.

Gaspe estaba saludando afectuosamente a Manuel. Quien era, nada más y nada menos, que su primo. Y quien, a su vez, era un alumno de séptimo grado que estudiaba precisamente en el aula de Anabela y Rebeca.

—¡Por eso tienen el mismo apellido! —dijo Rebeca ante los ojos incrédulos y brillantes de Anabela, que se había quedado sin palabras.

A partir de ese momento, la búsqueda de una coincidencia por los pasillos comenzó a combinarse con algo mucho más complicado. Para una mujer, aunque se trate de una adolescente, la distancia más corta entre dos puntos no siempre es una línea recta. Anabela observaba detenidamente, en cada clase, a Manuel, que era el primo del tipo buenorro de noveno.

Toda amistad comienza en un punto, que tiene la apariencia de un sector espaciotemporal, pero se trata, más bien, de un punto del espíritu. La amistad entre Anabela y Rebeca había comenzado cuando decidieron mirarse a los ojos para evitar mirar al resto de los alumnos que vociferaban el día de la visita guiada. La amistad entre Anabela y Manuel comenzó el día en que la profesora guía hizo la primera reunión de grupo.

Pero no en ese momento espaciotemporal, sino en el siguiente punto del espíritu:

Cada grupo —clase— tenía una profesora guía, que era la persona encargada de monitorear, controlar, apadrinar al grupo. Aquella tarde la profesora guía —que se parecía mucho físicamente a la fundacional maestra Marta Abreu— hizo la primera reunión para presentarse y amenazar a los alumnos con que cada falta sería severamente sancionada y no dudaría en citar a los padres de los que no se portaran bien. También les dijo que podían contar con todo su apoyo, que los quería mucho y que la Revolución esperaba que estuviesen a la altura del gran privilegio de estudiar en la Lenin. Fue casi en este punto donde comenzó la amistad de Anabela con Manuel Gaspe. El chico se sentaba justo delante de su mesa y, al escuchar que la profesora guía había dicho aquello del gran privilegio, volteó un poco la cabeza, miró a Anabela con el rabillo del ojo y le cuchicheó:

—Bah…, un gran privilegio, dice.

Solo eso. Pero Anabela supo enseguida que era su gran oportunidad de estrechar relaciones. He apuntado que una amistad comienza en un punto del espíritu, lo cual no quiere decir que este punto sea elevado, honesto, sano o bienintencionado. Muchas amistades comienzan con un interés oculto de una de las partes, como es el caso. Anabela sabía que sus tetas no la ayudarían —sino todo lo contrario— a acercarse al Gaspe de noveno. Por tanto, su única posibilidad era ir acercándose al Gaspe de séptimo lo antes posible.

Hacia el final de la reunión de aquella tarde, la profesora guía hizo algo peculiar. Abrió el expediente de cada alumno y fue leyendo ante el grupo la ficha de méritos y el historial pioneril, que incluía la ocupación de los padres. Llegado el nombre de Anabela, mencionó de pasadita que sus padres eran un carpintero del Ministerio de la Construcción y una secretaria del Hospital Nacional. Cuando tocó el turno de Manuel Gaspe, la profesora mencionó, haciendo una significativa pausa, que su padre era ministro de la Industria Ligera y su madre era directora de Omnivideo Corporation, que era la corporación cubana encargada de copiar —piratear—, clasificar y archivar en una videoteca todas las películas que se iban estrenando en los Estados Unidos.

A la salida de la reunión, Anabela se acercó a Manuel y le dijo:

—¿Por qué dijiste eso?

El chico era flaco, de ojos también verdes y ligeramente más alto. La miró nervioso y le contestó:

—¿El qué?

—Lo del «gran privilegio». ¿Por qué dijiste ese «bahhh»?

Y, sin pensárselo dos veces, él le contestó:

—Porque esto a mí no me parece un privilegio, sino un castigo.

Entonces Anabela supo dos cosas. Que su amistad con Manuel Gaspe había comenzado en ese punto exacto del espíritu. Y que el hijo de un ministro se quejaba de la Lenin.

Pero como a ella la Lenin, a pesar de la tristeza, le parecía sobre todo un gran privilegio, le dijo:

—¿Y por qué dices eso?

—Chica —le contestó Manuel, siempre mirándola a los ojos—: ¿a ti te parece que aguantar a los cabrones de noveno como jefes de albergue, limpiar el piso y la mierda de los baños, dar diez turnos de clase diaria, estudiar de ocho a diez y levantarse a las seis menos cuarto de la mañana es un gran privilegio? Yo preferiría estar en la escuela de la calle y ver películas con mis amigos todas las tardes.

Claro, su madre era la directora de Omnivídeo Corporation y Manuel tenía un Betamax en su casa —probablemente el único «beta» de La Habana— y todas las películas americanas a su disposición.

Anabela se opuso:

—Pero nadie nunca ha dicho que aquí uno venga a hacer lo que le salga del pito. Todo el mundo sabe que la Lenin es de disciplina militar y eso tiene que gustarte.

Manuel se quedó un instante pensativo y luego dijo:

—Bueno, no te voy a discutir eso, pero, si es de una disciplina tan buena y militar, explícame por qué coño todo el mundo se pasa la vida robando.

¿Había escuchado bien? ¿Todo el mundo robando? Anabela le pidió que repitiera eso. Y Manuel no solo lo repitió con énfasis y sustituyendo el término «coño» por el de «cojones» —para abarcar ambos sexos—, sino que desplegó una sucinta argumentación acerca del problema.

Así fue como Anabela se enteró de que en los albergues de las chicas no se robaba, pero que los hombrecitos tenían otros hábitos. Para empezar, la primera noche al delgaducho Manuel, que tuvo la mala suerte de dormir en la primera litera de abajo, una silueta oscura le arrebató la almohada y salió corriendo al poco de apagarse las luces, en plan peli de terror, pero con risas sádicas incluidas. Alguien de noveno, por supuesto. Luego Manuel y otros novatos supieron que a ciertos bravucones de noveno les encantaba dormir con dos o tres almohadas y no les quedaba más remedio que emprender la operación de pillaje la mismísima primera noche. Eran piadosos, no querían que las víctimas se acostumbraran a dormir con almohadas y luego las echasen en falta. Hubiera sido sencillo ubicar a los veteranos multialmohadicos y reclamarles, salvo por un detalle: las cuatro o cinco víctimas de séptimo eran tan delgaduchos como Manuel. Ya en la segunda semana, Manuel empezó a experimentar que en el albergue se robaba de todo cuando el bocadillo que le puso su madre en la maleta desapareció en el primer minuto de descuido. A la mañana siguiente, todos los de séptimo que habían entrado de pase con algo de merienda para los primeros días habían sido gastronómicamente saqueados. Y, tres días después, fueron notando que los desvalijaban de dentífrico, champú, dinero, peines, cuadernos, bolígrafos y hasta alguna que otra prenda del uniforme. A veces incluso «se les perdía» algún libro docente y lo podían recuperar tirado en el alero bajo las ventanas del dormitorio o entre el fango de los sótanos. O sea, no solo se robaba por interés material, sino también por gusto. El hurto era el deporte intensivo en los albergues de los chicos y había que mantenerse en forma. La cosa hasta tenía su faceta humorística. Como la vez en que a Manuel se le perdió el cepillo de dientes y se lo devolvieron al armario a los dos días, impregnado de una costra grasienta y oscura: había sido utilizado para limpiar las decenas de peines que también les habían robado a sus compañeros de cubículo. Y, como había que mantenerse en forma y además recuperar el champú, el cuaderno o el boli, enseguida los propios estudiantes de séptimo le pillaron el tranquillo al deporte y se pusieron por la labor. Conclusión: todo el mundo le robaba cualquier cosa a todo el mundo.

A Anabela le disgustó muchísimo escuchar todo aquello. Estaba bien que en una sociedad socialista no existiese la propiedad privada, pero aquello del latrocinio como deporte nacional leninista era un auténtico asco. Aparte de esto, le gustó que aquel amigo de carambola la mirara siempre a los ojos mientras le hablaba. Y empezaron a llevarse bien.

Mentiría si no hago un apunte: se me clavó un boli soviético en lo más profundo del alma al ver cómo progresaba la amistad de Anabela con el flaco Manuel.

Ya no eran ella y Rebeca pastando entre moscas de tristeza por las áreas verdes. De vez en cuando se les unía Manuel con su matamoscas. ¿Cómo lo conseguía? La gran vocación de Manuel Gaspe dentro de la Escuela Vocacional Lenin era contar películas.

Cuando entraba de pase el domingo, sus compañeros lo estaban esperando como esperaban los miembros de una tribu al chamán-cuentero en la era pretelevisión. Trepados a las literas y desparramados por el suelo del cubículo, le pedían a Manuel que les contara un par de pelis de entre las muchas que había visto el fin de semana. Las que más éxito tenían en aquellos tiempos de tradición oral eran las de *Viernes 13, Rambo* y *Rocky*. Manuel era un cuentero nato que sabía recrear detalles como el crujir de las hojas del bosque cuando Jason se acercaba con su ridícula máscara, machete en mano, a mutilar miembros y descerrajar cabezas, o reproducía muy fidedignamente el ruido del M-16 de Rambo cazando vietnamitas y camboyanos.

Pero Manuel tuvo que flexibilizar su gusto cinematográfico si quería permanecer durante las horas de limpieza con Anabela y Rebeca. Se las arreglaban para que casi siempre les asignaran la misma zona y, entre cubos de agua, montículos de basura, palos de trapear y escobas, Manuel contaba comedias y conseguía que las niñas tristes rieran, o contaba tragedias y conseguía que las niñas tristes no lloraran.

No tardaron en quedar un sábado de pase para ver pelis en casa de Manuel Gaspe. Pero antes ocurrió algo muy digno de ser tenido en cuenta.

¿En qué se basaba la amistad —unidireccionalmente hablando— de Anabela con Manuel? Una tarde cualquiera (que no fue una tarde cualquiera, sino el momento de dar ese gran primer paso), en los bajos del comedor que estaban limpiando (que no eran los bajos del comedor, sino el escenario para dar comienzo a una historia de amor), Anabela le dijo a Manuel:

—Y ese de noveno, ¿es tu primo?

—Jorgito..., sí.

—Ah...

Y Manuel le dijo, solo por seguir hablando:

—¿Por qué?

Anabela ya tenía ensayada la respuesta:

—Porque Rebeca quiere conocerlo, creo que le cae bien.

Había sopesado muchas posibles respuestas, y la primera había sido la de confesar sinceramente que era ella quien quería conocerlo. Pero tuvo aprensión de que Manuel intuyera que la amistad entre ellos tenía ese secreto propósito y no se le ocurrió una mejor idea que sustituir su nombre por el de Rebeca.

Ha llegado el momento de dibujar físicamente a Rebeca: para empezar sus tetas, con doce años, ya eran dignísimos bonsáis de tetas declarándose bajo el uniforme. Era pelirroja de pelo liso y grandes ojos negros, un poco más alta que Anabela. Y lo más importante: ni siquiera un ciego podría haber pasado su culo por alto. Era redondo, contundente, antigravitatorio, arquetípico del Caribe. Dejémoslo ahí.

Manuel le dijo:

—Voy a ver si Jorgito quiere venir a casa este sábado a ver unas películas, pero le gustan las de acción, nada de dramas ni comedias. ¿Se apuntan?

Anabela, de pronto, experimentó un profundo interés por las películas donde los policías vapuleaban a delincuentes del Bronx.

—¡Claro, claro!

Y se puso muy nerviosa. Imaginarse a los cuatro en un sofá —¿cómo sería la casa de un ministro?— delante de un equipo de video —¿cómo sería un Betamax?— con el Adonis de violentos ojos verdes a su lado, a ningún centímetro de distancia, sino tan a su lado que pantalón y falda estarían rozándose, le desbocaba el corazón dentro del pecho.

¿Cómo iría vestida? ¿Qué diría para impresionarlo? ¿Cuán cerca de la boca le daría el beso de saludo?... Cuando pensó esto último tuvo un sobresalto, pues comprendió que la fruta todavía estaba demasiado verde y alta en la mata, y ella estaba más metida en el subsuelo que un tubérculo. Pero se moría de ganas de besar por primera vez la boca de cualquiera, francamente hablando. Y si era la de Jorge el de noveno... En fin, primero que llegara el sábado, que apenas era lunes.

Mientras esa noche comía arroz, frijoles negros y pollo frito con el comedor abarrotado de estudiantes que estaban obligados a comer en silencio, cada bocado le sabía a Jorge. Y el silencio represivo del comedor, que la ponía tan de los nervios, esta vez le parecía la pantalla en blanco donde se proyectaba una película de amor. Y los gritos de Mileidi en el albergue a las diez de la noche, con insultos lanzados a diestra y siniestra contra nadie en particular, sino contra todas las novatas, le pareció un ejercicio de autoridad oportunísimo para que sus compañeras se callaran la boca y ella poder disfrutar tranquilamente de su insomnio de hormonas efervescentes. ¿Las clases de cada día? Nunca antes había estado tan concentrada... en otra cosa. Mientras maestro tras maestro explicaban ecuaciones o interpretaban versos de Martí, ella recitaba en su cabeza interminables diálogos donde Jorge no quería parar de hablar y de escucharla.

Hasta que llegó el sábado.

Se puso su mejor falda (fea), su blusa más nueva (también fea), ambas elaboradas por su abuela materna y costurera del barrio, Trinidad Concepción García, alias *Tatica*. Se miró optimistamente al espejo. Y, a pesar de todo, decidió que estaba linda, con su pelo negro muy en su lugar, sus enormes ojos azules bajo unas pestañas que parecían escobas para barrer los malos presagios. Y mejor no seguir mirando hacia abajo, que las no-tetas siempre habían sido su gran complejo.

Tenía que apostarlo todo, como siempre, a su inteligencia.

La casa del ministro, distinta a lo que había imaginado como un palacete en el barrio de Miramar, era un departamento no muy grande en el Vedado. Cerca del Jalisco Park y de donde entonces vivía Silvio Rodríguez. Llegó con Rebeca a las cinco en punto después de haber dado dos vueltas a la manzana para hacer tiempo.

—Pasen —las recibió Manuel, con una sonrisa que parecía una tajada de melón en medio de su cara.

Por dentro sí que era la casa de un ministro. Lo primero era un sofá y dos enormes sillones que parecían más grandes que la propia casa. Lo único que se le ocurrió pensar, como primera impresión, fue que ya estaba viendo una película. Había una mesita de centro llena de miniaturas que le parecieron objetos preciosos, que hablaban como seres liliputienses de los mundos de maravilla que quedaban más allá de la isla. Había cuadros en las paredes que, de haber sabido algo de artes plásticas, hubiese podido identificar como obras de pintores cubanos muertos o tan viejos que les sobraba fama. Y entre la sala y el comedor, en un mueble que hacía la función de tabique, entronizado como el altar de un dios tecnológico, estaba el Enorme Equipo de Música. En la Cuba de aquellos años, una familia cuyos parientes viviesen en Miami a lo sumo conseguía atesorar una de esas radiocaseteras Sanyo monofónicas que hoy venden los anticuarios. Pero en casa de Manuel había lo que se conocía como un «tres en uno». Vamos, el típico artefacto radio-tocadiscos-casetera negro de tres pisos y muchos botoncitos y dos bafles que parecían naves espaciales.

—Este es el Beta —dijo Manuel señalando un aparato plano y plateado que permanecía opacado por el equipazo de música—, pero las pelis las vamos a ver en mi cuarto, que tengo otro.

Y lo siguieron por un corredor lleno de adornos, espejos y cositas raras y lindas hasta la tercera habitación, la del fondo. Anabela dormía en la sala de su casa, que contaba solo con el cuarto de sus padres, en un sofá que ni siquiera era cama, al final de un pasillo donde vivían otras cinco familias, en el barrio de Buenavista. Y el pasillo de casa de Manuel tenía tres habitaciones ¡y aquello sí que era un cuarto! Grande y blanco como una nube. Con un póster de Michael Jackson y otro de Madonna y otro de los Beatles. Una cama absolutamente burdelera, casi redonda, y un armario abierto lleno de tanta ropa extrajera que Anabela sintió vértigo. Y zapatos regados por todas partes. ¿Todo aquello existía en Cuba? Anabela se sintió estafada. Viendo la casa de Manuel, ella pertenecía a un mundo de polvo en el suelo, moscas en la cocina, un solo par de zapatos, un televisor en blanco y negro y cuatro faldas hechas por su abuela materna con unas telas de espanto.

Pero la cosa fue a más. Rebeca le preguntó a Manuel:

—¿Y tus padres no están?

Y en eso se asomó en la habitación una mujer que interrumpió el diálogo diciendo:

—Manolito, ¿les traigo unos refrescos?

—Sí, Juana.

¿Juana? ¿La directora de Omnivideo Corporation y madre de Manuel Gaspe se llamaba Juana y tenía la cara como un pergamino egipcio? Ah, ingenuas hijas de proletarios, la respuesta llegó enseguida matando dos pájaros de un tiro, ya que también aclaraba lo referido a la pregunta anterior de Rebeca.

—Mi papá está de viaje y ahora mi mamá está en casa de mis abuelos. Ella es Juanita, la compañera que limpia la casa.

Y Juanita se apareció enseguida con tres Coca-Colas.

Anabela volvió a sentir vértigo. Está claro que tanta información burguesa no podía ser procesada así como así por una adolescente proletaria cubana de los años ochenta. Pero lo de las Coca-Colas era sencillamente obsceno. De alguna manera —y eso sí lo tenía bien aprendido Anabela— eran el símbolo del Imperialismo. Las Coca-Colas le sonaron a delito, como si alguien de pronto le ofreciera coca —de la blanca— a una monja de clausura.

Anabela la probó y sintió que la Coca-Cola era buena.

—¿Y Gaspe viene? —preguntó Rebeca repantigándose en la cama.

—Creo que no —respondió Manuel.

Aquello sonó a sentencia de muerte.

—¿Noooo? —exclamó Anabela abriendo a más no poder sus bellos y tristes ojos azules.

—Tiene una fiesta con unos amigos y me dijo que quiere descansar toda la tarde para estar en forma. —Y, en ese instante en que parecía que la vida perdía todo su sentido, Manuel agregó—: Pero podemos ir luego, estamos invitados.

¡Coca-Cola, un estante con al menos doscientas películas, una cama enorme y la perspectiva de una fiesta con Gaspe! Quién dice que la vida es dura.

Se metieron los tres en la cama, Anabela y Rebeca acariciándose recíprocamente sus antebrazos, y vieron *Dirty Dancing*. Lo único que quería Anabela era que la dichosa película dejara ver el *The end* que daría comienzo a la verdadera aventura de aquel sábado.

Y las sorpresas ministeriales de la familia Gaspe parecían no tener fin.

—Él es Bonifacio, el marido de Juanita y chofer de mi papá —explicó Manuel mientras se metían en un Lada nuevecito rumbo a la fiesta, esta vez sí, en una casa de Miramar.

Al principio, Anabela creyó que no había entendido bien, que aquel lugar donde se cometía el desmadre fiestero no era una casa, sino un hotel.

—¿Y aquí quién vive? —preguntó, fingiendo poco interés.

—Vero —informó Manuel—, es la hija del cónsul soviético.

¿Demasiado cliché? *Of course,* en Cuba todo es clichetudo. El jardín encantado, de faroles a ras del césped, postergaba la casa, dejando que fuese contemplada en toda su amplitud cuando se flanqueaba la cerca alta con porteros (¿O guardias de seguridad? Anabela no estaba segura). La mansión era tan grande y elevada en sus tres plantas que la música podía sonar a todo volumen en la de abajo y arriba una abuelita traída de Siberia podía estar dormitando en un sillón y soñando con felices campesinos que cosechaban remolacha.

Había mucha Coca-Cola, cervezas y cositas ricas de comer, por supuesto, desconocidas para Anabela y Rebeca, que entrelazaban sus manos con miedo. Y los niños (muchachones) y las niñas (muchachitas casi siempre rubias) estaban vestidas…, cómo decirlo: extranjeramente.

Esa noche Anabela vivió un tsunami de primeras veces. Además de todo lo anterior, fue la primera vez que vio que una fiesta no era el apretujamiento en una sala estrecha y calurosa con una casetera Sanyo monofónica que ponía Roberto Carlos y Lionel Richie, bebiendo ron barato mezclado con alguna cosa que ni siquiera tenía nombre. Fue la primera vez que sintió que al mono, si lo visten de seda, príncipe se queda. Fue la primera vez que probó bocadillos de atún, aceitunas, salami, uvas, fresitas, quesitos, jamoncitos y chocolates de distintos tamaños y rellenos. Fue la primera vez que vio tanta gente reunida en un espacio tan grande siendo absolutamente felices. Y escuchando todo el tiempo grupos de música que cantaban *rock* en inglés, cosa prohibida en la Lenin y mal vista en el resto de Cuba.

Y fue la primera vez en que habló con Jorge Gaspe.

¡Por fin! Lo divisó en lontananza, en medio de un coro de Adonis caribeños donde él sobresalía porque ya no era un Adonis, sino lo siguiente. Algo superior, único, espectacular con sus vaqueros («pitusa») y sus zapatillas Adidas («popis»), hablando como si fuera el dueño de casi todo lo que estaba a su alrededor. Gaspe chocó aparatosamente la mano de su primo Manuel. Y, riendo a carcajadas de alguna broma que se estaba imaginando, le dijo:

—Estas son tus amiguitas de las que me hablaste, ¿no?

Y, sin esperar respuesta, saludó a cada una con el acostumbrado beso en la cara. Gaspe olía a algo delicioso que Anabela no había olido nunca. Y lo mejor, estaba levemente sudado.

Hay que repetirlo. Esa fue la primera vez que Anabela habló con Gaspe. Y fue así:

—Estas son tus amiguitas de las que me hablaste, ¿no? —dijo él, saludando a su primo y besando a cada una.

Y Anabela se apuró en decir:

—Depende. —Y, al ver que Gaspe no decía nada porque no entendía, explicó—: Depende de qué te haya dicho Manuel de nosotras.

Acto seguido, Jorge Gaspe puso cara de..., cómo diríamos: puso cara de estúpido que quiere parecer listo, e hizo el siguiente comentario:

—Me dijo que si podía traer unas amiguitas a la fiesta para impresionarlas. Y que la pelirroja quería conocerme porque «le caigo bien».

Y eso fue todo. O sea, ese fue todo el diálogo que tuvo Anabela con Gaspe aquella primera vez.

Miró a Manuel, que no sabía dónde meterse, y siguió mirando a Gaspe, que se había vuelto a meter de lleno en su papel de chulo y le preguntaba a Rebeca:

—¿Eres de séptimo, no?

¡Como si el imbécil no lo supiera! Pero no, se dijo Anabela, no es un imbécil, un tipo tan.buenorro *no puede* ser imbécil. ¿Y por qué había dicho tan descaradamente que su primo las había llevado a la fiesta para impresionarlas y que Rebeca quería conocerlo? Mientras intentaba resolver esta ecuación en su cabeza, observaba que Rebeca y Jorge hablaban de alguna cosa que ya no alcanzó a escuchar. Y la ecuación se quedó como uno de esos problemas que el profe de Matemáticas señalaba como «NTS»: No Tiene Solución. Anabela era demasiado joven para concluir algo evidente: hay hombres inseguros que, cuando se ven acorralados por una pregunta atrevida o inteligente por parte de una mujer, la única salida que encuentran es agredir a alguien para desviar la atención, o decir cualquier estupidez. O ambas, como es el caso.

El problema ahora era Manuel: ¿qué se había creído ese renacuajo para decirle a su primo que las llevaría a la fiesta para impresionarlas? Pero Manuel ya no estaba por ninguna parte. Rebeca volvió junto a ella porque Jorge estaba muy ocupado con sus socitos y el resto de la fiesta consistió, ni más ni menos, en experimentar la soledad proletaria en medio de una multitud burguesa. Por primera vez en la vida.

No obstante, cuando esa noche Anabela se acostó en el estrecho sofá de la calurosa sala de su casa, pensó que le gustaría mucho vivir como toda aquella gente.

Noches de cubalibre y rosas con espinas

¿Se había decepcionado de Jorge Gaspe? Tres años después, subida a un estrado frente a todos los estudiantes y a punto de ser expulsada deshonrosamente de la Lenin, la pionera Anabela López habría de recordar aquellos remotos días en que Manuel la llevó a conocer a Gaspe.

No se había decepcionado. Su amor era un amor de chica de doce años, formado por las ilusiones y los inevitables espejismos que componen todo amor adolescente: le despertaba mucha curiosidad el mundo al que pertenecía el Adonis, y era absolutamente incapaz de asumir una postura crítica con respecto a cualquier comentario que pudiese hacer un tipo tan buenorro. Se imaginaba a sí misma paseando de la mano del susodicho llena de dicha por los pasillos aéreos que conectaban los albergues con el edificio docente, o dándose una vueltecita durante la noche por los bajos del comedor.

Un sector fundamental: los bajos del comedor (durante la noche).

En el riguroso Reglamento de la Lenin se especificaba una falta grave bajo el rubro de «práctica de pareja». ¿A quién se le había ocurrido aquel término? Cada vez que pienso en un delito con tal denominación, me imagino a un grupo de cuadros del Partido, comecandelas de incendio forestal y oportunistas como plantas trepadoras, diciendo en medio de la reunión donde fue elaborado el Reglamento: «Compañeros, no podemos permitir que en la escuela Lenin se incurra en conductas inmorales». ¡Menudos hipócritas! Como si en Cuba el asunto de templar (hacer el amor, follar, tirar, coger, hacer cuchi-cuchi, echar los pipis a fajarse) no fuese más natural que los aguaceros de mayo. Y otra vez los comecandelas: «¿Cómo hacemos para que, en una escuela mixta de casi cuatro mil estudiantes entre los doce y los dieciocho años, no se pongan a templar a diestro y siniestro? Compañeros, hay que ser muy estrictos con esto y especificar un rubro para dicha falta». Aquí los comecandelas echan a volar su imaginación y a uno de ellos, el que tiene pinta de chulo barriobajero disfrazado de compañero del Partido, se le ocurre la gran idea: «A esa falta la llamaremos "práctica de pareja"». Comecandela *dixit*.

Los bajos del comedor, donde Anabela se imaginaba dando paseítos con su novio Jorge, eran el lugar donde los estudiantes acostumbraban a incurrir en la «práctica de pareja». Era una zona a oscuras. Y los profesores más comecandelas, o los más frustrados sexualmente o los que querían hacer méritos, iban allí de safari a pillar estudiantes metiéndose mano. Ojo: para ser severamente sancionado por «práctica de pareja» no había que tener los calzoncillos bajo las rodillas y la falda sin bragas a la altura de la nuca. Bastaba con estar besuqueándose.

Y fue mientras le sacaban brillo al suelo de los bajos del comedor, en el horario de limpieza, cuando Manuel se atrevió a acercarse a Anabela después de varios días evitando su mirada. Rebeca se había ido a limpiar el otro extremo del sector y apareció Manuel como salido de la nada:

—Quiero hablar contigo —le dijo a Anabela, esta vez mirando al suelo, como si evaluara la calidad de la limpieza.

En los días posteriores a la fiesta, Anabela estaba muy disgustada con Manuel por eso de querer impresionarlas con su impresionante vida, pero no era rencorosa. Y, con el paso de los días, fue comprendiendo algo fundamental que le serviría por el resto de su vida: los hombres (imagínese si se trata de renacuajos de doce años) eran criaturas mucho más simples que las mujeres. Este hecho incontestable le servía incluso para perdonar la delación de Gaspe con respecto al comentario de su primo. Así que le dijo:

—Está bien, hablemos.

Y se sentaron en uno de los bancos que estaban más al fondo. Con las manos nerviosas como mariposas, Manuel empezó a explicarle:

—Chica, perdóname, yo no dije eso por nada malo…

—¿Ah, no? ¿Y por qué lo dijiste? —En cuanto Anabela dijo esto, supo que había acorralado a su amigo, y decidió zanjar el asunto—: No te preocupes, Manu, al fin y al cabo conseguiste impresionarnos. —Y sonrió.

Sé lo que significó aquella sonrisa para el manojo de nervios que era Manuel sobre ese banco. En los días previos fui testigo de sus cavilaciones y temores de perder «la amistad» de Anabela. Y entonces le volvió el alma al cuerpo. Por su parte, si cuando Anabela acorraló a su amigo preguntándole por qué quería impresionarlas hubiese avanzado un centímetro más en sus intuiciones, se habría asomado al traspatio de la amistad de Manuel hacia ella. ¿Qué le pasaba a Manuel? ¿Por qué estaba tan nervioso y tenía pánico de perder «su amistad»? Anabela tenía doce años y estas cosas se aprenden luego. Por el momento, toda su atención estaba absorbida por una doble perspectiva: acercarse otra vez a Jorge Gaspe e ir penetrando en esa burguesía socialista que le había despertado tanta curiosidad.

Así que otra vez volvieron a ser Anabela, Rebeca y Manuel de un lado para otro. Pero de manera totalmente distinta. La semana escolar se convertía en el fastidioso paréntesis que había que superar para reencontrarse los fines de semana gastando las calles del Vedado. Ya Manuel no tenía que contarles películas porque las veían bebiendo Coca-Cola los sábados en su casa. Y las noches siempre eran de fiesta.

Fabulosas fiestas de una Habana oculta.

Esto ocurre en todas partes y ha sido tema de novelas clásicas, monografías tediosas y chismorreo de cantinas en pueblos de mala muerte: si una persona de una clase social «baja» por algún motivo se asoma o ingresa en el luminoso Olimpo de los privilegiados, suele quedar encandilada. Y comportarse como pez fuera del agua. O mimetizarse creándose una identidad artificial.

Pero Cuba era un país socialista de estirpe soviética en versión tercermundista caribeña. Y esto es una combinación rara. Para empezar, en los años ochenta los niños y adolescentes eran bombardeados con los cubanamente famosos «muñequitos rusos», una sarta de dibujos animados mal dibujados, tediosos, llenos de moralejas y medio incomprensibles porque eran soviéticos. Y centenares de películas socialistas donde campesinos y obreros rebosantes de felicidad trabajaban por un futuro idílico. A lo más que llegaban los filmes americanos que pasaban en la tele era a *King Kong, Frankestein, Drácula, El hombre lobo, Bruce Lee* y otras antiguallas. La gente alucinaba con estas películas. La música de los países capitalistas estaba prohibida y el dólar era el dolor de no poseer ni uno, a no ser que se tuviesen parientes en Miami. Entrar en los hoteles, al igual que a las tiendas «en divisa», estaba prohibido para los cubanos y, si te pillaban con algún dólar que te había regalado tu tía de Miami, ibas de cabeza a la cárcel.

Fabulosas fiestas de una Habana oculta.

¿Podemos imaginarnos entonces el *shock* de Anabela a medida que iba explorando el parque temático de la vida de los burguesones de La Habana? La Lenin estaba llena de los hijos de los dirigentes. Parecía un vivero. Y cuando Bonifacio, el chofer del padre de Manuel, los llevaba de casa en casa y de fiesta en fiesta, Anabela contemplaba tras la ventanilla del Lada los ómnibus con racimos de gente colgando de las puertas y los paraderos atestados donde toda su vida había hecho colas para ser parte del racimo que colgaba de las puertas. Miraba su casa, a su padre carpintero y a su madre secretaria, y toda la ropita fea que le hacía su abuela materna como si fuesen un estigma.

Podría pensarse que, chapoteando en el flato de la vida fastuosa de La Habana oculta, Anabela comenzó a cuestionar sus principios románticos de pionera revolucionaria. Nones. *Remember Orwell, 1984,* que habla de algo llamado «doblepensar». Anabela doblespensaba: por un lado estaba la vida dura de casi toda Cuba, que se sacrificaba para construir el paraíso socialista bajo las narices del Imperialismo yanqui, y por otro estaba ese mundo metido dentro de la misma Cuba, que pertenecía de punta a cabo al estilo de vida capitalista burgués. Dentro de Anabela, una cosa no entraba en contradicción con la otra. Seguía siendo la misma pionera revolucionaria de siempre, pero estaba fascinada con el mundo de Gaspe y toda la banda de hijitos de papá.

¿Y qué pasaba con Jorge? El segundo encuentro ocurrió un tiempo después y fue precisamente en casa de Manuel.

Habían quedado para ver *Magnum 44,* peli que con seguridad le encantaría al buenorro de noveno. Perdida toda esperanza de que llegase a aparecer el amor de su vida, resignada una vez más en la cama de Manuel, junto a Rebeca, observaban cómo Charles Bronson sacaba su pistolón y liquidaba a los ladrones como si fuesen moscas. Y en eso sonó el timbre de la puerta y a Juanita no le dio tiempo de anunciarles que se trataba del primo. A mitad de película, en el supercuarto de Manuel hizo su entrada triunfal el buenorro de noveno.

—Qué bolá —dijo chocando lo más fuerte posible la mano de Manuel.

En el código *cool* habanero hay que decir «qué bolá» y chocar las manos como si se dieran una furiosa bofetada recíproca.

Y procedió a besar las mejillas de las amiguitas de Manuel a las que no había vuelto a ver desde aquella fiesta. Por supuesto, hubo que rebobinar la película para que Jorge la viese desde el principio, cosa que propuso Anabela hecha un mar de nervios con oleadas de sonrisas y peces de ilusiones.

¿De qué trataba la película? Imposible que Anabela pudiera decirlo. Los cuatro apretujados en la cama impedían que Anabela se concentrara en otra cosa que no fuesen los comentarios de Jorge, las exclamaciones de Jorge, la respiración de Jorge. Y él estaba muy a su lado. Junto rejunto entre Rebeca y ella, con su cadera rozando su cadera, su mano que bajaba y subía todo el tiempo para señalar las hazañas de Charles Bronson y, con harta frecuencia, terminaba rozando su brazo.

Para la mayoría de las chicas de doce años el amor es una cosa abstracta e idílica y el deseo sexual otra, que con el tiempo se reúnen y armonizan. Pero Anabela era una especie de robot programado para tener apetito sexual casi todo el tiempo. De modo que el roce de la mano de Gaspe sobre su brazo y la cadera apretada contra la suya eran los interruptores de una salvaje red de sensaciones. Allí acostada, con sus cinco sentidos y otro sentido extra hipersexual puesto en su vecino de cama, Anabela tuvo un pico de excitación mientras Charles Bronson deshacía entuertos.

Con el paso de los meses hubo muchos encuentros cinematográficos que le sirvieron para perpetuar la conexión entre los roces y unos grados de excitación que la dejaban perpleja. Se creía una especie de pervertida incapaz de controlar ese instinto, pero le gustaba tanto...

Y ¿qué pasaba con lo otro, con la auténtica evolución de su posible noviazgo con Jorge? Nada, o muy poco. Iban de fabulosa fiesta en fiesta. Todo el mundo era hijo de ministro o de viceministro, o de médicos, o de técnicos extranjeros o alguna otra especie superior. Entre ellos hablaban de los perfumes, los *walkman,* los discos y las ropas que les traían sus superpadres en los viajes y, por supuesto, Anabela tenía muy poco que decir. Se sentía acomplejada y, cuando le preguntaban algo acerca de su existencia, decía ambiguamente que su madre trabajaba en el Hospital Nacional y cambiaba de tema. Su ingenio pasaba inadvertido para Jorgito Gaspe y sus tetas crecían demasiado lentamente mientras escuchaba comentarios acerca de lo buenas que estaban otras chicas. Incluida Rebeca.

Pilló la primera borrachera de su vida tomando ron con Coca-Cola —tal vez pensara que aquello sí que era cubalibre— una noche en una fiesta en casa del hijo de un neurocirujano de apellido Deyong. Y, entre los mareos previos al vómito, escuchó que alguien decía:

—La pelirroja está buena, ¿no?

Y Rebeca, que, como siempre, estaba a su lado, soltó una carcajada que parecía un pájaro de fuego.

¿Quién había dicho aquello? Un tal Luis Ángel, socito íntimo de Gaspe. Sumergida en la nebulosa de su mareo etílico, Anabela creyó escuchar que Gaspe respondía:

—Buena no, buenísima.

Poco a poco fue aceptando que para Gaspe ella era una especie de mosca incomprensible, un ser invertebrado gaseoso, vamos, lo más cercano que pueda imaginarse a la mujer invisible. Y, a medida que maduraba esta certeza, más enamorada se sentía.

Así fue como conoció una nueva sensación, organizada en tres momentos causales: terminaba las comidas en la Lenin, pensaba en Jorge Gaspe y vomitaba.

Y fue una de esas tardes cuando la llamaron por el sistema de audio central que podía escucharse en todos los pasillos, aulas, dormitorios y vericuetos de la Unidad 1. Estaba con Rebeca saliendo del baño, muy agarraditas de la mano, cuando esta le dijo:

—Bela —a veces la llamaba así y sonaba muy especial—, ¿ese no es tu nombre, el que están diciendo por la bocina?

Y sí. El llamamiento era: «Que la estudiante Anabela López Cerdá se presente cuanto antes en la cátedra de su profesora guía».

Tembló. Tembló de pies a cabeza porque esos llamamientos solo se hacían cuando el estudiante en cuestión estaba metido en un tremendo lío.

Pero no. No se había metido en ningún lío.

La cosa era aún peor.

La profesora guía la esperaba sola tras su mesa de trabajo con cara de circunstancias. Con la cara de quien tiene que dar la noticia de que alguien se ha muerto.

—Pasa, tengo que comunicarte algo.

Tres años después, subida a un estrado frente a todos los estudiantes y a punto de ser expulsada deshonrosamente de la Lenin, la pionera Anabela López habría de recordar aquella tarde remota en que la profesora guía le comunicó que su abuela materna había muerto.

La abuela

Trinidad Concepción García era analfabeta. Cuando, ya de adulta, Anabela escuchaba que algún comecandela internacional de izquierdas recitaba que en Cuba no había analfabetos, ella le decía con neutralidad estudiada:

—Al menos me consta que había una: mi abuela materna.

Trinidad Concepción García era la costurera de su barrio. Su casa quedaba bajo una enorme loma llamada calle San Luis, esquina con Espeleta, que era un callejón de polvo y piedra donde pasaba de todo, en el barrio de la Víbora. Si el barrio de Buenavista donde vivía Anabela con sus padres era un territorio humildeproletario, la loma de San Luis pertenecía a una categoría rasante en la marginalidad. Si el departamentico donde vivía Anabela con sus padres, de un solo cuarto, un baño que parecía metido dentro del clóset y una cocina donde no cabía un costal de boniatos, era representativo de barrio pobre habanero, la casa donde vivían sus abuelos maternos, de tejas con goteras, paredes desconchadas y baño con suelo ahuecado y váter sin tanque, era simple y llanamente una pocilga.

El barrio donde Trinidad Concepción cosía la ropita fea de Anabela y la de todos los vecinos por dos cajetillas de cigarros sí que era folclórico. Un revoltijo de gente escandalosa que vivía de puertas para fuera, negros en la esquina que jugaban dominó a tiempo completo y traficaban con cosas robadas, perros que orinaban en cada poste de madera ennegrecida y gatos muertos de hambre que pasaban la noche maullando como niños que lloran.

Lo que más le gustaba a Anabela, más incluso que recitar el eterno alegato de Fidel Castro y triunfar como pionera, era pasar los fines de semana y días de vacaciones en casa de sus abuelos maternos.

Trinidad Concepción García había nacido en la zona de Vueltabajo, en la provincia de Pinar del Río, donde se cultiva el mejor tabaco del mundo. En un pueblo conocido como El Cayuco, de tierra roja que era también el suelo de los bohíos, agua sacada de pozos y donde la luz eléctrica no era ni siquiera una esperanza. Esas fotos de niños descalzos con sus barrigas-hotel cinco estrellas de legiones de parásitos que exhibía la Revolución para ilustrar el pasado cubano podrían haber sido tomadas en El Cayuco en plenos años ochenta.

La zona estaba llena de «casas de tabaco», que era donde se secaban y procesaban las hojas. Y una de las historias que prefería contarle Trinidad Concepción a su nieta Anabela se refería al día en que había querido volar. Se le ocurrió trepar a la punta del techo de una casa de tabaco y, sombrilla en mano, se lanzó al vacío paracaidísticamente. Aterrizó sobre una de las enormes pacas y quedó enterrada (entabacada) sin apenas poder respirar, pidiendo un auxilio que no llegaba a nadie. Pero por allí pasaba un muchachón albañil llamado José, quien, aunque no podía escuchar los estertores desesperados, sí había visto desde lejos a esa niña chalada que pretendía saltar sombrilla en mano. Y corrió hasta la casa de tabaco, hundió sus brazos en la paca y le salvó la vida tirándole de los moños.

Así se conocieron, garciamarquianamente. Y la cosa siguió por la misma línea. El muchachón era veinte años mayor que la muchacha loca y un tiempo después se casaron. Es un decir, porque en El Cayuco no se celebraban demasiadas bodas que digamos. Más bien las parejas se ponían de acuerdo para que una noche el varón se acercara a caballo en la madrugada a la casa de la novia y ella saliera a hurtadillas con un atado, tras lo cual hacían el amor en el platanal más cercano y se fugaban a vivir escondidos donde todo el mundo sabía, por ahí cerquita.

Trinidad Concepción estaba llena de historias. ¿Por qué, en lugar de llamarla Trinidad o Concepción, en el barrio de la Víbora la llamaban Tatica? En la Cuba de la infancia de Anabela pasaban todos los días en la tele, a las siete y media de la noche, unos episodios con títeres llamados *Tía Tata cuenta cuentos*. Los famosos episodios consistían en que una especie de Sherezade muy vieja llamada Tata contaba historias fabulosas para los niños. Lo mismo hacía Trinidad Concepción en su cuchitril de la Víbora. Le decían Tatica porque contaba cuentos a todos los niños de la loma de San Luis, que permanecían un buen rato cada noche muy quietecitos en su sala, en lugar de andar por ahí tirando piedras y enloqueciendo a los vecinos.

El barrio era como un parque temático con todas las especies: guaricandillas fundacionales de lo que luego en Cuba se conocería como «jineteras», alegres niños que asaltaban tendederas y ya se les notaba cierto aspecto innegable de carne de presidio, amas de casa que siempre estaban embarazadas o poniéndole los cuernos a sus maridos (o ambas cosas), adolescentes que perdían la virginidad tres o cuatro veces al día, viejas que se desempeñaban como chismosas incluso cuando estaban dormidas, comecandelas descamisados que compraban huevos de contrabando y luego delataban a los vendedores, criadores de palomas, santeros, honrados trabajadores revolucionarios, jubilados que pasaban el día jugando dominó e incluso se atrevían a hablar mal del gobierno (susurrando). Y sábanas amarillentas colgadas en todos los balcones.

¿Por qué lo que más le gustaba del mundo a Anabela era pasar los días en casa de su abuela Tatica? Por todo lo anterior y porque hacía lo que le daba la gana. Trinidad Concepción tenía una idea muy flexible de lo que era cuidar de su nieta.

Aunque no bebía una gota de alcohol, Tatica fumaba como una chimenea. Tentado estoy de afirmar que aquello de haber estado a punto de ahogarse en la paca de tabaco le contagió el vicio desde niña. Y no tenía dinero para comprar todos los cigarros que necesitaba. Solventaba este pequeño inconveniente muy a su estilo. Le daba una vergüenza terrible ponerse a recoger colillas en la acera frente a su puerta, al anochecer. Allí se celebraban interminables torneos de dominó y todo el suelo quedaba cubierto de colillas, tentadoras como los restos de la comida en un restaurante de lujo para un mendigo. Así que Tatica le pedía a su nieta Anabela que se diera un paseíto disimuladamente y fuera recolectando en una bolsa de plástico las colillas fresquitas de mayor tamaño. Luego las destripaba, las metía en un artefacto de liar y preparaba docenas de cigarrillos reciclados para envenenarse como Dios manda.

Y, para colmo, era asmática. La muerte tabaquera llamó a su puerta dos veces. La primera, cuando quedó enterrada en la paca y José el albañil le salvó la vida. La segunda, muchísimos años después con un paro respiratorio, el día antes de que Anabela fuera solicitada por el audio central de la Unidad 1 de la Lenin, y nadie le salvó la vida.

Y ¿qué pasó con su marido, el abuelo de Anabela, que era veinte años mayor? Había muerto unos años antes. José era un viejo cascarrabias y sentimental al que se le aguaban los ojos cada vez que su nieta se iba de su casa para retomar la semana escolar. En los últimos tiempos le dio por odiar a los negros del barrio de la Víbora muy temerariamente. Se colgaba un enorme cuchillo en la cintura, se paraba en la esquina donde los especímenes más peligrosos bebían ron y metían bulla, y decía con voz muy alta y clara:

—¡¿De dónde han salido tantos negros cabrones en este país?!

Los aludidos se lo tomaban con indulgencia y escupían un coro de carcajadas porque consideraban que el viejo José tenía la cabeza ida.

Unos meses antes de morir le dio por decir que, cuando llegara la parca, si de verdad había un más allá, le enviaría un mensaje a su amada Tatica. No sabía de qué manera, esas cosas hay que irlas viendo sobre la marcha. Y mira por dónde: José tenía un reloj de pared más viejo que Matusalén colgado en la sala, al que daba cuerda todos los días en la mañana y se guardaba la llave en el bolsillo muy solemnemente, como si fuera el guardián del tiempo. Cuando murió, a los pocos días y aunque Tatica continuaba dándole cuerda al reloj con los ojos llenos de lágrimas, al aparato le dio por detenerse, sin explicación alguna, más o menos a la misma hora en que había fallecido su dueño.

Tatica murió pensando que José el albañil le había mandado aquella señal y la estaba esperando al otro lado.

Cuando Anabela salió de la oficina donde la profesora guía le había dado la noticia de la muerte de su abuela, estaba hecha pedacitos. Molida de dolor.

Rebeca la esperaba fuera y le dio un larguísimo abrazo en silencio. Luego pasó una hora entera al lado de la cama donde Anabela lloraba, acariciándole el pelo. Esa misma tarde a Anabela le dieron un «pase especial» para que asistiera al entierro de Trinidad «Tatica» Concepción, su abuela analfabeta que contaba cuentos.

El amor da cólera

—¿Cómo ha sido? —le preguntó Rebeca cuando la vio regresar al albergue.

Le habían dado solo un día de pase y en la noche del miércoles, mientras todas sus compañeras se preparaban para dormir arrulladas por los insultos de Mileidi, ya estaba de vuelta con la maletica de madera que le había hecho su padre. Anabela no sabía qué odiaba más, si la entrada a la escuela cada domingo o aquella maletica que parecía un instrumento de percusión.

—Peor de lo que pensaba. Todo el barrio estaba en el cementerio.

—Ah...

—¡A ver, comemierdas, que ya es hora de silencio! —Mileidi hizo su entrada sonora en el cubículo.

Entonces Anabela chasqueó la lengua. La chasqueó con ese sonido característico de disgusto que en Cuba se conoce como «freír huevo».

—¿Qué coño dices? —Mileidi se le encimó abriendo los ojos como si Anabela en lugar de freír huevo le hubiera mentado la madre y confesado al mismo tiempo que se acostaba con su novio.

—No dije nada, chica, estaba cocinando con la boca...

—¡Cuidadito, que te parto la cara, comemierda!

Por un instante a Anabela se le pasó por la cabeza tomarle la palabra y estamparle una de esas bofetadas que suenan a cuerpo chocando con la superficie de una piscina, aunque luego la prima de King Kong se la comiera viva. Pero decidió callarse y se metió en la cama. Le habría gustado que Rebeca hiciese algo, que terciara en la situación.

Tuvo un sueño opresivo como un pozo en blanco y negro. Cuando despertó a la mañana siguiente y terminó de alistarse, buscó a Rebeca con la vista por el cubículo y luego en los lavamanos y en la sala donde solían reunirse para desayunar juntas. No estaba. Anabela tenía la mente demasiado nublada para pensar en algo. Y allí se alzaba la monstruosa Mileidi en el umbral del albergue con su conteo, mirándola como si se hubiera pasado toda la noche pensando que su novio se acostaba con Anabela.

Durante los turnos de clase de la mañana, al lado de Rebeca, fue como si estuviese sola. Un vacío sólido, de carne y hueso, se le había instalado dentro. Al final del entierro, y tras las inevitables escenas de telenovela mexicana que montaron las vecinas Guillermina y Mirta, había creído que, regresando a la escuela y con Tatica bajo tierra, la abandonaría esa sensación de pozo sin fondo. Pero cuando en la noche otra vez Mileidi empezó con su ronda de insultos y Rebeca se metió muy apurada bajo la sábana, el vacío seguía estando allí.

El viernes comenzó a intuir que algo pasaba. Antes de salir de pase, Manuel le dijo:

—Por qué no vienes a la fiesta, chica, a lo mejor te hace bien distraerte un poco. Pero no te emborraches.

La fiesta. Casi todos los sábados había fiestas, claro. Pero no todos los sábados. ¿Qué fiesta? Debió haberlo preguntado: ¿Hay algo este sábado? O quizá se lo habían dicho y sus oídos se negaron a escuchar la palabra fiesta.

—No sé…

—Anda, chica. —Manuel entrelazaba los dedos en actitud contrita y ponía esa cara de payaso de la que no era consciente en absoluto y que por eso le salía tan bien. Anabela se sorprendió sonriendo y, acto seguido, decidió ponerse más seria que nunca. Quería que todos, especialmente Manuel, supieran que su dolor no tenía límites.

—Nadie va a querer ver en una fiesta a una tipa que todavía está en un velorio —le respondió, zanjando el asunto.

—Bueno, por si acaso, es en casa de Richar, igual que la otra vez.

Y eso fue todo. Pero hubo más.

A las nueve de la noche del sábado, aplastada por los monosílabos de su madre, que parecía una zombi de un lado a otro del pequeño departamento de Buenavista, decidió vestirse y salir.

Cuando llegó a la mansión de Richar, que era hijo de un miembro del Buró Político, la fiesta estaba alcanzando su punto de ebullición. Sonaba *Urgent* de Foreigner, los roqueros se retorcían en la sala en penumbra y hacia el fondo del patio se dejaba oír un bullicio de manifestación popular que está a punto de tomar alguna Bastilla.

Mientras atravesaba el pasillo que conectaba con el patio, nadando entre grupitos pegajosos y fumadores, una mano se le posó en el hombro.

—¡Viniste! —Era Manuel.

—No, no he venido, pero estoy aquí.

De pronto Anabela sintió que aquello era bastante desagradable. Tendría que sonreír todo el tiempo, asediar a Gaspe una vez más e intentar llamar su atención. Pero también pensó que lo único que podría ayudarla era que el buenorro de noveno por fin le diera una mínima luz de esperanza. No un reflector, había que ser realista, sino al menos una intermitente luciérnaga de esperanza que durase toda la noche.

La cara de Manuel estaba rara. Su mano la mantenía sujeta del hombro. Su voz sonaba muy rara.

—¿Dónde... dónde vas...?

—Al jardín, que aquí hace tremendo calor. ¿Y tu primo vino?

Decidió que esa noche iría más allá con Gaspe. Ya había perdido demasiadas cosas y no le importaba insinuarse descaradamente aunque le dieran calabazas. Había que dejar el ajedrez y empezar a jugar a las damas a ver si el buenorro tenía algo de caballero. Nada podía ser peor que estar como estaba ahora.

Sin esperar respuesta, se liberó de la mano de Manuel y salió disparada por el pasillo que desembocaba en el jardín.

Entonces vio a Rebeca. Al fondo, cerca de uno de esos faroles trasplantados de un parque a casa de un miembro del Buró Político. Rebeca lucía exactamente como la diosa Shiva de la religión hindú. De frente, sinuosa dentro de un vestido corto y vaporoso, con una sonrisa de altar bajo su pelo rojo. ¡Y hasta tenía cuatro brazos, como Shiva! Detrás de ella, dibujados en un solo plano por la distancia, se veía aparecer otros dos brazos que se abrían y cerraban sobre su pecho y su cintura. ¿Y aquello qué es? También tenía dos cabezas. O más exactamente, por detrás de su pelo rojo y lacio salía otra cabeza que se apartaba un poco y luego le besaba el cuello. ¡Adonis y Shiva metiéndose mano!

Basta la comprobación de un hecho para percibir en el acto una serie de rasgos confirmatorios, antes insospechados. Anabela se asombró de no haberse dado cuenta antes. Mucho antes. Habían ocurrido mil y una noches de fiesta donde Rebeca y Gaspe se reían juntos más de la cuenta. Pero siempre pensó —quiso pensar— que su amiga lo hacía *por la causa*. Para colaborar con la secreta campaña de conquista Anabela-Gaspe. ¡Traidora! Ahora entendía el silencio de los días anteriores, el vacío que creyó instalado dentro de su cuerpo y que en realidad le venía desde fuera. Por eso Rebeca no terció cuando Mileidi quiso bronca. Por eso no la esperó para ningún otro desayuno en el resto de la semana. Por eso no le había dicho nada de aquella fiesta en casa de Richar.

¿Cómo podía cambiar tanto la vida en un solo día?

Escuchó la voz nerviosa de Manuel:

—¿Rebeca no te lo había dicho? El miércoles ella y mi primo…

—¡Me cago en su madre! ¡Y en la tuya!

Y se dio media vuelta para meterse en la noche. Tenía que salir de allí cuanto antes.

La calle no era una calle, era una sucesión de luces decrépitas que la encandilaban tras el velo del llanto. El peinado césped de la Quinta Avenida no era un césped, sino una trampa de púas dispuestas a molerla al menor descuido. Miró su insignificante reloj de pulsera: una de la madrugada. Ya era domingo. ¡En la noche tendría que entrar a la Lenin y dormir en la litera que compartía con Rebeca! ¡En la mañana del lunes iría a clases y compartiría la misma mesa con Rebeca!

No basta con decir que la cosa fue desagradable, sino un poco peor. Esperaba una larguísima conversación con su amiga del alma que la había traicionado. Y en esa conversación Rebeca soltaría alguna lágrima, pediría perdón y explicaría las inexplicables razones por las que le había dado esa puñalada trapera.

Pero fue así: cuando Anabela entró al cubículo, ya Rebeca había llegado y estaba tendiendo la cama. Se detuvo un instante, alzó la vista sin mirarla a los ojos y dijo:

—Hola.

Anabela no respondió nada.

Eso fue todo por aquella noche. Y al día siguiente, durante las siete horas de clases, Rebeca le regaló un silencio que lo ensuciaba todo. Pero Anabela estaba convencida de que su examiga seguía esperando el difícil momento de dar explicaciones.

El viernes en la tarde las explicaciones todavía no habían llegado. Rebeca desaparecía de seis a ocho y se escondía donde muy bien sabía Anabela: en los bajos del comedor. Con Gaspe.

Ese viernes a las cinco de la tarde Anabela se dio cuenta de una cosa: la muerte de su abuela había pasado a un segundo plano. ¡Apenas había pensado en ella durante toda la semana! Si hubiese tenido unos años más habría entendido lo que le pasaba, pero con doce años a punto de extinguirse lo único que experimentó fue desprecio hacia sí misma. ¿Cómo era posible ser tan egoísta? Todavía no sabía que su amor, su manera de enamorarse, era más fuerte que una patología terminal.

Y lo peor era que a la semana siguiente tendría que cumplir trece años y quizá sus padres le dirían, como siempre, que pidiera un deseo. Pero ya se sabe que las desgracias nunca vienen solas.

El sábado en la mañana, cuando todos los estudiantes de la Lenin eran un hormiguero de planes, nervios alegres y gritos, Manuel la llamó y le preguntó:

—¿Qué piensas hacer hoy por la noche?

Habían hablado poco durante la semana. Anabela había estado jugando a esconderse de sí misma, ni que decir tiene que también de Manuel y del resto de sus compañeros, en un lugar muy apartado detrás de las canchas de baloncesto, donde se alzaba la enorme torre con el tanque de agua que abastecía a la Unidad 1. Siempre le había gustado aquel sitio para rumiar sus tristezas porque era rotundamente feo, hecho de cemento áspero, apartado de todo. La torre era altísima, circular y fina, de modo que, con el paso del tiempo, la sombra de la torre sobre la hierba cambiaba de posición como si se tratara de un gran reloj de sol, y ella se veía obligada constantemente a cambiar de lugar para mantenerse a la sombra. Este movimiento en círculo la incomodaba tanto que le gustaba. Como si la búsqueda de sombra le recordara que tenía que moverse para no morir abrazada por la tristeza.

Cuando Manuel le preguntó si había hecho planes para la noche, ella pensó que tenía la intención de invitarla a otra fiesta del terror. Y le respondió:

—No jodas, no estoy para fiestecitas.

—No, chica, quería invitarte a ver una película y a dar una vuelta por ahí.

¿Por qué no? A fin de cuentas, Manuel era un buen amigo y ella necesitaba desahogarse. Mantener en secreto su amor por el primo ya no tenía sentido: el juego había terminado y no quedaba más remedio que mostrar las cartas.

Es sabido que bajo los efectos narcóticos del dolor a veces la mente se agudiza hasta extremos sobrehumanos, pero lo más común es que no se piense bien. El dolor lo empaña todo como un aguacero al cristal de un coche. ¿Podía Anabela haber sospechado algo?

Quedaron a las seis de la tarde en casa de Manuel.

—¿Sabes qué es esto? —le dijo Manuel en cuanto ella se sentó en el sofá de la sala.

—Una botella.

—Se llama güisqui.

—¡No jodas! —fingió asombrarse Anabela, que escuchaba el nombre por primera vez.

—A mi papá y sus amigos les encanta. Lo traen del extranjero.

Entonces Anabela se dio cuenta de que estaban solos. Y preguntó:

—¿Y Juanita? ¿Y tus padres?

—¡No hay nadie! Vamos a aprovechar y echarnos unos tragos. Pon música. —Y se fue corriendo a la cocina.

Anabela pasó revista a la colección de *longs plays* y puso uno de Air Supply.

—Se toma con hielo —explicó Manuel, poniendo un montón de cubitos en cada vaso.

Encendió una lámpara, apagó la violenta luz principal y Anabela pensó que había tomado la decisión correcta y que Manuel era un amigo de verdad. Y el pobrecito tendría que soportar la marea alta de sus confidencias de un momento a otro.

El primer trago le supo asqueroso. Pero el cuarto ya no tanto.

—¿Cómo dijiste que se llama esta cosa?

—Güisqui. Lo mejor del mundo.

A la media hora ya estaban borrachos y Anabela decidió recostar su finísima espalda en el brazo mullido del sillón, en el extremo opuesto a donde estaba sentado Manuel, y repantigarse sin miramientos. No se enteró cómo fue que sus pies ya estaban descalzos cuando los puso estirados sobre las piernas de él.

Manuel comenzó a hacerle masajes en los pies.

—Aaassí no, que me *hassces* cosquillas.

«¡Coño! —pensó Anabela—, tengo la lengua enredada». Pero ya Manuel la había visto demasiadas veces con la lengua de trapo, ¿qué más daba?

—¿Y cómo? —le preguntó Manuel que tenía los ojos achinados, como cada vez que bebía más de la cuenta.

—¿Cóomo qué?

—Cómo quieres que te de masajes para que no te haga cosquillas.

—Así, aaasí.

La presión de los dedos de Manuel sobre su planta, su empeine y entre sus dedos había aumentado de una manera aterciopelada.

—Qué rico.

Si Manuel hubiera continuado por la misma línea, lo más seguro es que hubiera terminado haciéndole el amor a Anabela con su beodo consentimiento. Pero al muchacho se le ocurrió algo muy inoportuno. Le dijo:

—Ani, tengo que decirte algo.

—El qué.

En ese instante, Anabela experimentó lo mismo que una sartén muy caliente —suponiendo que las sartenes tuviesen alma— cuando la meten de golpe en una nevera. Un *shock* térmico. Sus hormonas iban a mil con aquello del masajito en los pies. Y, a pesar de su tremenda borrachera, comenzó a intuir que el otro iba a decirle algo que no quería escuchar. Vamos, no era el momento de ponerse a hablar acerca de lo traidora que era Rebeca, sino de seguir con el masaje y todo lo demás.

Pero lo que a continuación dijo Manuel no tenía nada que ver con la traición de su examiga:

—Estoy enamorado de ti. Siempre he estado enamorado de ti.

¡Plaf! Ya lo había dicho. Y, aunque no quisiera, Anabela lo había escuchado. No obstante, se le ocurrió la alcohólica idea de que había escuchado mal, o acaso solo quería ganar tiempo.

—¿Quéee dices? —preguntó riendo nerviosa, como para dejarle a su amigo el margen de tirarlo todo a broma, callarse y seguir con el masaje.

Lo que tenía en mente Manuel era totalmente estúpido. ¿De qué se trataba? En Cuba, en aquellos años, dentro de los círculos adolescentes se suponía que esa era la fórmula para que una chica accediera a dejarse meter mano hasta el final. Primero se le declaraba el amor —a eso lo llamaban con el término ridículo de «echar el talle»— y, si la chica correspondía a la declaración, lo siguiente era decirle: demuéstramelo. O sea, se suponía que si ella decía que también estaba enamorada, para demostrarlo tenía que empezar con el besuqueo y el toqueteo hasta que la cosa terminara en polvo. Esa era la fórmula. Que funcionaba en la cabeza de todos los tipos y en la de algunas chicas simplonas y sin imaginación.

Manuel decidió pasar a la siguiente etapa:

—Que me lo demuestres.

La carcajada de Anabela esta vez sonó aún más nerviosa.

—Chica —dijo Manuel estirando sus manos hasta el interior de la falda de Anabela—, vamos, demuéstrame que estás metida conmigo. Todo el mundo dice que estás enamorada de mí.

A Anabela aquello le parecía increíble, pero estaba tan borracha que no podía dejar de reírse. Sus carcajadas ahora sonaban a insulto y Manuel estaba cada vez más serio. Vamos, como suele decirse, acomplejado. «Meterle una cañona». Ese era el otro término que circulaba entre los machitos de su tiempo. Y quería decir «forzar a una chica a templar», no tanto como violarla, pero algo parecido. La diferencia estaba en que, según el mito, a la mayoría de las chicas de esa edad había que meterles una cañona para darles la posibilidad de fingirse recatadas y que, pasado el trámite, terminaran cediendo porque en el fondo «todas eran muy putas».

Y Manuel decidió meterle una cañona a Anabela. Nunca le había gustado mucho aquella fórmula ni creía en su eficacia —era un chico sensible—, pero todo el mundo sabe que a los doce años las influencias del círculo de amigotes son muy fuertes.

De modo que las bragas de Anabela ya iban camino a las rodillas. Y pateó. Pateó tan fuerte como pudo, aunque no consiguió gran cosa por culpa de la borrachera y de un error de cálculo. Quiso patearle el pecho, pero erró el golpe y quedó medio a horcajadas bajo su atacante, que ya se le estaba tirando encima.

Con los cuatro vasos de güisqui que Anabela llevaba dentro, la retrospectiva del recuerdo fue muy confusa. Ya no tenía ropa interior y el delgaducho Manuel de pronto se había transformado en Terminator. Por mucho que ella le escupiera, empujara, pateara y arañara, el robot seguía por la misma línea. Cayeron al suelo jadeantes, sobre la alfombra, y Anabela recuerda que tenía una miniatura —probablemente uno de esos elefantitos orientales— incrustada en la espalda. Pero, con el cambio de zona de combate, el otro pareció apaciguarse. Solo por un instante. Porque enseguida comenzó a tocarle las no-tetas e intentó besarla una vez más.

—¡Manuel, para ya, coño!

Fue como decir el código secreto para que el robot se desactivara. Se quedó mirándola con cara de borracho sorprendido, como si, por primera vez, fuera consciente de la resistencia de Anabela. El siguiente recuerdo de Anabela es estar caminando por la calle 23, dándose cuenta de que la frase «tener la mente en blanco» en realidad quiere decir que uno está pensando en tantas cosas que todo parece un amasijo indescifrable. Dentro de todo el lío mental, de vez en cuando se formulaba la pregunta retórica: ¿Manuel ha intentado violarme? Vomitó apoyada en un árbol y lo siguiente que recuerda es despertar en el sofá de la sala de su casa el domingo por la mañana.

¡Y otra vez tendría que entrar a la Lenin! Dos horas estuvo tratando de convencer a sus padres de que la dejaran quedarse en casa ese domingo. Hasta el lunes, solo hasta el lunes. Pero en la Lenin se tomaban muy en serio la incorporación de los alumnos el domingo; de hecho, si había alguna dificultad, uno de los padres tenía que ir a la escuela el mismo domingo a justificar personalmente los motivos, con papeles del médico o algo por el estilo. Ellos creyeron que Anabela estaba así por la muerte de su abuela. Había que seguir adelante, sacrificarse, hacer un esfuerzo. Orlando zanjó el debate con la siguiente frase:

—Un revolucionario se forja haciendo frente a las dificultades.

El miércoles Anabela cumplió trece años en silencio. No vamos a redundar en todo ese asunto del pozo sin fondo, del vacío, el dolor, el asco, la incertidumbre y unas tremendas ganas de no hacer ninguna cosa. Ni a detenernos en el desagradable juego de miradas esquivas y monosílabos que, como una tela de araña, la mantenía atrapada entre Manuel y Rebeca.

Poco antes de salir de pase, la profesora guía reunió a todo el grupo para explicarles que en dos semanas tendría lugar la Asamblea por la Educación Comunista, que fueran preparando un profundo examen de conciencia.

Tres años después, subida a un estrado frente a todos los estudiantes y a punto de ser expulsada deshonrosamente de la Lenin, la pionera Anabela López pensó que de lo único de lo que realmente se alegraba con la expulsión era de que ya no tendría que volver a pasar por una Asamblea por la Educación Comunista.

La Asamblea por la Educación Comunista

¿Y eso qué era? Con semejante nombre... Para el alumnado de la Lenin, la Asamblea por la Educación Comunista sencillamente era lo peor del mundo.

Dos veces al año se celebraba la terrorífica asamblea. Se trataba de una reunión de toda la clase, presidida por la profesora guía, con el objetivo —exactamente así estaba reflejado en las actas— de «contribuir a la formación revolucionaria integral de los estudiantes, realizando un profundo análisis de conciencia y tomando medidas educativas constructivas para su desarrollo como pioneros y como hombres del futuro». Pero, ¿de qué se trataba en realidad? El «profundo análisis de conciencia», en la práctica, significaba que uno por uno los alumnos se ponían de pie delante de toda la clase y reconocían minuciosamente cada una de las faltas —íntimas o de conducta estudiantil— que habían cometido durante el curso. Como en una confesión católica, pero teniendo por confesores a los propios compañeros y a la profesora guía. Y la cosa no quedaba ahí. Gracias a los dirigentes comecandelas que se pasaban el día en un despacho ideando cosas para controlar y hacerle la vida imposible a los demás, la trampa contaba con varios resortes. Pasado el momento de la confesión conocido como «autocrítica revolucionaria», venía el retorcido trance de la «crítica revolucionaria». O sea, el resto de los estudiantes iba tomando la palabra para señalar las faltas que no habían sido declaradas, y aquello se convertía en un tira y encoge de trapos sucios, vilezas, delaciones y destapes en contra del estudiante de turno que permanecía de pie frente al grupo. Y, para que todo quedara perfectamente amarradito, los estudiantes también eran evaluados durante la asamblea de acuerdo a las posturas críticas que fuesen ejerciendo contra sus compañeros; o sea, no valía callarse la boca: había que acusar. El resultado de esta parte del proceso era que durante el tiempo de la asamblea se iban acumulando tantos resentimientos, miradas de odio, latencias de venganza y ya verás cuando te toque a ti que hacían complicadísimo el asunto. Quien más criticaba corría el riesgo de ser despellejado por sus víctimas cuando le tocara su turno. Pero, si no delatabas ni criticabas, la profesora guía te evaluaba muy negativamente y eso, por supuesto, tenía consecuencias. La clave estaba en criticar poco antes de que a uno le tocara el turno de ser el acusado, y luego, tras pasar por el aro, dar rienda suelta a la actitud crítico-revolucionaria y echar toda la mierda posible sobre los que subían al banquillo. Quienes peor lo tenían eran los últimos de la lista. Pero, ¿en qué acababa todo aquello? ¿El desenlace era simple y llanamente los dimes y diretes (que no era poca cosa)? ¿En qué termina todo ritual de confesión en la religión católica? Caliente, caliente. ¡La penitencia! Según el tamaño de las faltas de cada cual —autoinfligidas o chivadas por el grupo—, venía la sanción. Los santos salían airosos, con pocas faltas y ninguna penitencia. Pero los más *estancaos* eran sancionados por el sacerdote —profesora guía—, que dictaba sentencia según su criterio revolucionario. Las sanciones iban desde una simple amonestación delante del aula o delante de toda la Unidad 1 (alrededor de quinientos estudiantes) hasta una expulsión de la escuela Lenin o una citación a los padres. Había castigos para todas las culpas.

Pero la Asamblea por la Educación Comunista dejaba secuelas aún más profundas. La cosa empezaba desde el momento mismo en que se les comunicaba a los estudiantes que esta se celebraría en dos o tres semanas. Entonces empezaban las alianzas, conductas fingidas, intrigas y ruindades de todo tipo. Pero, tras la asamblea, era aún peor. Amigos de meses anteriores quedaban enemistados, surgían nuevas y artificiales simpatías o recelos que antes no existían. La cosa duraba meses hasta que las aguas otra vez iban volviendo a su cauce y cada cual volvía a mostrar su verdadero rostro.

La pionera Anabela López Cerdá, durante ese primer año, era lo que solía llamarse en el vocabulario de secta de la Lenin «una conscientona». ¿De qué se trataba? De lo contrario de *estancao*. La empollona. El típico estudiante que se sienta en primera o segunda fila, muy cerquita del profesor porque lo que más quiere en el mundo es aprovechar las clases y hacer méritos. Seguía siendo una superpionera que ya se había granjeado cierta fama de aventajada con respecto a sus compañeros en muchas asignaturas. Que no es poco, todo sea dicho: en la Lenin la gran mayoría mostraba un alto rendimiento académico y eran muy competitivos.

La disciplina era otra cosa. Manuel, por ejemplo, era el típico alumno aventajado pero con una creciente tendencia a hacer carrera de *estancao*. No podía resistirse a la tentación de meter bulla en el albergue, incumplir sistemáticamente los deberes copiándolos a última hora del cuaderno de algún compañero delante de las narices del profesor o «majasear» —holgazanear— en el horario de limpieza cada vez que creía que no iba a ser descubierto. Tampoco por ese lado Anabela tenía nada que temer: era una pionera modelo. Así que tomó asiento al lado de Rebeca en su mesa de siempre la noche de la asamblea con la conciencia muy tranquila. Aunque, un poco nerviosa, hurgó en su conciencia en busca de algún pecadillo de baja intensidad para no dejar vacío el cupo de la autocrítica revolucionaria. Había que partir de la premisa de que nadie es suficientemente bueno.

Cuando le tocó su turno se puso de pie y, con pasos temblorosos debido a su timidez patológica, se dirigió al frente de todo el grupo. Comenzó a hablar:

—He tenido en dos ocasiones problemas con la cama, me han puesto reportes por algunas arrugas. Una vez llegué tarde al conteo de la mañana para la salida del albergue, en una entrada de pase tenía las medias por debajo de lo que orienta el reglamento y a veces me han llamado la atención por hablar en el comedor. Que yo recuerde, no he cometido ninguna otra falta de disciplina. Y agradecería que mis compañeros me señalaran cualquier falta que haya cometido y no haya declarado en esta asamblea para así poder ser una mejor pionera y estar a la altura de las oportunidades que nos da la Revolución —y terminó diciendo lo que todo el mundo mencionaba al final de confesión—: debo ser más autocrítica y más crítica con mis compañeros.

Parada delante de todos con los talones muy juntitos y lo más derecha posible, Anabela sintió que se había quitado la mitad del peso de encima. Entonces comenzó la ronda de las críticas por parte de sus compañeros. Ojo: las críticas también podían incluir elogios, y este fue el caso. Anabela no se metía con nadie y era una conscientona, de modo que algunos compañeros fueron levantando la mano y señalando su recia disciplina, su activa participación en clases, su entrega en el horario de estudios de cada día que efectuaban encerrados en un aula de ocho a diez de la noche, y durante la cual la mayoría aprovechaba para charlar y perder el tiempo como es debido antes de irse a dormir. La primera crítica negativa la formuló uno de esos alumnos medio estúpidos y envidiosos, apelando a uno de los clichés más recurrentes en toda asamblea, y que solía ser el estigma de la gente tímida. Dijo que Anabela debería poner de su parte y ser más comunicativa con sus compañeros, ayudarlos más y confiarle sus problemas. Y aquello le gustó mucho a la profesora guía, pues, por algún motivo, siempre he observado que a los dirigentes socialistas les encanta aquello de que los otros sean más comunicativos.

—Tiene toda la razón —dijo Anabela, muy dueña de sí misma a esas alturas— y me comprometo a trabajar en ese sentido.

Entonces ocurrió lo que nadie, y mucho menos ella, esperaba. Bajo la plana luz de neón, en medio de las perfectas hileras de mesas azules, una compañera con la que no hablaba demasiado, que dormía en su mismo cubículo y que ya se perfilaba como comecandelita de incendio forestal y planta trepadora, levantó la mano y dijo enérgicamente:

—Anabela ha cometido una falta que yo considero grave y es digna de una amonestación. Hace tres semanas le faltó el respeto a la compañera Mileidi, nuestra jefa de albergue.

¿Quéee? La tipa se llamaba Yoanca. Se refería, obviamente, a aquella noche en que Anabela había regresado del entierro de su abuela y, ante el rosario de insultos de Mileidi, había chasqueado la lengua. Anabela no se lo podía creer y —como cada vez que vivía algo que consideraba injusto— tuvo unas incontenibles ganas de echarse a llorar allí mismo, delante de todos. Consiguió aguantarse y solo le asomaron unos lagrimones estreñidos. Es el momento de aclarar algo: defenderse contra las críticas de los compañeros era muy peligroso, pues solía ser tachado de «falta de actitud revolucionaria al no reconocer los errores». Existía una especie de pecado original que era la premisa del proceso de crítica en la asamblea. Y Anabela lo vio venir: la cosa se iba poniendo cada vez más fea, ya que la comecandelita seguía con su discurso de que era inaceptable que, en una escuela como la Lenin, alguien le faltara el respeto a uno de los dirigentes estudiantiles, y que además tuviera la intención de ocultarlo, era una falta de respeto, ya no solo a la compañera Mileidi, sino a esta misma Asamblea por la Educación Comunista y a la propia Revolución.

Anabela comprendió que estaba perdida. La única manera que tenía de defenderse de la acusación que se había tornado más seria que un tornado era declarando oficialmente que quien le faltaba el respeto a todo el mundo era la propia jefa de albergue, Mileidi, con su tiranía abusiva e injustificada. Afirmar algo así contra una dirigente estudiantil tendría que ser demostrado con pruebas fehacientes y, si la cosa iba bien por este camino, iría a peor por otro: Mileidi sería amonestada y sabría que Anabela era la responsable. Una afrenta así contra la prima de King Kong (y su manada de noveno) era un suicidio.

Bajó la cabeza para que nadie la viese llorar, tragó sus lágrimas, su indignación y su orgullo, y ya estaba a punto de arrastrarse en un *mea culpa* ficticio cuando Rebeca levantó la mano. ¡Ahora sí que le iban a dar el tiro de gracia! «¡Traidora-hijadeputa-miserable-ruin-oportunista!», pensó Anabela en una fracción de segundo.

Rebeca habló alto y claro:

—No estoy de acuerdo con nada de lo que ha dicho Yoanca en contra de Anabela. Ella no le faltó el respeto a nadie, lo único que hizo fue «freír huevo» la noche en que había entrado de pase porque su abuela había muerto y la jefa se puso a gritarle sin motivo alguno. Hay que comprender, compañeros, el contexto de lo que ocurrió y no sacar las cosas de quicio.

Silencio luminoso, perplejo. Pero la comecandelita Yoanca era un ángel exterminador en el cuadrilátero gris del aula de techo bajo. Comenzó a acorralar a Rebeca alegando que era una actitud contrarrevolucionaria defender a un compañero que ha cometido una falta grave por simpatía. Además, los problemas personales no son justificación para una mala actitud revolucionaria, sino todo lo contrario: demuestran la debilidad de Anabela.

Entonces Rebeca, mirando a la masa inerte de sus compañeros y a la profesora guía, dijo con toda la calma del mundo:

—El problema de fondo, y eso aquí todo el mundo lo sabe, pero nadie se atreve a decirlo, es que Mileidi se pasa la vida insultando y faltando el respeto sin razón alguna. Y, si uno se atreve a contradecirla, se gana una bronca con ella y su pandilla de noveno. Anabela esa noche no debió «freír huevo», tendría que haberle dado tremenda bofetada a Mileidi y luego haberla arrastrado por los moños para que no abusara más de todas las de séptimo. ¡Eso sí que es una actitud revolucionaria! ¿Qué fue lo que hizo la Revolución?: ¡Acabar con los abusadores!

Sobrevino uno de esos silencios macizos y luego se fue abriendo paso un murmullo, como si alguien le hubiese abierto agujeros al gran queso del aire. «¡Eso sí que son ovarios, pelirroja!», debió pensar todo el grupo en simultáneo.

Cundió el zafarrancho de combate, pero Rebeca era imparable. Procedió a poner minuciosos ejemplos de los maltratos de la jefa de albergue, de las vejaciones y las veces en que había vapuleado o golpeado a algunas compañeras de séptimo allí presentes. La profesora guía tomaba nota y Yoanca la comecandelita iba recibiendo el baño de aquel extintor que nunca se extinguía.

Cuando todo pareció haber terminado, la profesora guía tomó la palabra y explicó que no estaba de acuerdo con aquello de que Anabela agarrara a Mileidi de los moños, que lo correcto hubiese sido informar a las autoridades de la escuela acerca de los maltratos. Y luego concluyó:

—Dado lo complejo de la situación, me parece que la falta de Anabela no debe ser tenida en consideración. Nuestras autoridades serán informadas acerca de la conducta de la jefa de albergue. —Y, mirando a la que permanecía hecha un manojo de nervios en el banquillo, anunció—: Anabela, puede retirarse a su puesto. La felicito por los muchos méritos que sus compañeros le han reconocido en esta asamblea.

¿Qué iba a hacer ahora con Rebeca, que se pasaba el día besuqueándose con el amor de su vida? Anabela comprendió con meridiana claridad que esa había sido la manera que había tenido Rebeca de pedirle perdón. Pero la inteligencia solo suele resolver problemas que plantea la propia inteligencia. Ya lo dijo Blas: «El corazón tiene sus razones...», y todo ese rollo que siempre traducen de una manera diferente. El problema de una reconciliación en toda regla, con desayunos, paseítos y confidencias, era que asistir en directo al espectáculo de su amiga del alma de novia del amor de su vida la ponía enferma.

Y ¿qué pasaría con Mileidi? Esa misma noche, antes de que «las autoridades fueran informadas», a Mileidi la informaron extraoficialmente acerca de la denuncia del aula de séptimo y del nombre de las responsables. El monstruo no se lo podía creer, pero en ese primer momento optó por la cautela. Apenas insultó esa noche y se limitó a acercarse a Anabela y Rebeca cuando en la mañana hacían la cama para decirles muy bajito:

—¡Prepárense *pa'* lo que les va a caer encima, van a tener que irse de la escuela!

Semanas después, Anabela y Rebeca comprendieron que si «las autoridades» habían amonestado a Mileidi, lo habían hecho sin infligirle ningún perjuicio, y lo que era peor, sin hacer nada que supusiera el fin de los abusos. Más bien parecía que le habían dicho: «Te han chivateado esas dos de séptimo, ve y acaba con ellas. No pierdas tu tiempo con las otras».

La prima de King Kong puso en pie de guerra a toda su manada, y ahora las provocaciones e insultos no provenían solo de ella, sino de todas las de noveno. Y se concentraban en Anabela y Rebeca, que comenzaron a vivir (y dormir) aterrorizadas.

—Nosotras somos dos pajarracos desplumados —le dijo Rebeca a Anabela— y ahora es la ley de la selva.

Si en las semanas siguientes la reconciliación, tras el agradecimiento explícito de Anabela hacia su amiga, avanzaba a pasito de hormiga, ahora comenzó a avanzar a pasos de ciempiés. La cosa era complicada, porque si bien es cierto que no hay nada que una más que un enemigo común, no hay cosa que separe más a dos mujeres que un mismo amor.

Y la clave de la solución al problema con Mileidi llegó precisamente del lado de Jorge Gaspe. Rebeca le pidió ayuda a su novio, que también era de noveno. Y él hizo alguna cosa con respecto a Mileidi que cortó de cuajo su furia. Nunca quedó claro para Anabela qué pactos, amenazas o intrigas carcelarias se tuvieron que poner en marcha para que la prima de King Kong dejara de hacerles la vida imposible. El caso es que, sin mucho entusiasmo, y siempre manteniendo una actitud hostil, Mileidi las dejó en paz de un día para otro.

Cuando Anabela terminó ese primer año de la Lenin sintió que habían pasado muchos años.

Kiss

Un año después, subida a un estrado frente a todos los estudiantes y a punto de ser expulsada deshonrosamente de la Lenin, la pionera Anabela López recordó que en octavo grado había comenzado el gran cambio de su vida.

Y tuvo que ver con el *rock* y con Manuel.

¿Qué había pasado con ese violador de pacotilla? Anabela se dedicó a negarle la palabra y lanzarle miradas de Medusa con la esperanza de pulverizarlo. Y el desdichado Manuel estaba profundamente arrepentido. Todas las tardes se me acercaba con el disco rayado de su amor por Anabela y de lo estúpido que había sido. Yo lo escuchaba sin darle cuerda, porque Anabela seguía pareciéndome el ser más hermoso e interesante de la Creación, o de la Lenin, que para el caso era lo mismo.

Un día, Manuel decidió hablar con Anabela, aunque esta no quisiera escucharlo.

Pero Anabela sabía llevar a la práctica muy sordomudamente aquello de no aceptarlo. Varios meses le tomó comprender que hay cosas que solo las resuelve el tiempo. La sombra faldera de Manuel no cesaba de rogarle y echarle la culpa al güisqui, sin tener el coraje de reconocer lo que hubiese sido su mejor argumento: las influencias de Gaspe y sus socitos. Pero, como las chicas siempre van con paso de Aquiles por delante de la tortuga masculina —por mucho que Zenón quisiera enredar las cosas—, Anabela llegó a la conclusión de que Manuel era un buen muchacho, solo había intentado meterle una cañona influido por los amigotes de su primo. Y decidió perdonarlo.

Así que una tarde en que el violador de pacotilla intentaba una vez más darle explicaciones, ella levantó la mano con toda la elegancia del mundo y le dijo:

—Manuel, te perdono, pero con una condición.

—¿Cuál? Lo que tú quieras, lo que…

—Que no vuelvas a decirme que estás enamorado de mí.

«Algo es algo», debió pensar Manuel, que no estaba en condiciones de negociar. Se había portado como un cerdo y los cerdos no tienen derecho a amar a las Anabelas de este mundo. Ya tendría tiempo de limpiar su imagen, luego, quién sabe si…

—Está bien, Ani, lo que tú digas.

Bastó la sincera cara de payaso apaleado para que Anabela, en un instante, se fijara en que el flacucho de ojos verdes, además de un buen muchacho, tenía su encanto.

Y el problema quedó zanjado.

Entonces comenzó en la vida de Anabela la era del *rock*. Y su vida social se fue amplificando de la noche a la mañana. Hasta ese momento, en las fiestas fabulosas de la Habana oculta ella no le había prestado atención a esas canciones en inglés con guitarras enloquecidas, percusión de ametralladora y voces que eran gritos. Ni Manuel tampoco. Ellos se quedaban en Air Supply, Michael Jackson, Cindy Lauper y Madonna. Como mucho la antigualla de los Beatles con sus temas más azucarados.

Un detalle: Anabela, Manuel, Rebeca y el resto ya no eran los pardillos de séptimo, sino la gente *cool* de octavo grado. Ahora se deleitaban mirando por encima del hombro a los novatos, burlándose de sus tristezas porque echaban de menos a sus papis y la comidita cariñosa de sus hogares. Estaban un eslabón por encima en la cadena alimenticia de la jungla leninista. Y se ampliaron sus horizontes musicales y la intensidad de las fiestas.

Otro detalle: el *rock* en Cuba, con la Revolución, siempre había sido motivo de altísima desconfianza. Vamos, que los inocentes Beatles habían estado prohibidos y gente como Silvio Rodríguez había ido a trabajar castigado al buque *Playa Girón,* que de eso realmente habla la famosa canción del cantautor y casi nadie lo sabe. El gran término que los comecandelas habían inventado para estigmatizar el gusto por la música *rock* era: «diversionismo ideológico». Y si en el resto del país el *rock* todavía estaba muy mal visto, en la Lenin era considerado, simple y llanamente, un delito.

Diversionismo ideológico.

Pero el *rock* llegó a la Lenin gracias a los hijos de los dirigentes del Partido que poseían discos traídos del extranjero. ¿Justicia poético-juvenil? La Anabela de octavo grado comenzó a redescubrir una vieja vocación. Recordemos el liderazgo y la pandilla en la loma de San Luis. Le gustaba estar a la vanguardia y se le daba bien. Demasiado bien.

Como en Cuba el *rock* había estado prohibido, recién en los años ochenta los jóvenes *cool* comenzaron a descubrir grupos como Led Zeppelin, Deep Purple, Rush, Kiss, y luego Judas Priest, Iron Maiden, Quiet Riot, Metallica. Cundió el vicio por hacer fiestas cuyo fundamental propósito era escuchar a estos grupos y retorcerse todo lo posible sudando a mares. Los amantes del *rock* eran conocidos como «los pepillos», que odiaban y eran odiados por «los guapos», que eran los amantes de la música salsa cubana.

La mitología de la época cuenta que «los guapos» (generalmente de raza negra) se disfrazaban de «pepillos» para infiltrarse en las fiestas y montar tremendas broncas que a veces terminaban en navajazos (de los negros sobre «los blanquitos esos amariconados de pelo largo»). Los pepillos se vestían con pantalones de pitillo y camisas ridículas tres tallas por encima, que les daban un aspecto de palillos cubiertos por un mosquitero. Los guapos iban con pantalones de campana, plataformas, y eran el terror de los roqueros. Con el tiempo los pepillos comenzaron a autodenominarse «friquis».

Manuel, de la noche a la mañana, se había convertido en un pepillo. Y Anabela era su mejor compañera de baile. Pero el vicio del *rock* comenzó a derramarse de las fabulosas fiestas de los sábados y los pepillos de la Lenin comenzaron a llevarlo a cuestas en casetes clandestinos que intentaban escuchar a la más mínima oportunidad. En la escuela, pero, ¿cuándo y cómo? *That is the question.*

En la Lenin no todo era régimen militar. Los dirigentes que habían diseñado la vida en la escuela tuvieron que barajar la idea de que los jóvenes pioneros revolucionarios necesitan divertirse de una manera sana. Y decidieron que un día de la semana, los jueves de ocho a diez, se llamara «noche de recreación». Esa noche los alumnos no eran encerrados en aulas para estudiar bajo la férrea vigilancia de los profesores de guardia, sino que se les dejaba campar a sus anchas y pasar de una unidad a otra. La escuela se transformaba en un trasiego constante de cuatro mil estudiantes buscando cómo divertirse y ligando.

Pero los dirigentes que habían diseñado la vida en la Lenin no estaban dispuestos a la total anarquía y la improvisación. La noche de recreación contaba con actividades programadas. Había dónde escoger: los cines de la escuela proyectaban películas soviéticas o bodrios de los años cincuenta. Las áreas deportivas encendían sus luces para que el pionero revolucionario jugara básquet o vóleibol. Los grupos de teatro de la escuela representaban sus obritas patrióticas. Y en un par de plazas de dos de las unidades de la Lenin se efectuaba algo conocido como «actividad bailable». ¡A bailar y gozar con la orquesta sinfónica nacional! La música era lamentable. Vamos, que si la Revolución no hubiese sido reacia a la Iglesia católica, habrían puesto villancicos.

Pero siempre quedaban los valores patrios, esa música autóctona conocida como salsa que era la preferida de los guapos. Pero los pepillos de la Lenin, ya se sabe, la odiaban. Era como si la salsa les destrozara los tímpanos y les provocara diversos tipos de alergias fulminantes. Era el sol de los vampiros en versión acústica. Había que evitarlo a toda costa. El *rock* tenía que triunfar. Y para eso estaban sus profetas en la Lenin, aunque corriesen el riesgo de ser crucificados. Manuel, Anabela, Rebeca y la vanguardia *cool* de la gente de octavo grado.

Las noches de recreación se convirtieron en una batalla por vigilar al pobre empleado (DJ socialista) que ponía la música en la plaza de la Unidad 1, conocido como *Orejas de Palo*. Y, al menor descuido, darle un golpe de Estado. Se montaba un operativo en toda regla. ¿Qué hacían? Primero un par de pepillos se encargaban de llevarle a Orejas de Palo mucho refresco que otro grupo de pepillos robaba en el comedor unas horas antes. Se hacían amigos del empleado y lo agasajaban una y otra vez con refresco en la dura jornada laboral. De manera que la vejiga del pobre hombre se llenase todo el tiempo. Cuando se iba a los baños, el que quedaba próximo a la plaza siempre estaba ocupado por algún pepillo durante un tiempo muy, pero que muy largo, de modo que Orejas de Palo tenía que alejarse hasta el edificio docente en busca de un baño vacío. Entonces los encargados de vigilar todo el proceso daban luz verde. Y aquí entraban en acción los pepillos más temerarios, o sea, Manuel y compañía. Quitaban el casete de salsa de turno y ponían *Black dog,* de Led Zeppelin; o *We will rock you,* de Queen; o *Urgent,* de Foreigner, o algún otro himno de la época.

Anabela se mantenía al margen lista para la danza, en medio del grupo de pepillos sedientos de que sonaran las guitarras. Cundía el desconcierto y a los pocos segundos el relajo alcanzaba dimensiones de motín a bordo. Todo el mundo gritaba. Los pepillos empezaban a bailar apurados, a contorsionarse en la penumbra de la plaza y los demás alumnos que no se atrevían a probar las mieles rebeldes del *rock* les hacían coro y los alentaban en el baile. Orejas de Palo se estremecía aterrorizado frente al váter, pero, cuando iba a abrir la puerta del baño para retomar su puesto de trabajo, se encontraba con que estaba inexplicablemente cerrada con algún mecanismo improvisado. Finalmente, Orejas de Palo conseguía liberarse y se daba la voz de alarma, pero no para salir despavoridos, sino para esforzarse en marcar los pasos más espectaculares (o ridículos, depende del gusto) y aprovechar hasta la última gota los acordes de las guitarras.

Orejas de Palo era inofensivo, devolvía el casete prohibido con cara de susto diciendo: «Muchachos, me van a meter en un lío». No se sabía a qué le temía más, si a las autoridades de la Lenin que lo habían contratado para poner la música o a los roqueros que parecían una horda de neandertales a punto de efectuar sacrificios humanos.

Hay una sola cosa en el mundo peor que un comecandela de la Lenin: un comecandela de la Lenin amargado por estar de guardia la noche de recreación. Entonces el verdadero peligro no estaba en que Orejas de Palo recuperase el control y protestara un poco, sino en que apareciera el susodicho espécimen amargado dispuesto a castigar la falta.

Al principio las autoridades de la Lenin no se enteraban muy bien de qué iba el rollo, qué cosa era esa música desagradable y estridente y por qué cierto tipo de alumnos se comportaban como fanáticos. Pero los comecandelas del Partido no tardaron en dar la voz de alarma. Me los imagino reunidos en el mismo despacho de siempre, muy apoltronados en los sillones, presididos por afiches de Fidel y el Che, que eran los íconos pop de toda oficina: «Compañeros, nuestro centro está siendo penetrado por la música del Imperialismo, hay que atajar el problema a tiempo». Y otro, dando un puñetazo en la mesa: «¡Cortemos de raíz esta oleada de diversionismo ideológico!».

Se informó a todo el profesorado de que la más mínima manifestación en torno a la peligrosa música —casete clandestino, revista o canturreo en inglés por los pasillos— debía ser denunciada y severamente castigada. Lo peor no era que Orejas de Palo recuperara el control y restableciera a los Van Van, sino que algún comecandela amargado por hacer guardia en la dura noche de recreación estuviera cerca en el momento en que se daba el golpe de Estado. Para empezar, el casete de Led Zeppelin había que darlo por perdido y, si los implicados eran descubiertos, la cosa podía ponerse muy fea.

La guerra estaba declarada: el *rock* era diversionismo ideológico, pero los profetas del *rock* en la Unidad 1 —Manuel, Anabela, Rebeca y seguidores— no estaban dispuestos a ceder. La palabra —cantada— del dios Elvis y de todo lo que vino después tenía que ser divulgada. Paulatinamente, la maquinaria de represión comenzó a surtir efecto: los alumnos adeptos al *rock* iban siendo fichados y sus vidas se complicaban cada vez más. Los albergues eran registrados en busca de casetes y revistas. Y el domingo, durante la entrada, se ponía especial énfasis en el control de los uniformes. Todo lo que oliera —se pareciera— a un pantalón pitillo, que era la moda entre los roqueros, era cortado y abierto allí mismo, delante del resto de los alumnos.

Lo peor fue que la guerra se extendió a los hogares. Los padres fueron convocados a reuniones y se les informó acerca de la venenosa música y los peligros ideológicos que entrañaba para la Revolución. Ahí tenemos a Felipa y Orlando, dos humildes trabajadores a los que nunca se les había ocurrido que alguna música pudiera ser dañina, intentado fiscalizar los gustos musicales de Anabela.

Y ¿qué pasaba con Anabela y los chicos? Lo dice la santísima trinidad: sexo, drogas y *rock and roll*. La droga fundamental era el alcohol —en cantidades navegables—, el *rock* era el meollo de la batalla y quedaba por gestionarse el asunto del sexo, que para Anabela constituía cada vez más un artículo de primera necesidad.

Rebeca ya no era virgen ni tampoco era novia del chulito Gaspe. ¡Se habían separado semanas después de que este la desvirgara chapucera e inexpertamente! Además, los que antes eran de noveno ahora habían pasado al nivel preuniversitario y vivían en la Unidad 6, al otro extremo de la escuela. Gaspe ya no estaba a la vista y, aunque lo estuviera, ya Anabela había aprendido que aquel espécimen no era el amor de su vida sino, como mucho, la posibilidad de un mal polvo.

Sufrí ser testigo del amplio periplo amoroso de Anabela; entonces perdí toda esperanza. El primer noviete fue Alejandro, un pepillo devoto de Deep Purple con el que solía bailar cuando Manuel no estaba disponible. En una de las fabulosas fiestas de fin de semana, borracha y libre como una cuba, Anabela dejó que Ale le empezara a meter mano en un rincón oscuro de la sala. Sus manos sudadas y temblorosas la tocaban por encima de la camiseta y su boca torpe le dio el primer beso de su vida. «De modo que esto es un beso —pensó ella—. Una penetración precipitada de lengua a lengua con choque de dientes incluido». Anabela de pronto se dio cuenta de que el muchacho no sabía besar, ¡y ella sí! Lo tenía aprendido de manera natural, como un don innato. Y comprobó que besar —a Ale o a cualquiera— era bueno.

A besar se ha dicho. Cundió el besuqueo y Anabela pasaba de noviete en noviete ejerciendo su asombrosa habilidad para usar los labios. Ojo: Anabela se enamoraba de todos. Después de Alejandro vino Edgar, luego Andrés y Osman y otros tantos que mejor denominamos como A, B, C, D, E(tc)... Digamos que el primero en tocarle las (casi) tetas fue B. Estaban en los bajos del comedor y, a mitad de uno de esos besos tiernos y demoledores que sabía otorgar Anabela, el muchachón envalentonado abrió el primer botón de la blusa —«Ya era hora», pensó ella— y deslizó su mano en el sujetador. Las tetas de Anabela eran breves y hermosas, y sus pezones eran grandes, vivarachos y del color rosa pálido de sus labios. El sujetador le quedaba muy holgado y fue fácil deslizar los dedos sobre esas dos pequeñas superficies que estaban a punto de reventar. Anabela tuvo un orgasmo instantáneo. A partir de B, que no duró mucho tiempo como novio, Anabela no podía evitar ella misma desabotonarse la blusa en cuanto empezaba el besuqueo y tomar la mano del chico para que rozara sus pechos, esperando que se comportara como un pianista que toca fresas en lugar de teclas. Todos trataban sus pezones como si fueran dos frijoles para jugar a las canicas y Anabela no tardó en intuir que los chicos no sabían acariciar. No fue una certeza, pues carecía de otras referencias y, como sus pechos se erizaban de deseo cada vez que empezaba a besarse con alguien, decidió aceptar sin mucha convicción que así era la cosa: manos temblorosas o sudadas, dedos torpes o nerviosos, o todo a la vez.

Al cabo de cierto tiempo, decidió tomar la mano del muchacho D y comprobar si la cosa mejoraba por otros derroteros. Estaban en el rincón más oscuro y apartado de los bajos del comedor. Anabela estiró su pierna de modo que su falda de uniforme quedara muy holgada e inició la increíble visita guiada de aquella mano. Al principio el muchacho pareció temblar, pero, con el transcurso de los minutos durante los que el tiempo parecía haberse detenido, pasó de los muslos a la cara interior de los muslos. Y luego a los bordes de los elásticos que se apretaban en las ingles. El chico estuvo mucho rato merodeando por encima de la tela humedecida hasta que deslizó dos de sus dedos dentro de la prenda. Anabela sintió que la empujaban en un precipicio de carne que se enredaba sobre su cuerpo. Creyó ahogarse, salió a flote. Sintió por enésima vez que estaba enamorada.

¿Qué significa exactamente que Anabela se enamoraba de todos? Náuseas, insomnio, una alegría que se le pegaba en toda la piel y caminaba por los pasillos con la sensación de estar iluminada. Y entonces ¿por qué aquella intermitente caravana de novios y no el intento de perpetuidad con uno solo? Un día creía morir por C y, cuando semanas más tarde D le hablaba a solas la noche de recreación durante más de cinco minutos, ella sentía que había vuelto a enamorarse. De hecho, se pasaba la vida creyendo que estaba enamorada de dos o tres a la vez y sufría con toda la complejidad del mundo. Entonces fue observando algo: la caravana de amores de su vida cruzaban información con respecto a ella, lo típico a esa edad.

Una noche cualquiera, que fue la peor noche, reparó en esta idea: todos me dejan; es cierto que yo me enamoro de otros, pero son ellos los que me dejan. Y luego, otra idea aún más clara y puntiaguda: yo no soy lo que se llama «una buenorra» y, sin embargo, tengo más novios que nadie. Fue inevitable sumar dos más dos y llegar a la conclusión de que otra cosa podía estar detrás de aquel delirio de noches y soboteos indiscriminados.

Rebeca, que tenía un tranquilo novio desde hacía varios meses, un día le dijo:

—Alberto me comentó que la otra noche estaban rifándose en el albergue quién iba a ser el próximo en apretar contigo.

Lo primero que pensó fue: «¡He ganado fama de puta!». Y lo segundo, que demoró dos días en tomar cuerpo: «¿Y a mí qué me importa?». El sexo es un pecado poco original. Cualquier otra chica de catorce años se habría deprimido, pero Anabela, tras deprimirse levemente por un par de días, decidió hacer justicia a su fama y perder la virginidad lo antes posible.

Pero ya se sabe que ciertos trámites son complicados. Lo primero era encontrar el lugar idóneo. Porque Anabela, aunque se sentía cayendo a toda velocidad por un tobogán en dirección a un pene que borrara su estorbosa virginidad, quería estar completamente desnuda cuando llegara el momento, ser acariciada y besada de los pies a la cabeza —o al menos hasta la mitad de su cuerpo— y ser adorada como una princesa.

El primer intento la superó en cuanto al lugar. Esa noche de recreación decidió perderse con el muchacho F más allá de los bajos del comedor. Se escondieron a lo lejos, donde no llegaba ningún profesor de guardia, al pie de aquel tanque de agua que tan bien le venía a sus tristezas del lejano séptimo grado. Ella se quitó las bragas, se levantó la falda y, cuando comenzó a bajarle los pantalones al aterrorizado F, que pasaba las manos por sus caderas, el chico se estremeció y…, bueno, ya se sabe. *Finito*. Y, para colmo, el chico parecía que iba a echarse a llorar allí mismo y Anabela tuvo que pasar el resto de la noche consolándolo.

Entonces, un sábado en una de esas fiestas fabulosas de los hijos de los dirigentes, Anabela vio otra vez a Manuel, o sea, fue como si lo mirara *por primera vez*. Y recordó el intento

154

de violación y aquello la excitó muchísimo. ¿Cómo era posible que no lo hubiese pensado antes? En mitad de una canción de Def Leppard, acercó sus labios a los de su eterno enamorado y le dio uno de esos besos que quitaban la respiración.

Aquel domingo, cuando entramos a la Lenin, Manuel me estaba esperando para contarme que se había hecho novio de Anabela. No le creí, porque la amada se pasaba la vida apretando con todo el mundo y pasando al siguiente. Y que ahora fuese Manuel me hacía sentir un insecto palo. Pero por esta vez tuvo razón. Empezaron como toda pareja con futuro: saliendo los fines de semana, merodeando por los bajos del comedor y quedando para desayunar juntos cada mañana. Y el *rock* los unía como si fuesen camaradas de un partido clandestino tramando una revolución. Cuando la gente se acostumbró a la parejita, fueron alcanzando el parnaso de la popularidad social en la Lenin. En cuanta fiesta se sabía que iban a estar, toda la gente *cool* asistía para luego regresar comentando lo bien que bailaban y los tremendos discos de Iron Maiden y Quiet Riot que llevaba Manuel.

Y ¿qué pasaba con la estorbosa virginidad de Anabela? Enseguida ella le dijo:

—Cuando tus padres estén de viaje, llévame a tu casa.

Inexplicablemente, los padres del novio parecía que habían dejado de viajar. Pero lo que pasaba era otra cosa: Manuel tenía un problema…, cómo decirlo: técnico. Un problema técnico de ejercicio de imaginación. Como todo chico de su edad, había comenzado a masturbarse con devoción y hasta con arte. Algunas de las pajas de Manuel podrían figurar en una antología, como aquello de sentarse sobre la mano hasta que se le durmiese para que pareciera la de otra persona. Pero vaya usted a saber por qué, Manuel hacía converger dentro de su cabeza el clímax con el momento de la penetración. Cuando se imaginaba que metía el rabito dentro del agujerito, ¡plaf!, se dejaba ir como si lo lanzaran desde una plataforma espacial directo a la luna, un pequeño paso para Manuel y un gran paso para el pajerismo mundial.

En los dos intentos anteriores a Anabela, Manuel comprobó con terror que había cometido un error de cálculo en sus hábitos, que alcanzar el orgasmo en el momento en que imaginaba la penetración estaba muy bien para ahorrar tiempo —¡pajilleros apurados de todos los países, uníos a esto!—, pero cuidado, nuestro innovador había cultivado una secuela lamentable. No conseguía que fuera diferente en la vida real. Por eso, cuando Anabela le pidió «que la llevara a su casa para estar solos», sintió pánico.

Pero todos los socitos sabemos que cuando una mujer se empeña en que le metan mano a fondo no hay quien se la quite de encima, literalmente. Y, al tercer intento en que Anabela se apareció sin avisar en casa de Manuel a ver si lo pillaba solo, le abrió la criada diciendo algo sobre su hijo pequeño al que había dejado con la vecina y que tenía que irse, pero que Manolito estaba al fondo.

Efectivamente, Manuel miraba una película donde un policía negro descubría una gran red de corrupción y hacía el amor una y otra vez con una psicóloga blanca. Anabela entró en el cuarto en el momento en que ambos personajes acababan de desnudarse, se cubrían con una sábana al estilo americano, de la cintura para abajo, y empezaban a moverse. A contraluz se dibujaban los pezones alborotados de la psicóloga y Manuel sintió vergüenza.

Lo que mal empieza mal acaba. A los diez minutos, Anabela comenzó a besarlo de una manera radical. La luz de la tarde entraba por la ventana, convirtiendo la sobrecama de grueso tejido amarillo en un campo de trigo visto desde un avión. Y, entre las espigas, Anabela de pronto se dio cuenta de que se había quitado casi toda la ropa. Su cuerpo, manchado por la minúscula ropa interior, era una espiga más dentro del campo de trigo, pero vista a través de una lupa. ¿Cómo había conseguido en tan corto tiempo y a través de un beso tan largo desnudar completamente a Manuel? Ahí lo tenía. Erecto, nervioso, dulce, salado de leve sudor, tocándola de arriba abajo y quitándole lo poco que le quedaba puesto. Cuando Anabela tomó aliento, esperando la punzada de dolor que tanto había imaginado, Manuel eyaculó sobre su pierna.

¿Otra vez? Fue como una maldición. A partir de este momento —o del momento anterior bajo el tanque de agua en el lugar más apartado de la Lenin—, los intentos de Anabela con Manuel no pasaron de ser variaciones sobre un tema.

—¿Por qué te ocurre esto? ¿A todos les ocurre?

Y él le respondía «Mmm» con la cabeza entre las manos.

Pero ella estaba enamorada, como siempre y como nunca, y había que seguir intentándolo. Bailaban y se emborrachaban en las noches de los fines de semana, se excitaban mucho tocándose, se escondían entre las lianas de los grandes árboles del río Almendares y Manuel seguía en sus trece. Parecía que se había empeñado en que su chica continuara siendo virgen y aquello de pasar de violador a violado no funcionaba en absoluto. Mientras más quería Anabela, más cortiblando se quedaba Manuel. Todos se imaginaban que una pareja de pepillos fanáticos de Led Zeppelin se pasaba las noches de fin de semana follando como bichos liberales después de sudar y beber como bichos radicales. Pero, en la soledad del horario de silencio, en las profundidades del albergue, Anabela se pasaba a la litera de arriba donde dormía su Rebeca, le tomaba la mano y, mientras la pelirroja entrelazaba sus finos dedos con el pelo de Anabela, esta le contaba su maldición de cero rabito entre sus piernas.

Poco a poco, a lo largo de estas confidencias sobre los frustrados intentos de fin de semana, Anabela iba obteniendo un anecdotario acerca de los detalles más recónditos del currículo sexual de Rebeca. La pelirroja, con su tranquilo novio, hacía de todo. Pero lo que más le gustaba era la boca del otro en cualquier parte de su cuerpo.

Anabela sabía que tenía que poner a muy buen resguardo su nuevo secreto, y se abandonaba a él con la sensación de que le robaba algo a su mejor amiga. ¿Cuál era ese secreto? *Stop,* que para eso es secreto. Digamos que a Anabela se le pasó por la cabeza una idea, una de esas ocurrencias que al principio solo parecen una disparatada gimnasia de la imaginación.

Fue en aquellos días cuando Anabela decidió que quería ser periodista. La conflagración roquera en la Lenin alcanzaba su punto de ebullición por culpa del grupo Kiss. A algún comecandela se le había ocurrido dictaminar que la banda en cuestión era «neofascista». Me imagino el proceso mental del comecandela para arribar a dicha conclusión: a) El *rock* es malo, muy malo; b) Necesitamos una prueba patente de su maldad; c) No hay nada peor que el neofascismo y el Imperialismo norteamericano; d) ¿Cuál es el grupo que resume todo esto? Ahora viene lo mejor: el comecandela ojea revistas de *rock* y descubre a una banda de tipos pintarrajeados que hacen una música particularmente estridente. ¡Bingo! La prueba de que el *rock* era una plaga la constituía esa banda cavernícola de tipos pintarrajeados, nadie podía pintarse así si no tenía muchas cosas malas que ocultar y que exhibir; para empezar, eran neofascistas imperialistas. Y Anabela decidió que quería ser periodista porque, como gran conocedora del *rock,* concluyó que los dirigentes revolucionarios de la escuela Lenin estaban manipulando la información, o acaso eran ignorantes bienintencionados que necesitaban que alguien les informara acerca de la Verdad.

Pero había un pequeño detalle, uno de esos obstáculos en equilibrio que hace que uno tenga que moverse con mucho cuidado. Porque si lo rozamos, el obstáculo puede empezar a rodar como una bola de nieve y convertirnos en seres sepultados y congelados desde tiempos jurásico-socialistas. Para poder estudiar periodismo en Cuba, había que ser miembro de la Unión de Jóvenes Comunistas (UJC). Por el momento, Anabela era miembro de la «avanzada pioneril». ¿Y eso qué era? Una vez terminada la Asamblea por la Educación Comunista de la primera mitad del curso escolar de octavo grado, Anabela había sido galardonada con dicha distinción, que significaba que el pionero era dueño de yacimientos de méritos suficientes para convertirse, al año siguiente, en miembro joven del Partido. El obstáculo, por el momento, permanecía en equilibrio. Pero el peligro latía precisamente en el gusto y liderazgo que Anabela ejercía en torno a la música *rock*. ¿Se estaba metiendo en la primera trampa ideológica de su vida? Quería ser periodista para informar acerca de la verdad de la música *rock*. Pero su gusto público por la música *rock* podía impedirle llegar a ser periodista.

Cuando los comecandelas leninistas prohibieron radicalmente todo lo que tuviera que ver con el *rock*, blandiendo la prueba de que el grupo Kiss era neofascista-imperialista, algunos alumnos comenzaron a escribir «Kiss» muy alegremente. Lo escribían manteniendo la tipografía que el grupo solía estampar en las portadas de sus discos. Con lápiz, rotulador, bolígrafo o raspando con una cuchilla al estilo carcelario. ¿Dónde? En un ángulo de la pared del albergue, o sobre un pupitre, o en la mesa del comedor, o en un banco de los bajos del comedor, o en un azulejo de la piscina. Generalmente en letritas muy pequeñas, que no era cosa de que te pillaran de pintor de brocha gorda. Además, aquello de poner «Kiss» en microscópicas letras tenía su gracia, ya que todos los alumnos iban enterándose de dónde estaba el rótulo subversivo y, para que un comecandela lo descubriera, debía efectuar un tenaz trabajo detectivesco o tener mucha suerte.

Pero cuando algún comecandela daba con un letrerito de Kiss... ¡Ah!, aquello sí que era un despliegue de combatividad revolucionaria. Se acordonaba la zona como si hubieran descuartizado a una anciana con sus nietos. Se interrogaba a todo el que pasara a cien metros a la redonda. Y se hacía un acto político en toda regla, reuniendo a los alumnos en la plaza y gritando por el altavoz consignas revolucionarias y de repudio al grupo Kiss. «¡Abajo Kiss!» «¡Hay que aplastar a los roqueros neofascistas!» Lo típico.

Fue en aquellos días cuando me contactó por primera vez la Seguridad del Estado para que actuara de «informante», a mis catorce años, pues ya me perfilaba como comecandelita de incendio forestal. Me explicaron en el despacho del director de la Unidad 1 que me daban una gran oportunidad de colaborar en la lucha revolucionaria contra el Imperialismo y el diversionismo ideológico. Mi labor sería la de vigilar muy de cerca a aquellos elementos penetrados por el Imperialismo que gustaban de la música *rock* (Manuel, Anabela, Rebeca y seguidores) e informar. Informar acerca de todo lo que me resultara sospechoso. Y, si podía denunciar a alguno de los que escribían letreritos subversivos (Kiss), sería un gran mérito en mi expediente. Me ofrecieron ser miembro de la UJC al año siguiente y facilitarme el ingreso en la Universidad llegado el momento. Vamos, era la oportunidad de la vida para cualquier pionero revolucionario. Pero para mí solo significó una cosa: me sentí importante, muy importante. Y, aun así, me negué a ser informante, porque, ante todo, se trataba de mis amigos, algo así como lo más importante del mundo..., junto con la Revolución. Y ellos estuvieron tan de acuerdo que me pidieron solo una cosa: que también la Seguridad del Estado fuese *mi amiga*. Con vernos de vez en cuando era suficiente, no tenía que delatar a nadie, sino darles la confianza de que yo era un «baluarte revolucionario».

Algo diferente

Los dirigentes de la escuela convocaron una reunión de padres para hablar del grupo Kiss y de todas las cosas malas que estaban ocurriendo por culpa del *rock*. ¿Cuáles eran estas cosas?, preguntaba Anabela ante la cara severa de Orlando y el susto de Felipa. ¡Qué sé yo! Y dudo que alguien pudiera argumentar racionalmente cómo un género musical es peor que una epidemia de dengue. Pero supongo que Orlando tenía argumentos para todo y le advirtió categóricamente a su hija que en casa no entraba un casete más de esos grupitos subversivos. Y claro que en casa no entraba un casete más, o, en todo caso, si había entrado, nunca pudo ser escuchado porque los proletarios en Cuba no tenían radiocasetera. Pero sí que los había visto: en la salita que a su vez era el cuarto de Anabela, esta solía tener algún que otro casete que le prestaban para luego llevarlo a la escuela.

Fue la primera discusión real que Anabela tuvo con sus padres y quedó zanjada a lo cubano: «¡Coño, que en esta casa mando yo!», Orlando *dixit*.

Yo tampoco veía, en el fondo, qué de malo podía tener la música *rock*, si ni siquiera entendíamos las letras. Pero la gente como yo estábamos convencidos de que pertenecía a los Estados Unidos y nada de allá podía ser bueno para el pueblo de Cuba.

Con Manuel, las cosas iban de mal en peor: el balance cuando entraron en noveno grado seguía siendo de cero rabito entre las piernas de Anabela. Y algo aún más tortuoso, algo inconfesado a sus padres que sumió a la superpionera en una verdadera crisis. En la Asamblea por la Educación Comunista del final del curso, alguien se puso de pie y declaró que la actitud ideológica de Anabela se estaba contaminando. Le gustaba el *rock*. Esa noche, cuando le fue retirada su condición de «avanzada pioneril» con vistas a ser miembro de la UJC, Anabela lloró de rabia pensando que le sería muy difícil llegar a ser periodista.

Trepó a la litera de Rebeca hirviendo de sangre indignada, anegada de sudor y lágrimas, y le dijo a su amiga:

—No lo entiendo, ¿y tú?

Rebeca no dijo nada. O sí. Pero primero apoyó la cabeza de su amiga de grandes ojos azules en sus pechos como maquetas de cúpulas bizantinas y comenzó a consolarla metiéndole los dedos entre las infinitas hebras del pelo. Entonces le dijo:

—No es el fin del mundo.

¿Cuál era el mundo de Anabela? Siempre había sido una superpionera estrella con un futuro más ancho que la Vía Láctea por donde se desplazaba como un cometa imparable. Y sus hormonas tenían más actividad que una orquesta sinfónica ensayando piezas de Wagner. De la noche a la mañana se esfumaba su mito personal de revolucionaria perfecta. Y ya estaba harta de explorar los senderos de su piel sembrada de lunares con sus propias manos. O sea, sí que era el fin del mundo. De su mundo.

—Déjame meterme —le dijo a Rebeca.

Y, antes de que la pelirroja pudiera entender de qué se trataba, Anabela le había levantado el fino camisón de dormir para deslizar su cabeza sobre el pecho de Rebeca. Negro sobre blanco casi inmaculado, Anabela podía sentir los duros botones de aquellos pechos.

—¿Qué haces, chica? —le susurró Rebeca, sin que las palabras salieran del todo a causa de su risita nerviosa.

Tenían que hablar muy calladas, otras seis becarias dormían en el cubículo.

—Nada —le dijo Anabela.

Comprendió que un rechazo por parte de su amiga sería el empujoncito para saltar del alero del cuarto piso y quedar como un puré de niño que ningún niño quiere tragar sobre el cemento. Sacó a flote la cabeza de debajo del camisón de Rebeca con la mente en blanco. Pero enseguida pensó: ¿Cómo es posible que en un momento como este consiga excitarme tanto? Había luz de luna. Un resplandor que parecía reflejo de plata quemada colándose por el ancho ventanal. Anabela estiró su mano como si quisiera atrapar el agua luminosa de la luna y observó que su mano se parecía a esa luz. Se había tornado casi blanca y unas finísimas venas la surcaban como el agua que corre sobre los cristales.

—Ven, mi niña —escuchó que le decía Rebeca.

Ya no lloraba, y aquel «mi niña» era demasiado. Al principio dejó que las manos de Rebeca volvieran a colocar su cabeza sobre aquellos pechos blandos y firmes que latían bajo el camisón. Pensó en los pechos de su amiga. Comprendió por qué le gustaban tanto. Eran breves, con los pezones grandes y de un tinte inusitado. Como jugo de papaya.

Rebeca le repetía:

—Ay, mi niña.

Y Anabela pensó: «¿Lo hace adrede?».

Fue como si alguien hablara por ella dentro de su cabeza: «Rebequita, te vas a enterar».

—¿Soy tu niña?

Rebeca rio muy bajito, como si le hicieran cosquillas. Luego dijo:

—Siempre.

—Siempre qué. —Anabela también comenzó a reír.

Ambas se estremecían debajo de las sábanas y, antes de que Rebeca pudiera decir algo, Anabela dejó caer su mano, como al descuido, sobre uno de los muslos de su amiga.

—Que siempre serás mi niña.

Y otra vez la voz: «Pues prepárate, Rebequita».

Deslizó su mano muslo arriba, seda y luna blanca. Posó su mano sobre el tanga de Rebeca, en la zona del pubis. Una bola que cabía en la palma de la mano, aplastada y suave, dormía bajo la tela elástica.

—Me gustan tus pelitos porque son rojos.

—Ssshhh, no hables.

Anabela creyó que aquello era un permiso en toda regla. Una autorización para poseer un mundo subacuático de anémonas, medusas iridiscentes y calamares tibios. E intentó meter sus dedos a través del elástico tenso. Pero Rebeca se volteó bocabajo como si cerrara una puerta. El tanga se perdía entre sus nalgas y la mano de Anabela quedó en el centro. La mano esperó durante dos largos minutos, fingiendo sueño, que Rebeca la expulsara ladeándose o con algún otro movimiento. Pero el culo seguía estando allí, respirando cada vez más agitado. Entonces Anabela comenzó a rozar haciendo arpegios arriba y abajo, apenas tocando, abarcando la piel lisa con la electricidad de sus dedos. Hasta los muslos y luego regresando, hacia adentro pero sin entrar demasiado. Los perfiles de ambos rostros quedaban cara a cara, respirándose. Rebeca estiró la lengua y le rozó los labios. Anabela tuvo un orgasmo. Estremecedor y largo como si fuera a morirse. Luego se quedó quieta, dejándose dormir. Las ganas de llorar habían desaparecido.

El silencio del cordero

Parada sobre el estrado, frente a todos los estudiantes de la Unidad 1, sufriendo la amonestación al ser expulsada de la Lenin, Anabela recuerda muchas cosas. ¿Cuánto tiempo se necesita para recordarlo todo? Dicen que a veces, cuando vamos a morir, en unos minutos desfila por la pantalla de la mente la vida entera. En torno a esta escena podrían organizarse los quince años de Anabela, como si se tratara de un núcleo gravitatorio, un enorme agujero negro alrededor del cual giran astros, lunas, polvo cósmico y planetas. ¿Qué es un agujero negro? Dicen los astrofísicos que se origina debido a la muerte de una supernova, que es una estrella de talla extragrande. Entonces se origina un agujero en el espacio, relativamente pequeño, donde se concentra una enorme cantidad masa, una masa tan grande que puede absorberlo todo, hasta el espacio-tiempo e incluso la luz. Ha muerto la supernova Anabela. Este momento fundamental en su vida, como un agujero negro, posee tanta masa que puede tragarse el resto de los años transcurridos. Su edad es un estrado, y Anabela mira hacia atrás sus quince años a través de este agujero de un dolor incalculable.

Pero hay que detenerse, dejarla allí, porque antes tuvieron que pasar cuatro meses para que la alcanzara esta fundamental circunstancia.

Tras el roce de la lengua de Rebeca, la vida comenzó a ser distinta. Anabela decidió librar la batalla de su reivindicación como superpionera, y el primer paso era apartarse del *rock* y de Manuel. ¿Cómo decirle a su eterno enamorado que ya no le quería?

Así:

—Manu, tengo que hablar contigo.

Hacía mucho que el derrotado lo estaba esperando. Fue ver la cara de mosquita viva con que Anabela le pedía una conversación y empezar a temblar de los pies a la cabeza.

—Dime.

Se sentaron a la sombra de uno de esos árboles que cubrían un ángulo de la plaza, que tantas veces les había servido de cobija para risitas y roces. Cuando Anabela levantó la cabeza para decirle lo que tenía pensado, sintió que las palabras eran un alud hacia su estómago y lo único que salía a flote era la náusea.

—No quiero seguir contigo.

¡Ya! ¡Por fin! Llevaba dos semanas sin querer violar a Manuel, sintiendo que tenía que atreverse a dejarlo de una vez.

—Lo sabía —dijo él, atragantado de lágrimas.

Fue habérselo dicho y desaparecieron las náuseas, la culpa y todo lo demás. Solo sintió alivio, como si se hubiera quitado un yunque de encima. Anabela comprendió esa misma noche que, por muy doloroso que resulte abandonar a una persona, si en realidad se necesita hacerlo, el acto del abandono se convierte en la mejor anestesia.

Si hasta ese momento Anabela era una superpionera cuyo único pecado consistía en su afición por el *rock,* con su resolución de enmendarse pasó a ser una especie de ideal alcanzado por sí misma. Digámoslo con una hipérbole: nunca ningún pionero cubano ha sido tan perfecto como Anabela en esos cuatro meses. Una supernova revolucionaria.

No solo se empachaba masticando palabra a palabra, concepto a concepto, cada libro de texto. También se quedaba al menos una hora después de las diez de la noche estudiando sola en el aula, pura gula, hasta que algún profesor de guardia la instaba con mirada de indulgente orgullo a que se retirase a dormir. Su aprovechamiento académico siempre había sido excepcional, pero, con aquel entrenamiento de deportista de alto rendimiento, estableció un récord de notas en la Lenin que aún hoy sospecho que persiste como esas milagrosas marcas olímpicas que nadie consigue romper, implantadas por algún extraterrestre. Durante las clases no había una sola cosa que los profesores pudieran preguntarle sin que su respuesta no fuera la acertada. Incluso el profesor de Física, un gordito de vivarachos ojos negros y gran vocación magisterial, decidió sentarla en una mesa aparte y, mientras él trabajaba en la pizarra los ejercicios para el resto de los alumnos, le entregaba un enorme libro a Anabela para que resolviera problemas con un mayor grado de dificultad.

Para sorpresa de Anabela, lo más difícil fue librar la batalla contra su mácula ideológica, el *rock*. Enseguida comprendió que no bastaba con dejar de ir radicalmente a fiestas como monja que retoma el hábito. Su despliegue abarcó todas las esferas: si alguien le preguntaba, como solía ocurrir dada su bien granjeada fama y su memoria, en qué año se formó el grupo canadiense Rush, ponía cara de monja a la que le proponen una orgía y se daba media vuelta con la boca cerrada. Pero por muy cerrada que tuviera la boca, seguían entrando moscas. Las moscas de cría fama y échate a dormir. Al principio creyó que era cuestión de tiempo. Pero, un día, Rebeca le dijo:

—Chica, lo que pasa es que a nadie le gusta que seas perfecta. ¿Entiendes?

Claro que entendía, pero aun así le preguntó:

—¿Por qué?

—Porque haces que los demás se sientan peores. ¿Y qué les queda? Nadie puede negar lo buena estudiante que eres porque ahí están tus notas, pero al que le dé la gana puede seguir diciendo que eres roquera.

No era cuestión de tiempo, sino de entropía: la pasta de dientes solo sale del tubo de dentífrico, nunca se mueve en sentido inverso. La naturaleza humana prefiere unos estados en lugar de otros.

¿Cómo era posible que Rebeca le hablara tan tranquilamente después de lo que había ocurrido aquella noche? Muy sencillo: ha transcurrido un mes y medio. Al día siguiente del orgasmo más profundo y estremecedor de su vida, Anabela no pudo mirarla a la cara. Ni Rebeca hablarle. Las horas y los días comenzaron a gotear sobre ellas como una pesada carga de vergüenza. Y la siguiente vez que entre ambas se tendió un puente de palabras fue gracias a las lágrimas de Rebeca.

Anabela la escuchó llorando en silencio en su litera de arriba por más de una hora, mientras el resto del mundo estaba dormido, y se atrevió a trepar.

Le dijo:

—Rebe, qué te pasa.

La pelirroja se tomó su tiempo de lagrimones y, cuando sacó la cabeza del hueco de la almohada, a Anabela le pareció que su cara entera estaba sangrando de lo roja que estaba. La observó bajo la misma luz de la luna de aquel día, reparando en lo simétrico de la situación, y le dijo:

—A ver, mi niña, qué te pasa.

Antes de que Rebeca desembuchara su desgracia, Anabela observó aún más detenidamente su rostro y concluyó que no parecía sangre, sino la carne de una fruta extremadamente madura.

—Carlos me ha dejado.

Anabela dejó que transcurriera el silencio. Permanecía sentada y quería que la simetría fuese absoluta. Era el camino más corto para decir una cosa y significar otra. Tomó a su amiga, que permanecía hecha un ovillo a su lado, y la indujo a poner la cabeza sobre sus piernas cruzadas de la misma manera en que se coloca una copa en el ángulo de una mesa. Le dijo:

—Y eso qué importa.

Rebeca empezó a reírse muy bajito como si aún llorara, y Anabela volvió a decirle:

—Ay, mi niña. —Y le metió los dedos entre las hebras del pelo.

Pero no por mucho tiempo. Rebeca se había puesto bocarriba y tenía los ojos cerrados, la cabeza sobre las piernas cruzadas de Anabela, la boca semiabierta, los labios adelantados, como si fuesen la única cosa posible sobre la faz de su rostro. Anabela se inclinó y la besó muy despacio. La boca de su amiga escondía la saliva tibia del llanto. La lengua de su amiga entró en ella, las lenguas se multiplicaron sin avanzar mucho hacia adentro. Cuando terminó el largo beso, Anabela le metió las manos por el cuello del camisón y tapó, haciendo dos campanas quietas, las puntas endurecidas. ¿En qué momento ambas se quitaron la ropa interior? Este acto recíproco ocurrió fuera del espacio-tiempo: de pronto estaban así, besándose, mordiendo cada una sus propios labios para no hacer ningún ruido mientras las manos abrían las puertas de un juego de cajas chinas.

A la mañana siguiente fueron a desayunar juntas. Y a nadie le llamó la atención que continuaran muy juntas por el resto de la semana porque la pelirroja y la conscientona siempre habían sido uña y carne. Nadie llegó a imaginarse que ahora eran sobre todo carne. Se volvieron un poco locas: flotaban riendo por los pasillos, cantaban en silencio y solo ellas dos escuchaban el canto compartido. Y se tocaban cada vez que la soledad se alzaba como una enorme y secreta pared circular.

Ocurrió una noche en que todas hacía mucho que estaban durmiendo. Anabela trepó una vez más a la litera de Rebeca. Lo hacía siempre cerca de las dos de la madrugada. A veces, encontraba que la pelirroja respiraba con ese ritmo acompasado por el sueño y le encantaba mirarla un momento a través de la oscuridad antes de comenzar a besarla, ver cómo separaba levemente los muslos sin aún regresar del todo de ese territorio tan individual de los dormidos e irla acariciando hasta que las manos de la otra buscaban bajo su camisón donde no había ropa interior. A veces la encontraba bocabajo, levantaba su camisón sin que se diera cuenta y la olía con cuidado: comenzaba a respirarla dejando que su aliento tibio la fuese despertando. Pero, esta vez, la encontró con los ojos abiertos como llamas gemelas, las palmas de las manos hacia arriba sobre el colchón, y comenzaron el ritual.

Entonces Anabela le dijo:

—No es justo...

—El qué —le preguntó ella muy bajito.

—Esto, mira lo que te estoy haciendo. —Y entró con un dedo en su amiga—: Anda, méteme un dedito.

Hubo un silencio de noche cerrada. Apenas podían verse. Rebeca volvió a susurrar:

—Qué dices.

—Hazlo ahora, méteme un dedito.

Pareció que Rebeca iba a decir algo, pero, tras otra pausa de noche cerrada, Anabela sintió que un escorpión dulce se abría paso dentro de su cuerpo. Cuando terminaron, Rebeca se llevó la sábana al baño para borrar la mancha.

Anabela pensaba que los escasos tres meses que le quedaban para concluir noveno grado serían suficientes para ganar su guerra secreta: en la Asamblea por la Educación Comunista que se avecinaba nadie podría poner una sola mancha, por minúscula que fuera, en el sol de su conducta. Ella era una supernova. Y, al año siguiente, sería militante de la Unión de Jóvenes Comunistas. Y luego podría estudiar periodismo.

Sin embargo, no fue necesario llegar a la asamblea.

Ahora permanece parada sobre el estrado delante de todos, sufriendo la amonestación al ser expulsada de la Lenin, y se pregunta si realmente basta solo un instante para que la vida dé un vuelco y se hunda en la miseria. ¿Había sido por culpa de esa única noche de descuido, o ella sola había ido urdiendo su escalera? Ah, el *rock* al que había renunciado, pensando en secreto que se estaba fabricando su *Stairway to heaven* cuando, en realidad, los escalones la llevaban directa a un infierno personal.

Anabela nunca llegó a saber que Yoanca se había chivado, que en su escalera había dado un paso en falso cuando en séptimo grado ella y Rebeca creyeron haberle ganado la guerra a aquella comecandelita de incendio forestal. Dentro de las demasiadas noches con Rebeca, hundidas en las sábanas secretas, no era posible que alguien no hubiese escuchado o visto algo. La primera de las casualidades fue el insomnio de Yoanca en esa noche. Luego ocurrió lo que tenía que ocurrir. La comecandelita escuchó, sin atreverse a creer lo que escuchaba, que las otras dos estaban *haciendo algo*. Cuando Anabela regresó a su litera, la comecandelita ni siquiera estaba segura de si aquello había ocurrido o había sido una imposible percepción en medio de su insomnio. Pero se dedicó a espiarlas todo el tiempo posible hasta que fue verificando la sospecha.

A Anabela y Rebeca les dio por estudiar juntas de vez en cuando más allá del horario de silencio. Y, de vez en cuando, no podían evitar pasar el pestillo por dentro del aula, apagar la luz y meterse mano sobre la mesa de estudios. Rebeca solía reírse y decir:

—¿Hacemos clase de anatomía?

Yoanca decidió, una noche cualquiera, decirle a un profesor de guardia:

—Profe, yo creo que en aquella aula pasa algo.

Cuando el profesor puso su mano sobre el pomo de la puerta encontró que no estaba pasado el pestillo. Lo giró, abrió de golpe y activó el interruptor. Rebeca había ido al baño y Anabela estaba sola en medio del aula, terminando de vestirse.

—¡Ahora mismo me vas a decir con quién estabas llevando a cabo práctica de pareja!

¿Cómo es posible que dentro del más puro horror aún queden ganas de reír? Anabela no podía entender que aquel tipejo flaco y desgarbado como un pájaro hubiera dicho «llevando a cabo práctica de pareja». Quizá supuso que como la habían pillado sola, aunque semidesnuda, podría inventar cualquier historia.

Riendo, atinó a decir:

—Profe, es que hace tremendo calor.

Rebeca vio de lejos que pasaba algo grave y salió huyendo rumbo al albergue. Se metió temblando debajo de la sábana con la esperanza de que su amiga regresara a los pocos minutos. Pero Anabela llegó dos horas más tarde convertida en un fantasma. Le susurró:

—No te he delatado, y es mejor que mañana no nos vean juntas.

Yoanca no se atrevió a testificar acusando a Rebeca porque se haría público que ella había sido la delatora. Tenía pretensiones de convertirse en dirigente estudiantil, necesitaba la simpatía y votos de la mayoría, y nadie iba a elegir a una chivata pública. Además, todos sabían que la pelirroja y la conscientona estudiaban juntas, pero a Rebeca todo el mundo la quería y nadie iba a abrir el pico.

En un estado normal de cosas, si uno se pone a pensar en un juicio con testigos, fiscal y abogado, resultaría improbable condenar a Anabela. Pero estamos en la Lenin y en Cuba en los años ochenta: Anabela era culpable mientras no consiguiera probar su inocencia. No tenía abogado, sino un Consejo Disciplinario lleno de fiscales comecandelas. A puertas cerradas la sometieron a un larguísimo interrogatorio para que delatara a su «compañero» de práctica de pareja.

Anabela comenzó diciendo, aterrorizada pero con esa voz firme de quien se sabe perdido:

—Considero que no es lo correcto decirles quién estaba conmigo. No soy una chivata, soy revolucionaria.

El profesor guía de turno estalló en cólera, argumentó que la Revolución exigía de ella una actitud crítica y autocrítica, y que encubrir a otro en una falta tan grave era hacer contrarrevolución. Al principio Anabela intentó dar razones, rogar, explicar lo inexplicable que, sin embargo, para ella estaba tan claro.

Recordó una frase que había leído y la adaptó a su circunstancia:

—No voy a dejar que mis principios revolucionarios me impidan hacer lo correcto.

Pero, al cabo de una hora, decidió cerrar la boca y aceptarlo todo. Con aquel batallón de aguerridos combatientes era imposible razonar. Tenían preclaro lo que querían de ella y lo que iban a hacerle. Pero los aguerridos combatientes siempre pueden sorprender.

En cierto momento el director de la Unidad 1, que todo el tiempo había permanecido callado, tomó la palabra y dijo muy bajito:

—Compañera Anabela, usted sabe perfectamente que la falta cometida merece la expulsión de este centro de enseñanza, el mejor del país. Yo le hago una propuesta. —Hizo una pausa sensacionalista y continuó—: Si usted nos dice quién era su cómplice, consideraremos seriamente no expulsarla de nuestro centro. Tiene hasta mañana para tomar una decisión.

Cuando Anabela salió de la sala, tenía la sensación de que había dejado de ser ella misma. Hiciera lo que hiciera ya se lo habían arrebatado todo. Y todo era irrecuperable. Llegó al albergue y le dijo a Rebeca:

—Dicen que si te delato no van a expulsarme.

Ya Anabela había tomado una decisión al respecto. Entonces, ¿por qué le comentó esto a Rebeca? Quizá tenía la esperanza de que dentro de la mierda podía florecer una finísima brizna de hierba verde, o tal vez solo quería exhibir ante su amiga el secreto orgullo de una expulsión heroica, sacrificada, llena de sentido. Entonces, tras haberle dicho a Rebeca lo que no debió decirle nunca, escuchó que su amiga le respondía lo que nunca hubiese imaginado:

—Si me delatas voy a negarlo todo, y las otras van a decir que yo estaba en el albergue desde el horario de silencio. —La voz de Rebeca sonaba desesperada, como si intentara gritar debajo del agua.

¿Creía Anabela que la expulsión de la Lenin era perderlo todo? Comprendió enseguida que había perdido todo *y algo más*, y que esto último era lo más importante. En este instante no sintió dolor, ni cólera, ni ganas de abofetear a su amiga. El espacio entero de su ser había sido ocupado por un sector idéntico de vacío.

Al día siguiente, el suplicio duró otras dos horas. Pretendía permanecer callada una vez que informara al Consejo Disciplinario de que no iba a delatar a nadie. Pero, después de oír discursos patrióticos, alegatos de lucha contra el Imperialismo y la certidumbre de que esa misma noche serían convocados sus padres, como en un sueño, escuchó que el director decía:

—Dado la gravedad de la falta y lo negativo de su actitud, compañera Anabela, su expulsión de nuestro centro irá acompañada de una amonestación ante toda la Unidad.

¿Iban a pararla delante de todos los alumnos y anunciar su expulsión por práctica de pareja? Es curioso el mundo de las motivaciones humanas. Anabela no había contemplado en ningún instante la posibilidad de delatar a Rebeca, ni cuando le ofrecieron la condonación de la falta, ni siquiera cuando Rebeca dejó de ser su amiga y su amor. Pero, al imaginarse parada delante de todo el mundo, bajo la mirada vergonzante de aquel monstruo de los mil ojos del estudiantado, pensó por un momento en delatar a Rebeca.

Rogó. Lloró como si la arrastraran al patíbulo. Explicó serenamente que podía soportar la expulsión, la decepción de sus padres, su carrera destrozada para siempre, pero que no aguantaría que la pararan delante de todo el mundo y proclamaran sus faltas y el castigo por un micrófono.

Ya estaba dictada la sentencia. Anabela, la supernova, moría creando su agujero negro.

En este instante, parada sobre el estrado y escuchando cómo los demás escuchan que la pionera Anabela López Cerdá estaba siendo expulsada de la Escuela Vocacional Vladimir Ilich Lenin por práctica de pareja, Anabela piensa en aquel remoto mediodía en que ella y sus padres se comieron tres pollos asados.

El vacío

Es fácil imaginarse la reacción de Orlando y el dolor compartido con Felipa. La incredulidad en un principio y la desesperación luego, y luego la incredulidad y otra vez mucha desesperación y ganas de comerse viva a su hija. Es fácil imaginar todo esto. Pero no fue así.

Anabela no les dio tiempo. Esa misma tarde, después del numerito de la amonestación pública, mientras sus padres la esperaban para decirle tantas cosas que no sabían ni por dónde empezar, Anabela se volvió loca. Vamos, que se le fue la olla, se rayó, se volvió *crazy crazy,* majareta a tiempo completo. Desde que la vio acercarse, Felipa tuvo la certeza de que algo no andaba bien. O sea, claro que *algo* no andaba bien, pero Felipa comprendió en un instante, al ver ese desecho humano que era su hija dando pasos raritos, que algo muy feo estaba ocurriendo dentro de su cabeza.

Anabela llegó de lo más sonriente y les dijo:

—¡A comer pollo asado!

Y luego:

—¿No soy *sexy?*

Y luego:

—Condenadme, no importa, la Historia me absolverá.

Esto último era la frase con que concluía el alegato de Fidel Castro en el juicio del Moncada y que tanto había repeti-

177

do sobre todos los estrados del mundo pioneril entre abrumadores vendavales de aplausos.

Orlando dijo nervioso:

—Vamos a casa.

Pero Felipa dijo, no se sabe si gritando o llorando:

—¡No, vamos al hospital!

Un psiquiatra amigo suyo en el Hospital Nacional les explicó consternado que debían llevar a su hija inmediatamente al hospital San Juan de Dios, que él mismo los acompañaría con la hoja de remisión para los trámites de ingreso, que allí trabajaba una buena amiga y excelente doctora. ¿Qué cosa era ese centro hospitalario? Obviamente, un hospital psiquiátrico para enfermos graves.

Anabela permaneció allí durante dos meses observando el crecimiento invisible de las matas de mango, memorizando la agitación de las hojas y el cambiante vuelo de las moscas. Familiarizándose todos los días con la amigable mugre que estaba por todas partes, con la actitud de vacas torpes de los otros locos y preguntando de vez en cuando por Rebeca.

Ante esto último, Felipa supo con absoluta certeza que su hija había incurrido en práctica de pareja con su amiga Rebeca y entró en pánico. Si Orlando se enteraba de aquello no iba a disgustarse ni montar en cólera ni nada por el estilo, sino, simplemente, él también se iba a volver loco. El reino de la locura parece muy complejo, y claro que lo es. Pero, visto desde fuera, es una masa homogénea de incongruencias que hacen inútil todo intento de análisis. Los locos hacen cosas raras e incomprensibles y punto.

Lo interesante en este caso es el proceso mental de los padres de Anabela. O, más exactamente, de Orlando. Porque Felipa, desde el primer momento, tuvo meridianamente clara una cosa: que su hija estuviera revolcándose desnuda encerrada en un aula con alguien (hombre o mujer) a las once de la noche no era motivo suficiente para que acabaran con su vida de superpionera revolucionaria. Podrían incluso haberla expulsado de la Lenin, pero sin aniquilarla moralmente. Si bajo el manto justo de la Revolución podía ocurrir una cosa así, entonces este manto estaba lleno de agujeros y tenía manchas de pis y de caca y apestaba y estaba habitado por una legión de chinches. Pero ¿era posible que una conclusión semejante entrara en la cabeza de Orlando? ¿Cómo conciliar un hecho tan contradictorio con respecto a sus ideales de absoluta adoración por la justicia revolucionaria? ¿A quién echarle la culpa de la tragedia? Podría pensarse que Anabela, si no se hubiese vuelto loca, habría cargado con el severísimo peso de la decepción de su padre. Nones. Orlando, ante todo, era un hombre bueno. Y justo. De los que no querían ser militantes del Partido, pero daban la vida todos los días por la Revolución. Por muy comecandela que pareciese a primera vista, siempre había tenido la digna lucidez necesaria para separar lo bueno de lo malo sin incurrir en demasiados errores. Y para colmo, la manera en que habían tratado a su hija la había mandado de cabeza a un hospital psiquiátrico. Pero también era un hombre muy religioso: profesaba la fe de San Fidel Castro y la Revolución, como la propia Anabela. Entonces, ¿podía tomar partido dentro de su cabeza? Para una cosa así tendría que morir todo su ser y luego resucitar. Pero ¿resucitar dónde? ¿En qué lugar del mundo de las ideologías podría resucitar alguien que era un místico de la Revolución, negando la Revolución? Se necesita de mucha fuerza, de una fuerza sobrehumana, para conseguir algo así y encontrar un nuevo lugar en el mundo. Y Orlando no era más que un carpintero bueno que se rompía el lomo todos los días en su único mundo posible.

No abrió una sola vez la boca para condenar ni reprocharle nada a su hija. Pero tampoco fue capaz de condenar la Revolución. La culpa, que había que poner en algún sitio, fue a parar a los oportunistas y extremistas hijos de puta que le hacían daño a la Revolución.

Al cabo de dos meses, Anabela fue regresando de su delirio. Entró en una depresión llena de dientes que la mordían y de un peso que le impedía salir de la cama cada mañana. Y la psiquiatra concluyó que estaba mejorando, que podía irse a casa, que ahora quedaba el proceso de asimilación consciente de todo lo que le había ocurrido. Para ello necesitaría de toda la paciencia y apoyo de sus padres, no se sabe por cuánto tiempo.

Anabela consiguió recuperarse como quien sobrevive a un accidente aéreo: nunca más podría volar de la manera en que antes lo había hecho y estaba parcialmente mutilada. Se atrasó dos años y, durante sus estudios preuniversitarios, no volvió a pensar en ser periodista. Cuando sus notas —que nadie había podido arrebatarle— desembocaron en un altísimo promedio para ingresar en la Universidad de La Habana, tenía claro que quería estudiar Física.

Ingresó limpiamente en la Facultad de Física.

Y allí estaba el profesor Pedro, casado absurdamente con la única persona en el mundo que se llamaba Rebeca. Era experto en Termodinámica y la miraba con aquellos ojos de hombre que ella nunca había visto. Volvió a enamorarse después de *aquella* vez. Y estaba tan enamorada que le gustaba pensar que Pedro no era su amante, sino su novio. Por eso le pidió, desde el primer momento, que de su mujer no quería saber ni el nombre.

En el momento en que Anabela notaba que la luz del exterior de la cafetería de la facultad de Física ponía sobre la superficie del café la figura oblicua de una ventana, una voz le dijo que ese día no habría clase de Termodinámica, que había sucedido algo grave. Luego otra voz entró en el círculo de los rostros perplejos informando que el profesor Pedro había tenido un accidente. Lo único en lo que pensó Anabela, en ese instante, fue que el reflejo de la enorme ventana parecía una minúscula alfombra sobre el café. Luego pensó que el azar es una moneda muy pequeña con la que se suele comprar algo muy grande. Pero cuando el pasillo de la Facultad de Física se convirtió en un torrente negro bajo sus pies, y sus ojos fueron cajas de agua, pensó que aquello había ocurrido *por algo*. Otra vez tuvo la impresión de que su vida entera estaba siendo escrita por alguien, alguien retorcido y feo que disfrutaba mucho poniéndola en el mismo punto, por mucho que ella se empeñara en fugarse. ¿Hacia dónde huir? Todo el espacio de su cuerpo había sido nuevamente ocupado por un sector idéntico de vacío.

Pero ya era la tercera vez que aquello le ocurría. El vacío era un viejo conocido, como el enemigo que siempre regresa y, a partir de cierto momento, uno lo está esperando y ya ha aprendido sus tácticas y subterfugios. Llegó a una instantánea conclusión: el único camino posible era librar la batalla contra el vacío. Y la mejor técnica para librar aquella batalla era huyendo. No dejando que el sector de vacío se apropiara otra vez de todo el espacio de su cuerpo. Pero no una fuga cualquiera, sino la Gran Fuga.

Si, en un rapto de duda o a causa de una simple amigdalitis, Anabela hubiera postergado un par de días su visita a Rebeca, el vacío la habría devorado por tercera vez, ahora quizá de manera definitiva. Pero Anabela se levantó aquella mañana antes de que empezara la mañana, estuvo una hora metida en la ducha maldiciendo que en aquella isla ya no existieran jabones aromáticos ni cremas ni ninguna otra cosa para una mujer que estaba a punto de tener una cita de esas que ponen rocío salado en las manos y saltamontes en el pecho. Se secó meticulosamente, repasó su pubis con unas tijeras, dejándolo en una insinuación que nacía muy abajo, lloró de un modo profiláctico ante el espejo la muerte de su profesor y sumió en radical alopecia sus axilas. Luego eligió su mejor vestido de verano, que estaba raído como todos los demás que no tenía más remedio que usar, y salió a la calle pensando que la vida era una moneda blanda si se la aprieta entre los dientes.

Una hora después de caminar bajo el sol, pone su mano pequeña sobre la aldaba con cabeza de león de la enorme puerta y, cuando lo hace, siente que la aldaba no solo le muerde la mano, sino también el vientre. Abre Rebeca, y se habrían estado midiendo durante un tiempo imposible de abarcar en el movimiento de los astros de no ser porque Montalbán aparece tras el biombo del camisón de Rebeca para frustrar todo preámbulo:

—Tú debes de ser...

—Anabela.

—Yo soy Montalbán.

—Déjala que pase —dice Rebeca, que no tiene la menor idea de que su marido, además de haber sido el amante de Anabela, ha muerto.

Ambas entienden que no hace falta estirar las manos para saludarse, ni estirar el momento de sentarse frente a frente en la sala. Sin embargo, una vez sentadas vuelven a medirse dentro del temor que posee, ante su inminente víctima, quien tiende una trampa. Mientras se alargan aquellos instantes de contemplación, Montalbán desaparece por el pasillo con la misión, asignada por Rebeca, de prepararles un cafecito.

—Y bien —empieza Rebeca—, qué es lo que tienes que decirme después de tanto tiempo.

Montalbán

DJ

«Quiero ser médico y ahora estoy matando gente», pensó Julio César Montalbán dos minutos después de que el sargento le entregara la caja de granadas.

Les habían avisado de la ofensiva quince días antes y el aviso pareció significar meterse en aquella interminable ranura negra a esperar la llegada del enemigo. «¡Montal, machácalos!», fue la última voz gritando en cubano que escuchó Montalbán en medio de aquella fiesta de fuegos artificiales. Todos habían asistido a la discoteca de la noche más grande de Angola. Los fuegos se inflamaban, retumbaban los efectos sonoros, se expandía el humo tóxico y los trozos de tierra volantes abrían agujeros en la sábana del aire. Y él allí, metido en la trinchera y convertido en todo un DJ con su flamante caja de granadas. Volvió a escuchar: «¡Montal, machácalos!». ¿O lo había oído antes? Distorsionado por el fuego de la artillería enemiga, como si otro DJ moviera el disco, Montalbán escuchó que su amigo el soldado Rodríguez le gritaba aquello un segundo antes de que su cara dejara de ser cara para convertirse en un escupitajo contra la pared de la trinchera.

Mientras lanzaba una granada detrás de otra hacia la negrura de la noche, comenzó a vomitar. ¡Eso sí que era entrar en combate! No el aburrimiento de meses cargando cajas de municiones, marchando, limpiando retretes barnizados de mierda y escribiendo cartas a sus amigos del Establo. ¡Eso sí que era cumplir con la patria y el famoso internacionalismo proletario! Nunca llegó a saber si el sargento le había entregado una infinita caja de granadas, una caja mágica que no se acababa nunca por mucho que él las lanzara como frutas en medio de una broma, o si durante aquella noche corta el sargento le iba sirviendo sucesivas cajas de granadas para que matara a medio mundo.

Ya lo había escuchado: el enemigo cargaba con sus bajas para que los cubanos y los de las FAPLA no supieran a cuántos habían matado. Una táctica psicológica, decían. Por eso, cuando la noche pareció acabarse —o quizá hacía mucho que era de día, pero todo continuaba estando negro— y se fue apagando el fuego de la artillería de ambos bandos, y el soldado Julio César Montalbán se dirigió a la trinchera enemiga que tenía enfrente, no encontró un solo cadáver. Al principio tuvo la esperanza de que la trinchera desierta significara que él, que nunca antes había entrado en combate y esa noche había lanzado granadas como arroz sobre los novios, no había matado a nadie. Enfocó la vista velada por el humo casi con alegría. Pero enseguida observó que esa trinchera, que en la noche era una negrura con voces angolanas hacia donde él lanzaba las granadas, estaba impregnada de un barro rojizo. Como si hubiera llovido sangre. Vomitó otra vez —¿o no había dejado de hacerlo desde que su amigo el soldado Rodríguez perdió la cara?— y pensó que había sido muy mala idea ofrecerse como voluntario para cumplir misión internacionalista en la guerra de Angola.

Últimamente le había dado por repetírselo a sí mismo durante las noches de guardia, después de leerlo en una novela de Milan Kundera: «La vida de un hombre son tres o cuatro decisiones fundamentales, el resto son las imprevisibles y largas consecuencias». ¿Seguirían siendo así de espantosas las consecuencias de su decisión? ¿Qué tenía que ver aquella trinchera enemiga convertida en puré de sangre con el heroísmo revolucionario de la guerra en Angola, con la película *Hair* y con sus ganas de estudiar Medicina?

Esa misma noche comenzó a escribir un diario, al que llamó «el cuaderno rojo» por obvios motivos. Meses después, una noche en que todo el Establo estaba reunido navegando en rones en el parque de Paseo y 23, aproveché que nos apartábamos en plan confidencia etílica y le pregunté:

—Montal, ¿en la guerra de Angola mataste a alguien?

El negro metió la cabeza entre sus rodillas y escuché una voz que salía de allí abajo:

—Bróder, no me vuelvas a preguntar eso.

Y me contó llorando la anécdota de la noche de las granadas. Esa vez, dijo, había nacido por tercera vez. ¿Y las otras dos?

Negocios de familia

Su primer nacimiento no tuvo ninguna importancia. Ni siquiera pareció tener importancia para Mercedes, su madre, que pujó muy poco. Y es que ocho años antes de que Montalbán naciera, Mercedes mantuvo abundante cópula con Sandalio, un delincuente del barrio de Buenavista que tenía fama de semental que un día del año 1978 consumó un acto de magia: desapareció en una lancha por el puerto del Mariel y apareció en Miami con cadenas de oro. Las consecuencias de la cópula de Mercedes con Sandalio se hicieron esperar nueve meses, tras los que vino al mundo Yusniel, más conocido en el barrio de Buenavista como el Picúo. Cuando Montalbán vino al mundo, hijo de otro padre, ya su hermanito Yusniel, alias el *Picúo,* era una estrella en el barrio. Y Mercedes comenzaba a preocuparse.

¿En qué consistía aquel precoz estrellato del Picúo? El negrito cabeza de puntilla estaba dando sus primeros pasos como delincuente de baja estofa. Todo empezó un día en que divisó en lontananza, en el patio de una familia «blanquita de las que se creían importantes», un par de zapatillas Adidas colgadas en la tendedera. Esa fue la primera vez en que el Picúo sintió la comezón en todo el cuerpo, unos temblores imperceptibles y unas ganas de rebotar en cuanta pared tenía cerca. ¡Y todo por culpa de la visión de las zapatillas Adidas!

Años después, en una de las tantas veces en que fue detenido por la Policía Nacional Revolucionaria (PNR), le confesó muy sinceramente al teniente que lo interrogaba: «Combatiente, yo no robo por gusto, es como una enfermedad, me da picazón en todo el cuerpo cuando veo algo que no es mío y me gusta».

Parecía un Spiderman cimarrón y vernáculo arrasando con las tendederas de Buenavista. No había cosa linda que pusieran a secar los vecinos que el Picúo no hiciera suya. Por robar tendederas llegó a robar hasta las de su propia casa, especialmente los sujetadores de encaje de su hermana Liudmila, para venderlos. Lo mismo echaba mano de un par de chanclas que de unos *shorts* de flores o una colección de bragas-semanario que luego regalaba a las amiguitas del cole a cambio de que le tocaran el rabo.

Cuando Montalbán vino al mundo, ya su hermanito de nueve años era una autoridad en materia de tendederas. Y su prometedora carrera evolucionaba a pasos agigantados. Pasó de las tendederas a los patios, total, que las tendederas quedaban en los patios. De modo que el Picúo, de vez en cuando, se aparecía en su casa con un par de gallinas o le conseguía al abuelo un serrucho, un martillo, clavos y hasta enormes tablas para que siguiera ampliando el palomar que tenían en el techo. Y Mercedes no paraba de copular, así que al año siguiente de que naciera Montalbán alumbró a otro negrito al que le puso Lobby. ¿A quién se le ocurre ponerle «sala de estar» a un hijo? Como si se tratara de una fatalidad onomástica, de un lado estaban Yusniel, Liudmila y Lobby, y del otro Julio César Montalbán. Hechos de una materia muy diferente.

Enseguida Lobby fue siguiendo los pasos de su hermano Yusniel. Era el preferido del Picúo, que se tomó muy en serio eso de contribuir a la educación del menor adiestrándolo desde muy temprano en las artes del agarra eso y sal corriendo.

Lobby, el de los pies ligeros, y su mentor el Picúo eran invencibles.

A los nueve y dieciocho años, respectivamente, decidieron dar un gran «palo». Un golpe de los que sí valían la pena. Ya el Picúo estaba cansado de apropiarse de los bienes baratos de todo el vecindario y decidió incursionar en otros cotos. Bajando por la avenida 70 comenzaban a desaparecer los cuchitriles cenicientos y brumosos del barrio de Buenavista y se iban alzando casas de diplomáticos, embajadas, pequeños edificios de oficina en inmuebles de los tiempos de Batista, con peinados jardines y Ladas parqueados enfrente. Al Picúo siempre le había gustado merodear por aquella zona. La comezón en toda la piel y las ganas de rebotar en las paredes se hacían insoportables, y fantaseaba con colarse en uno de aquellos recintos imaginado todo tipo de cosas maravillosas a su disposición. Así que un día le dijo a Lobby:

—Titi, hoy vamos a dar un palo de los grandes.

Esperaron a que se hiciera de noche y, aprovechando que el menor era pequeño como un frijol negro, el Picúo le dijo que se colara por el hueco de un aire acondicionado y luego le abriera la puerta. Dicho y hecho. De pronto el Picúo se vio en medio de un lugar de lo más extraño. ¿Aquello qué coño era? Había gigantescos archivadores, máquinas de escribir por todas partes, ceniceros de cristal, pisapapeles, engrampadoras, lápices y bolígrafos, fotocopiadoras y enormes ventiladores de aspas atornillados al techo. ¿Y toda esta mierda para qué sirve? Daba lo mismo, aquello era una cuestión moral.

Le dijo a su hermanito:

—Toma, toma bastante agua. —Y le señaló un bebedero que había en una esquina, y él también se puso a beber agua.

Luego abrió el saco que llevaba para trasladar el botín y fue echando dentro todos los objetos que cabían, incluidos los afiches del Che. Y le dijo a Lobby:

—Ahora tranquilitos un rato, sigue tomando agua y avísame cuando tengas ganas de mear.

Al cabo de una hora tenían las vejigas listas.

—¡Apúrate, titi, vamos a mearlo todo!

Y los delincuenticos se dedicaron a rociar las papeleras, las mesas, los archivadores, las máquinas de escribir y hasta un retrato enmarcado que había en el despacho principal, donde figuraba la imagen del director del centro junto al mismísimo Comandante en Jefe.

A partir de ese momento, la cosa fue a mayores. El segundo golpe decidieron darlo en El Becerra, una mugrienta cafetería que quedaba en la esquina de la avenida 70 con la calle 19. El Picúo no estaba dispuesto a correr el riesgo de entrar en otra oficina y tener que ponerse a mear por todas partes, así que una cafetería era un objetivo prometedor. El *modus operandi* fue el mismo. Lobby se arrastró por un estrecho pasillo y se metió por un hueco de ventilación que daba directo a la cocina. Así fue como el Picúo y su lugarteniente se vieron en el recinto de la abundancia.

—¡Titi, esto está rico!

Había centenares de panes, ruedas de mantequilla, recipientes con helado, masas de puerco crudas metidas en cajas plásticas, croquetas sin freír, bolsas de café y azúcar, bolsas de harina, bolsas de refresco instantáneo, bolsas de leche en polvo.

—Espérame aquí, titi, voy a buscar transporte —susurró el Picúo y salió disparado.

Ramoncito era un gordo que pasaba la noche (y el día) jugando dominó en la esquina. Sus únicos bienes eran una vieja camiseta con huecos y una vieja camioneta con huecos. Así fue como Ramoncito, Lobby y el Picúo saquearon El Becerra. Todavía hoy en el barrio de Buenavista algunos recuerdan la mañana en que los trabajadores revolucionarios, al hacer la escala para la tacita de café de cada día, se quedaron con la boca abierta y la lengua colgando al pararse delante de El Becerra y escuchar que unos ladrones se habían llevado hasta las servilletas.

Y ¿qué pasaba con Liudmila, la princesita de ébano de la familia? Menuda guarra. Detesto las películas donde las prostitutas lo son por culpa de un padrastro violador, una madre alcohólica y una miseria que llega al techo. Liudmila era puta por vocación. Cuando cumplió los diez años ya había hecho un inventario de los rabitos negros, blancos y albinos del barrio de Buenavista. Si hasta le gustaba mirar con disimulo la anaconda del Picúo mientras este se echaba jarritos de agua en el baño con la puerta entreabierta. No era que deseara a su hermano, sino que aquellos apéndices le despertaban muchísima curiosidad, la volvían loca. A la edad de quince años emulaba al Picúo en fama, solo que la suya no consistía en llevarse cosas que no le pertenecían, sino en hacer que le perteneciera, en cuerpo y no en alma, la «cosa» de los otros.

Y no tardó en darse cuenta de algo obvio: el dejar que se le metieran dentro los rabitos de los demás podía servirle para conseguir otras cosas. Valga una aclaración: Liudmila tenía un culo antológico, de esos que dejan con tortícolis a los turistas y a todo el mundo. Y unas tetas como naves espaciales flotando en la ingravidez de la vida. Y una cintura que parecía exprimida dentro de un corsé, solo que el corsé era su abdomen duro de negrita pendenciera. Cuando se dio cuenta de que si les pedía pajarito volando a sus amantes estos se lo conseguían, pasó de obtener cajas de cigarros baratos a pensar en ropa interior fina, cigarrillos con filtro y latas de cerveza. Y, en la Cuba de principios de los ochenta, aquellos preciados bienes estaban en un sector inalcanzable del poder adquisitivo de los habitantes de Buenavista. La posesión de dólares estaba penada por la ley y una lata de cerveza solo podía comprarse con un dólar. Liudmila fue la primera jinetera de su barrio y quizá una de las pioneras en toda La Habana.

Consiguió a su primer turista a los dieciséis, un viejo mexicano de barriga prominente que se creía de lo más listo porque venía de orígenes humildes y ahora era gerente de una tienda de muebles. El charro comenzó prometiéndole que se la llevaría al DF, donde decía tener una mansión y ser un soltero codiciado. Y en verdad tenía una mansión, pero con una mexicana de las de telenovela y cuatro hijos de lo más malcriados. Así que el charro se creía muy listo y embaucador haciendo que Liudmila copulara a todas horas en un cuartico de la propia casa de los Montalbán gracias a que —según él— le había prometido instalarla en el DF y casarse con ella. Pero Liudmila no tenía en aquel entonces la más mínima intención de abandonar su alegre barrio, ni la Revolución cubana donde todo el mundo era pobre menos ella que fumaba Marlboro y bebía cerveza Hatuey enlatada. Así que le hizo creer a su charro que ella estaba muy ilusionada con la perspectiva de pirarse, y el otro —embaucador con ciertos escrúpulos— se sentía culpable y le compraba más cerveza y Marlboro para toda la familia, y ropita y zapatos para sus hermanitos, esos negritos tan lindos y vivarachos que pasaban el día corriendo descalzos por el barrio.

Y ahí tenemos a Julio César Montalbán, en medio de todo. Que había nacido por primera vez hacía doce años sin que nadie le diera ninguna importancia. Ni siquiera su madre Mercedes, que ocupaba todo su tiempo en copular con Rosendo y en lidiar con las quejas de los vecinos vigilando con un ojo a Yusniel y a Lobby y, con el otro, a Liudmila, que podría convertirla en abuela el día menos pensado. Y ¿qué pasaba con su padre, Rosendo, que tampoco le había dado ninguna importancia al nacimiento de Julio César?

Y ¿por qué Julio César Montalbán había nacido una segunda vez a los doce años?

Fresquito y casi coleando

Si alguien ha pensado que lo más importante en el entorno de Montalbán fue la putería de su hermana, el raterismo de sus hermanos o el me da lo mismo de su madre, se equivoca.

Rosendo, su padre, era santero y palero, o sea, devoto de ambas religiones afrocubanas. Y venía de una familia de ascendencia religiosa desde los tiempos en que los españoles cazaban a los negros yoruba en África y los traían al Caribe con visita guiada. El tatarabuelo de Julio César había sido palero y santero, y también su bisabuelo, y de ahí para abajo toda la estirpe. Montalbán creció viendo altares de Changó en la sala de su casa, un Elegua en una esquina, cocos y caracoles en otra y, al fondo, Rosendo tenía un cuartico destartalado lleno de yerbas, palos, patas de cordero y crestas de gallo secas.

A Rosendo tampoco le interesó mucho el primer nacimiento de Julio César, ni de Liudmila ni de Lobby, ni mucho menos las hazañas del Picúo, que era hijo de Sandalio, quien ahora estaba en Miami. Lo único que le interesaba a Rosendo era andar vestido de blanco, expandir su fama de babalao jerarca y que los vecinos de toda Buenavista fueran a meterse en su cuartico para que él les dijera quién les había hecho algún «amarre» o cómo podían «salarle» la vida a sus enemigos.

Cada diecisiete de diciembre, día de San Lázaro, hacían un bembé que duraba tres días. ¿Qué cosa era aquello? Una celebración religiosa para honrar al santo con un toque de cuatro tambores que no se interrumpía durante los tres días que duraba el desmadre. Los negros del barrio, descamisados o en camisetas blancas de tirantes, con boinas también muy blancas, desfilaban por la casa pidiéndole la bendición al padrino Rosendo y turnándose en los cuatro puestos de los tambores para que la percusión no dejara de sonar ni un solo instante del día o de la noche.

Al Picúo y a Lobby les encantaba aquello, y también a Liudmila. A los primeros, porque la procesión de negros percusionistas y santeros también era una procesión de delincuentes profesionales. Todos estaban mal tatuados a cuchilla y tinta de bolígrafo en la cárcel del este de La Habana (conocida como «el Combinado del Este»). Ostentaban cicatrices de combate y, cuando se emborrachaban, contaban alegremente sus pendencias de navaja y machetazos. La flor y nata. Aquello parecía el ambiente de *El Padrino* en versión tropical de andar por casa. Y a la princesa de ébano también le encantaba el bembé, solo que para ella los delincuentes y asesinos representaban la posibilidad de trabar profundo conocimiento de los rabos más largos y afamados de la zona.

En cierto momento de la noche del tercer día del bembé, después de la ingesta de cantidades inhumanas de ron y aguardiente, bailando sin tregua y sudando todos a chorros, la cosa llegaba a su punto culminante. La santera Mercedes entraba en trance, parada en medio de la sala frente a la hilera de tambores incesantes. Se detenía, bebía grandes sorbos de aguardiente que iba escupiendo en la cara de todos, uno a uno, hasta que «le bajaba el santo». O sea, Changó bajaba del panteón yoruba y tomaba posesión de la negra Mercedes, lo cual provocaba que la posesa comenzara a convulsionar y hablar en dialecto. Y todos rezaban. Era el santo y seña —nunca mejor dicho— para que una a una las matronas negras del barrio fueran cayendo en trance, convulsionando y restregando las nalgas por cuanta superficie masculina estuviese cerca. ¡Qué orgulloso se sentía Rosendo en aquel instante fecundo! ¡Cuánta mística sublime en la sala de su casa! ¡Qué familia tan maravillosa, que no estaba unida, sino *reunida* con la bendición de Dios y de todos los santos!

¿Y Julio César qué pintaba en todo aquello? ¿Dónde se metía? Digamos que por ahora es un misterio, porque el Nubio no aparecía por ninguna parte en aquellos despliegues de idílica armonía familiar. Desde hacía un par de años sus hermanos, específicamente el Picúo, quien lo detestaba, le había puesto el Nubio. Y es que Montalbán padecía una especie de distinción genética. Vaya usted a saber de dónde le venía, porque Rosendo era negro retinto y Mercedes era más bien azul; quizá uno de sus femeninos antepasados africanos copuló alegre o forzosamente con algún macho ibérico. El caso es que la huella genética había permanecido oculta por generaciones hasta que Julio César empezó a tener una especie de pelo sólido al estilo africano, pero amarillento como pasas rubias. En cuanto empezaron a aparecer los destellos dorados en su pelo de negro, el Picúo comenzó a burlarse:

—Bróder, eres un negro rubio, un «nubio».

Y se le quedó el apodo.

¿Dónde se metía el Nubio durante los bembés? Simplemente desaparecía. ¿Qué fue primero, la antipatía espontánea del Nubio hacia todo aquello o el rechazo incondicional de su familia hacia él? El chamaco era un rarito. Antes de aprender a caminar ya le había cogido miedo a los altares de Changó, al Elegua y a las patas de cordero secas de Rosendo. Y, como si su disco duro tuviese una especie de antivirus superpotente, desde que empezó a tener uso de razón, en lugar de admirar a su hermanastro el Picúo por sus proezas de ratero talentoso, lo detestaba por hacer cosas malas. Y le avergonzaba profundamente ver a Liudmila llevando a extranjeros gordos a la casa como si profanara un templo. Un psicólogo marxista diría que esta reacción se debió a la influencia del entorno social revolucionario, que era más fuerte que cualquier influjo antisocial.

Antes de nacer por segunda vez a los doce años, el Nubio tuvo una experiencia de las buenas, de esas que marcan como hierro candente en el lomo de una vaca.

El Picúo había planeado un gran palo con su hermanito Lobby. Esta vez pasarían a otro nivel; digamos que iban a incursionar por primera vez en el mundo de las divisas. El objetivo era uno de los almacenes del hotel Tritón, que queda donde la avenida 70 desemboca en la calle Tercera. El Picúo pasaba las tardes en compañía de una bola de negros vagos en la costa, frente al mar, bebiendo a morro aguardiente barato y tratando de birlar algún par de chanclas que alguien dejara sobre los arrecifes al meterse al agua. Entonces el Timba, amigo del Picúo y carne de presidio desde antes de nacer, elevó la mirada hacia los quince pisos del hotel Tritón y dijo:

—Bróder, qué bien se la pasan los turistas cabrones esos.

Efectivamente, en varios de los balcones del hotel se solazaban —o se asaban al sol— varios «turistas cabrones de esos». Y el Picúo concluyó que aquello no era bueno:

—Uno en este país pasando trabajo y esos vienen a templarse nuestras jevitas y a beber cerveza de lata.

—Vamos a darles un palo, bróder —respondió el Timba—. Que se queden sin *na'*.

Esa misma tarde invirtieron el resto del tiempo en algo mucho más productivo que beber aguardiente y robar chanclas: vigilaron la rutina de uno de los almacenes adosados al hotel.

El plan era de lo más «sofisticado»: Lobby se colaría por algún hueco, les abriría la puerta y cargarían con todas las cosas ricas que encontraran en la tolva de la camioneta de Ramoncito.

Pero tuvieron mala suerte. Resultó que uno de los guardias de seguridad del almacén había pensado exactamente lo mismo una semana antes, había duplicado la llave y decidido dejar a los turistas cabrones esos sin una sola lata de cerveza. O sea, dar un buen palo. Cuando Lobby se infiltró en el almacén y fue a abrir la puerta creyendo que no había nadie, el guardia de seguridad estaba en plena faena desde hacía media hora. Todo un dilema moral para el guardia, pues, al ver que otro robaba, tenía que decidir si unirse a él en equipo o asumir instantáneamente su rol de combatiente revolucionario. Cuando el guardia encendió de golpe la luz, vio que se trataba de un niño de más o menos once años y dedujo que tendría cómplices. Y con los cómplices nunca se sabe. Así que le gritó a Lobby:

—¡Muchacho, me cago en tu madre, me has *jodío* la noche!

Y lo agarró de la muñeca.

Si el Picúo y el Timba hubiesen incursionado en el recinto, quizá habrían conseguido llegar a un acuerdo con el guardia repartiendo el botín entre cinco. Pero cuando vieron que la cosa se ponía fea, el Timba dijo:

—Bróder, yo me piro.

Y el Picúo dijo:

—Y yo también. Arranca, Ramoncito.

Mercedes permanecía haciendo lo de siempre —nada— en la sala de su casa cuando apareció el jefe del sector de la PNR y le preguntó, por pura formalidad:

—¿Aquí viven los padres del chama Lobby Montalbán?

—¡Dios mío! ¿Le ha pasado algo a mi hijo?

Y el jefe le informó:

—Compañera, lo siento mucho, pero el chamaco está en candela. Lo hemos cogido robando en el hotel Tritón.

Así fue como Lobby pasó del estrellato en ciernes a un reformatorio para niños delincuentes y a Mercedes casi le da un infarto. Entonces el Nubio Montalbán tuvo una de esas experiencias que marcan como hierro candente en el lomo de una vaca.

A la mañana siguiente se metió en el cuarto donde su hermano el Picúo aún dormía y le dijo:

—Despiértate, coño, y dime qué hiciste anoche.

El Picúo había quedado profundamente dormido a causa de tanto estrés y le tomó unos segundos reaccionar.

—¿Qué pasa, Nubio?

—¡Dime qué hiciste anoche!

Ya despabilado, el Picúo le dijo:

—¿Por qué?

—Cogieron a Lobby robando y estaba contigo, ¿verdad?

El Picúo se tomó su tiempo, estrujó la cara entre sus manos gruesas y respondió:

—Qué mala suerte, bróder, estábamos dando un palo en el Tritón y llegó la policía…

—¡Eres un maricón pendejo hijo de p…!

No había terminado de pronunciar el anatema y Julio César vio una estrella. El Picúo, incorporándose a medias en la cama, lo agarró por el tórax y lo lanzó contra la pared.

—¡Qué cojones te pasa, mariconcito, te voy a despingar como sigas…!

Pero el Nubio Montalbán, a pesar de sus doce años y de la estrella que le daba vueltas alrededor de la cabeza, estaba sinceramente enfadado con su hermano. Enfadado de esa manera violenta en que un niño casi adolescente puede hacerlo; vamos, que si hubiera tenido en sus manos una sierra eléctrica, habría dividido al Picúo en finísimas lonchas y se lo habría comido crudo. Pero no tenía ninguna sierra, sino el tamaño de un disgusto mucho más grande que él y que solo podía materializarse en palabras:

—¡Eres un maricón y un pendejo, una mierda que…!

Tres puntos suspensivos.

El Picúo ni siquiera abrió la boca. Se calzó en un segundo sus zapatillas recién robadas para no lastimarse los dedos y comenzó a patear a Julio César a todo lo largo y anchito de su cuerpo hasta que vio que ya no podía decirle nada y se estaba poniendo morado.

Mercedes intervino en la disputa:

—¡Degenerado, debí haberme muerto al parirte! —Y procedió a golpear al Picúo con una habilidad insospechada, un *uppercut* por aquí, un gancho por allá, una patada en los huevos a continuación.

Hasta que el Picúo salió corriendo. Pero el daño ya estaba hecho.

Sobre el segundo nacimiento de Montalbán hay dos hipótesis. Cuando unos meses después los médicos le diagnosticaron la disfunción renal, no supieron explicar bien a qué se debía. Algunos concluyeron que se trataba de un trastorno genético que había aparecido a los doce años, cosas que pasan, pero, en cualquier caso, había que proceder a un trasplante de órganos. La segunda hipótesis, llorada secretamente por Mercedes, era que se debía a la pateadura que le había propinado su hermano.

Cada vez que parecía que los riñones iban a funcionar como es debido, volvía aquel goteo defectuoso, las sondas y el pesimismo. «Al Nubio no lo salva ni el médico chino», decían los vecinos cuando lo veían regresar ajado por las diálisis.

Fue en este ir y venir de su casa al hospital pediátrico de Marianao cuando el Nubio trabó amistad con Nelson, otro niño que padecía el mismo problema y esperaba un trasplante. Se cruzaba con él a la entrada o la salida y generalmente tenían que esperar horas o más de un día de recuperación. Mercedes aprovechaba para despotricar sobre su vida con la madre del niño Nelson, que en el fondo no le caía muy bien porque era una «blanquita medio rara», pero había que matar el tiempo mientras el tiempo no matara al Nubio, y le contaba a la lacrimosa señora cómo su vida era mucho peor:

—Fíjate, *mi'jita,* tengo un hijo que con once años ya está en la cárcel y ahora mira lo que me pasa con el otro. No es fácil.

Fue en una de esas, mientras permanecía medio lelo a causa de la violenta diálisis, cuando el Nubio encontró la piedra angular de la rebeldía contra su familia. Escuchó entre sueños que la madre de su amiguito Nelson le decía a Mercedes:

—Chica, ¿tú sabes cuánto cuesta un tratamiento como este en un país capitalista? Y ni te cuento del trasplante. Allá solo pueden conseguir riñones los ricos, la gente como nosotros se muere en la puerta de los hospitales.

Y oyó que Mercedes respondía:

—A mí que me dejen probar a ser rica y luego te cuento.

La discusión entre las dos mujeres fue subiendo de tono hasta meterse en un enredo que el Nubio ya no quería escuchar. Pero, de toda la maraña, por fin tenía la punta de una madeja: él estaba de acuerdo con la madre de Nelson. Hasta ese día había escuchado que de la Revolución hablaban bien solo en la tele y en la escuela. Pero la gente de verdad, la de su barrio, no hablaba mucho de la Revolución. Y, cuando lo hacían, le daba la impresión de que se burlaban o recitaban un guion que era el mismo de la tele y de los maestros. Y en su casa la cosa era aún peor: cada vez que se iba la luz, su abuelo empezaba a maldecir al gobierno y, aunque no hubiese apagón, allí estaban el Picúo y Liudmila que, cada vez que se metían a la boca una cucharada de chícharo hervido, gritaban que Fidel y todos los dirigentes del Partido estaban comiendo jamón. Rosendo hablaba poco de política, era precavido, pero el Nubio sabía que tampoco sentía la más mínima simpatía por la Revolución. ¿Por qué? No lo entendía, pero su cerebrito de niño aventajado lo dejaba separar la paja del trigo: casualmente en su casa y en el barrio todos se dedicaban al trapicheo. El que trabajaba en la construcción robaba ladrillos y los revendía. El carnicero decía que no había venido completa la asignación de pollo de ese mes y luego iba de casa en casa proponiendo la libra de pollo a veinte pesos. El del CDR, que hablaba bien de la Revolución durante las reuniones, luego pedía sobornos por hacer la vista gorda con las jineteras del barrio o con los que ampliaban la casa comprando materiales en el mercado negro. «Es la luchita —decía—, hay que vivir de algo».

¿Dónde se metía el Nubio durante los bembés, los toques de santo y casi todo el tiempo que estaba en su casa? Dejemos que siga siendo un misterio; digamos, por ahora, que esas escapadas eran un torrente dentro de su cabeza a favor de la Revolución.

Al cabo de seis meses en que su salud parecía un callejón sin salida, el babalao Rosendo decidió tomar cartas en el asunto. Ya le había hecho a su hijo unos cuantos pases de mano, había consultado los caracoles, tirado los cocos, llevado personalmente una ofrenda a la Virgen de Regla y enviado a Santiago de Cuba, a la Caridad del Cobre, un crucifico carísimo y una botella de miel. Pensaba, así se lo habían «dicho» los caracoles, que el Nubio iba a mejorar en cualquier momento o que iba a aparecer el bendito riñón para el trasplante. Hasta que un día en que su hijo ya no pudo levantarse de la cama, Rosendo consideró que había llegado el momento de sacar su artillería pesada de babalao.

Convocó a otros babalaos de la zona para una sesión en toda regla, involucró al abuelo, que en sus tiempos había sido un curandero de prestigio y ahora solo se dedicaba a masticar puros que nunca se apagaban y a hablar mal del gobierno, y consiguió un auténtico zoológico para el sacrificio: un chivo, cuatro gallos y cuatro gallinas, un carnero, tres jicoteas y ocho palomas.

Los tambores comenzaron a sonar desde la mañana. Rosendo despejó el cuartico, se puso sus mejores prendas, de punta en blanco, y se sentó a rezar y beber ron. Mientras esparcía humo de tabaco por todas partes, iba colocando ante cada santo vasos de ron y miel. Los otros babalaos hacían lo mismo hasta que llegó el momento de la carnicería. Changó empezaba a pedir sangre. Un enjambre de moscas había tomado posesión de toda la casa. Descabezaron vivas a las tres jicoteas y vertieron los chorros espesos como óleo en una palangana. Luego le tocó el turno al chivo. Rosendo amputó las cuatro patas, las ató con un cordel y comenzó a pasarlas sobre el cuerpo desnudo de su hijo. Luego hizo lo mismo con los riñones del chivo: embadurnó la zona lumbar del Nubio con las vísceras y vio que se tornaban de un tono azulado.

—La cosa pinta mal —dijo—, hace falta más sangre.

El resto de los animales fueron sacrificados, descabezados y abiertos. Luego Mercedes y otras mujeres del barrio los iban cocinando para poner los trozos delante de los santos. El barrio entero, como las moscas, estaba revuelto. La gente pasaba a todas horas a comer algún trozo de animal sacrificado, ofrendar ron o miel, y darle un toquecito a los tambores.

Una semana después, el Nubio no había mejorado y a nadie le cabía la menor duda de que iba a ser trasladado en breve al «barrio Bocarriba», meterse en el traje de palo, ponerse a chupar gladiolos. Si hasta el Picúo ya estaba apalabrando a quién venderle el colchón de Julio César, pero le costaba trabajo: a la gente le dio por pensar que dormir en el colchón de un niño difunto traería mala suerte.

Cuando apareció el riñón y avisaron del hospital pediátrico, Rosendo dijo:

—Ahí está, Changó responde.

La operación duró siete horas. La recuperación no pudo ser más optimista, pero al cabo de un mes inexplicablemente se volvió a torcer. El organismo del paciente no estaba respondiendo y había que empezar otra vez con la diálisis. Las segundas partes nunca fueron buenas. Si hasta ese momento la enfermedad del Nubio había sido un acontecimiento de telenovela en todo el barrio, un motivo de solidaridad piadosa con los Montalbán, cuando se estrenó el filme *Riñones reloaded,* hasta la propia familia sintió que aquello era un mal chiste. Ya no tenían ganas ni de llorar.

Rosendo pasó un día y una noche encerrado en su cuartico hablando con los cocos y los caracoles. Cuando salió en la mañana, parecía que había regresado de una batalla. Llamó al Picúo, se volvió a encerrar dos horas con él en el cuartico y luego quien salió con cara de masacrado fue el Picúo.

Nadie supo nunca qué fue lo que hablaron, pero puede deducirse por algo que dijo Rosendo después de salir de aquel conciliábulo a puerta cerrada. Se paró delante de la enorme Santa Bárbara con espada que tenía en una de las paredes de la sala y le dijo:

—¿Tienes hambre? Vas a tener sangre humana, fresquita.

El Picúo se había ido y regresó tres días después con una botella de refresco llena de sangre.

Rosendo llenó y vació la copita de Santa Bárbara durante cada día de esa semana y, al octavo día, los riñones de Julio César comenzaron a funcionar.

—Changó responde, y esta vez va en serio —dictaminó Rosendo.

Y así fue. El Nubio se curó definitivamente.

Toda la familia creyó que el Picúo había matado a alguien. Pero lo que en realidad ocurrió fue otra cosa. En aquel conciliábulo secreto, Rosendo le dijo:

—Changó me ha dicho que tú tienes la culpa de lo que le pasa a tu hermano. Si no haces lo que te voy a decir, te vas a salar *pa'* toda la vida.

El Picúo, tarambana devoto de Changó, estaba aterrorizado.

—Tienes que conseguir sangre de recién nacido, una cantidad que dure para llenar esta copa cada día de la semana. Ahora vete y haz lo que te dé la gana, pero recuerda que cada día que pasa es un peligro, y si tu hermano se muere, tú te salas.

Años después, antes de subirse a una lancha para cruzar el estrecho de la Florida, el Picúo le contó a Julio César lo que había tenido que hacer para no salarse la vida y salvar la suya. Habló con una enfermera del barrio que asistía abortos en el hospital William Soler. Todos los días se efectuaba una larga procesión de abortos y alguno de ellos no era voluntario, sino a causa de alguna enfermedad que llevaba a la paciente al quirófano cuando le quedaba poco para dar a luz. En Cuba el asunto de la mortalidad infantil era uno de los tesoros propagandísticos del gobierno, así que desaparecer un feto no era cosa fácil. Además, a la gente le gusta enterrar a sus muertos, aunque se trate de un nonato. Hubo que sobornar a medio mundo y amenazar a algún doctorcito con escrúpulos.

El Picúo le explicó con orgullo:

—Bróder, te conseguí la sangre de un bebé de ocho meses, fresquito y casi coleando, *pa'* que tú veas.

Hay dos hipótesis en torno a la cura de Julio César Montalbán, a su segundo nacimiento. La generalizada, en el barrio y en su casa, es que Changó se portó bien con el chamaco. Y que Rosendo era un babalao jerarca, una especie de santo curalotodo que a partir de ese momento comenzó a ganar mucha pasta multiplicando su clientela y sus milagros. La otra hipótesis, compartida exclusivamente por los médicos y por el propio Julio César, fue que la ciencia y los medicamentos por fin rindieron sus frutos. Para el Nubio estuvo indiscutiblemente claro que la Revolución le había salvado la vida. En un país capitalista del tercer mundo se habría muerto en la puerta del hospital.

Cuando, unos meses después, Julio César supo que su amiguito Nelson no había logrado sobrevivir al trasplante, decidió hacerse médico revolucionario cuando fuera grande. Para que eso no volviera a pasar.

Unos tipos con suerte

Lobby regresó del reformatorio hecho todo un hombrecito. Con bíceps, tríceps y dorsales de fisiculturista. Habían pasado tres años. La condena solo abarcaba dos, pero el hijito pródigo, cuando llevaba un año manteniendo una conducta que nadie podría tildar de intachable, decidió tacharse por completo clavándole un punzón en el muslo a uno de los guardias de seguridad. El guardia se lo había buscado, quién lo manda a estar gritándole todo el día a esos niños tan tiernos y obedientes, y más con un titi ahí como Lobby, que tenía un altísimo concepto de su hombría aunque aún no ostentara vellos púbicos. Un respeto, combatiente.

El Nubio estaba escondido en ese lugar donde hacía sus cosas misteriosas cuando apareció un adolescente fornido, tatuado y sonriente en la puerta:

—¡Coño, mi hermano! — Julio César se levantó como un resorte.

—¡Bróooder! —correspondió Lobby, abrazó a su hermano y echó una mirada a su alrededor, como si de pronto se diera cuenta de que se había metido en la boca del lobo—. Oye, ¿y qué tú haces aquí? No te habrás vuelto maricón en estos años.

—Sssshhhh, habla bajito —le indicó Julio César—. ¿Cómo te enteraste de que estaba aquí?

—Casualidad, pasaba y te vi por la ventana.

El Nubio lo miró con cara de ruego:

—No se lo digas a nadie, eh, bróder.

Lobby acababa de salir en libertad y se sentía magnánimo, con ganas de amar a sus hermanos, a su familia, al barrio y a la (anti)sociedad entera, así que prometió no irse de la lengua ni hacer burlas del lugar donde se metía su hermano con sus cosas raras.

La amistad entre Lobby y el Picúo nunca volvió a ser la de antes. Fue aún más estrecha. Comenzaron a planificar cada palo en un ambiente de filial camaradería, daba gusto verlos. El abuelo los miraba con orgullo mientras se cagaba en el gobierno, Rosendo los ignoraba todo lo posible y Mercedes los observaba de hito en hito y mascullaba para sí: «Qué estarán tramando ahora estos dos sinvergüenzas». De vez en cuando, les advertía educativamente:

—¡Comepingas, cuando vuelvan a caer en la cárcel conmigo no cuenten *pa'* que les lleve jabas de comida ni cigarros!

Pero una madre es una madre. En el fondo de su tierno corazón, Mercedes sabía que, llegado el momento, cargaría con la bolsa de alimentos para el Combinado del Este, no sin antes intentar sobornar, por todos los medios e incluso meneándose en posición horizontal, al jefe del sector, al fiscal y al ministro del Interior si fuese necesario.

El barrio residencial de Miramar no estaba preparado para tipos como el Picúo y Lobby. Contrataron de *freelance* a Ramoncito con su camioneta y comenzaron a saquear casas de diplomáticos, de técnicos extranjeros residentes en Cuba y pequeños mercados de divisas. Lobby se había convertido en una especie de Terminator negro, con una musculatura que daba miedo, de modo que la antigua táctica de colarse por un hueco había caducado. Antes pasaría un camello por el ojo de una aguja que Lobby por el hueco de un aire acondicionado. Así que tuvieron que aplicar técnicas más radicales, como la de echar abajo puertas con una pata de cabra o darle una paliza entusiasta al guardia de seguridad para garantizar una incursión tranquila en el recinto.

El Picúo y Lobby eran una empresa familiar que rendía sus frutos. Y si antes la gorda Mercedes les gritaba comepingas cada vez que los veía planeando un palo, ahora también les gritaba comepingas, pero con una sonrisa indulgente, pues, a fin de cuentas, sus hijos estaban prosperando en la vida.

La casa señorial de los Montalbán se iba llenando de equipos de música; televisores a color; batidoras; secadoras de pelo; enormes elefantes de cerámica que le encantaban a Mercedes; puros carísimos que no acababan de gustarle al abuelo, que prefería mascar su tabaco barato de la bodega; ropita extranjera y frascos de perfume que hacían delirar a Liudmila, que hubiese considerado colgar su hábito de jinetera de no ser porque su entrega iba más allá de los intereses materiales, respondía a un auténtico reclamo interior. Y lo mejor era que ninguno de los artefactos eléctricos duraba mucho tiempo en la casa de los Montalbán: enseguida era vendido y sustituido por otro más nuevo y más grande.

Mientras en el resto del barrio los honrados trabajadores comían arroz con chícharo y veían telenovelas brasileñas en blanco y negro, los Montalbán ostentaban una pujanza económica sin precedentes en Buenavista. Ni siquiera el jefe del sector de la PNR se metía con ellos. Pasaba de vez en cuando a saludar a la familia y siempre se iba con algún regalito: ropita para sus hijos, una plancha, un frasco de colonia, cajetillas de Marlboro…

Un detalle: hemos apuntado «casa señorial» de los Montalbán. ¿Y eso? ¿Cómo una familia de zarrapastrosos había conseguido asentarse en un caserón republicano de esos que parecen un palacio, con sus habitaciones de techo alto una a continuación de la otra, baños intercalados y un patio interior cubierto de azulejos sevillanos? Muy sencillo. Cuando triunfó la Revolución, la abuela de Montalbán se desempeñaba como criada en casa de unos burgueses. Y fue entrar Fidel a La Habana a nacionalizarlo todo y los burgueses salir huyendo como ratas cuando se hunde el barco o como burgueses en tiempos de Revolución proletaria, cargando con sus hijos, los «pequeños burgueses». Así fue como muchos criados que vivían en cuchitriles irrespirables tomaron posesión de palacetes; total, la Revolución se hacía con los humildes, por los humildes y para los humildes. Y como los humildes no estaban preparados para asumir un inmueble de lujo, enseguida fueron llenándolo de parientes, de hordas que se desplazaban alegremente a disfrutar de las posibilidades que se abrían con la nueva era. Precursores de tendencias ecológicas, los bárbaros arrancaban de raíz los bidés para sembrar plantas. Las ventanas iban siendo desmontadas para hacer leña cuando se acababa el gas. Y las casas, con sus amplios espacios, ofrecían muchas posibilidades de tugurización, echando abajo paredes y alzando tabiques aquí y allá, de modo que pudieran convivir cientos de negritos en comuna okupa socialista caribeña. Así fue como los Montalbán se asentaron en la gran casa del barrio de Buenavista.

El Picúo y Lobby tomaron una decisión trascendental. Hacerse abakuás, ñáñigos. ¿Y eso qué es? Los abakuás (o ñáñigos) son una sociedad secreta de lo más rara. A diferencia de los paleros y santeros, no poseen un panteón de santos ni trabajan con yerbas y palos del monte. Se trata de una red de cofradías, a las que llaman «potencias», integradas exclusivamente por hombres. Solo hay que cumplir con tres preceptos: ser hombre (macho), ser buen hijo y ser buen amigo. Hablan en dialecto abakuá, se conocen entre ellos y algunos —los de la vieja escuela— conservan el secreto de pertenencia ante los no iniciados, mientras que las nuevas generaciones alardean orgullosamente de la secta.

Todo parecería de lo más inocente, y hasta moralmente edificante con aquello de ser buen hijo y buen amigo, si no fuera por la manera tan particular en que muchos tarambanas interpretan los tres preceptos. Para empezar, ser hombre (macho) significa pasar a cualquiera por la quilla por un quítame esas pajas, o sea, tener un currículum de pendencias chungas, y si hay algún muerto o mutilado de por medio, mejor. Pero en el fondo son unos sentimentales, ostentan eso de «ser buen amigo», que quiere decir encubrirse, echarse una mano, formar pandilla para masacrar al enemigo. Vamos, como anillo al dedo para el Picúo y Lobby.

Ya iniciados en los misterios de la cofradía se volvieron muy temerarios. La comezón en todo el cuerpo y las ganas de rebotar en las paredes del Picúo se acrecentaban placenteramente mientras más peligroso era el hurto. Así que empezaron a despreocuparse de si había o no gente en las casas a la hora de incursionar. Total, los dos eran una bola de músculos y con el Timba, que a veces se les unía, podían moler a cualquiera.

Así fue como una noche se metieron en casa del ministro de la Industria Ligera, que acababa de mudarse a una mansión en Miramar. Su hijo estaba en la escuela Lenin y el ministro dormía el tranquilo sueño de los dirigentes socialistas, al lado de su mujer, cuando el Picúo y Lobby entraron por la puerta de atrás.

—Titi, este tipo está loco, deja la puerta sin pestillo —susurró el Picúo en medio de la cocina en penumbra—, vamos a darle un buen susto *pa'* que aprenda.

La culpa de todo la tuvieron aquellos enormes televisores a color y el equipo Betamax que habían conseguido los hermanos. El Picúo se pasaba las horas viendo películas de delincuentes del Bronx que, además de robar, cosían a balazos a cualquiera y, de vez en cuando, violaban a alguna blanquita burguesa. Dicho y hecho. Lobby desenvainó su instrumento de trabajo favorito, un cuchillo jamonero que habían robado en casa del cónsul español, y se lo puso en la garganta al alto funcionario.

El ministro no tuvo más remedio que despertarse.

—Ssshhhh —le indicó el Picúo con una sonrisa de oreja a oreja—, no se te ocurra gritar porque te tasajeamos.

Ya se ha dicho: el Picúo había visto demasiadas películas americanas. En su cabeza se representaba la perfecta escena de un tipo aterrorizado, de su mujer aterrorizada, ambos calladitos de miedo, y él y Lobby violando a la blanquita rica esa que fingía sufrir delante de su marido, pero a quien, en el fondo, le gustaban mucho los rabos grandes de los negros delincuentes.

La realidad, según su ontológica costumbre, fue muy diferente. El alto funcionario, que tenía dos cojones bien puestos porque había luchado en la clandestinidad y la policía de Batista lo había torturado, le dio una patada en la cara a Lobby. Y su mujer no tenía ninguna intención de trabar profundo conocimiento de los rabos de negros delincuentes, de modo que se puso a gritar como una histérica:

—¡Socooorrooooo, hay dos ladrones en mi caaaaaaasa!

Cundió el desmadre. Aquello no podía estar pasando. El Picúo no contaba con una reacción así.

—¡Cállate la boca, puta! —intentaba persuadirla el Picúo mientras Lobby se recuperaba para hacer frente al ministro y se preguntaba dónde coño había ido a parar su cuchillo jamonero.

Si en ese instante hubieran salido corriendo, el asunto no hubiese pasado de anecdótico. Susto para los implicados, la policía revolviendo el barrio y punto. Pero el Picúo, abakuá recién converso y macho muy macho, no podía consentir esa oposición e irse con el rabo entre las piernas sin haberlo metido antes dentro de la blanquita histérica esa.

Empujó a la mujer contra la pared, desenfundó su anaconda, le rompió el camisón y a punto estaba de comenzar con la peli porno —Lobby se enredaba a puñetazos con el funcionario— cuando empezaron a golpear la puerta como si la fueran a echar abajo.

—¡Corre, titi, que esto se jodió!

Lobby, el de los pies ligeros, ya había desaparecido rumbo a la puerta trasera. Entonces ocurrió la casualidad. El Picúo vio ahí mismo, pidiendo a gritos que lo usaran, el cuchillo jamonero. Y, como era tan estúpido, gritó:

—¡Esto no se va a quedar así, puta! —Y cogió el cuchillo y se lo clavó a la mujer en el vientre.

Cuando retiró la hoja resbalosa de sangre y grasa, ya se le habían echado encima dos vecinos y el propio ministro.

—¡Coño, coño, suéltenme, maricones!

Y sí, lo soltaron…, para ponerlo en manos de la policía, que acababa de llegar y que, antes de leerle sus derechos, procedieron a incrustarle la cara repetidamente contra el suelo.

Le echaron treinta años de cárcel. Y el fiscal se empleó a fondo para que lo mandaran al paredón de fusilamiento, pero la mujer del ministro se recuperó muy pronto. El Picúo se fue de cabeza al Combinado del Este mientras Mercedes le gritaba «¡Comepinga, te lo advertí!» en medio del juzgado. Lobby tuvo que pasar unos meses en la clandestinidad, esconderse como un animal acosado tras la delación de su hermano quien, aunque era abakuá y muy macho, no dudó en cantar como una soprano mientras los policías lo masacraban en un sórdido calabozo de la Quinta Unidad.

Pero los hermanos tenían estrella. Vamos, que eran unos tipos con suerte. Antes de cumplir el año se vieron premiados con la salida del país. El premio gordo. ¿Cómo?

La tía del héroe

El año 1980 fue complicado en el Perú. Y ese año apareció el tristemente célebre «Monstruo de Pachacámac». Todos los medios se hacían eco, como en una de esas películas americanas de asesinos en serie, de un salvaje violador que aterrorizaba a la población del cerro de Pachacámac, una región en las afueras de Lima, llena de gente pobre y a la que bajo ningún concepto debería entrar un turista. Los testigos hablaban de un negro enorme, la imaginación popular le ponía músculos por todas partes, como un Terminator imparable que iba a lo suyo. Y ¿qué era «lo suyo»? Violar niñas. Las seguía a cualquier hora del día, les echaba mano, las llevaba a un lugar apartado y procedía a violarlas. Luego las mataba, dejando el cadáver a la vista de todos.

Cuando capturaron, al cabo de un año, al Monstruo de Pachacámac, ¡sorpresa!, era un cubano. Pachacámac estaba lleno de cubanos delincuentes y asesinos. ¿Y eso?

En Cuba circulan muchos mitos que aluden a las increíbles proezas y los medios con que muchos cubanos consiguen huir de la isla. Está el paradigma de los balseros, y en Miami hay un museo que atesora los artefactos más increíbles en que han llegado los fugitivos con la lengua fuera a lo largo de los años. Hay desde ruedas de tractor hasta balsas hechas con mesas y sillas. Uno de los artefactos más extraños es una especie de coche de ciencia ficción, un Chevrolet que alguien convirtió en una especie de lancha. Dicen que una tarde lo vieron circular por la orilla de la playa y, mientras la gente decía «qué se cree el loco ese», el Chevrolet se hizo a la mar y empezó a avanzar ante las miradas incrédulas y los gritos de júbilo del personal. Otra de las anécdotas más inverosímiles es la de un guajiro que tenía un caballo enorme al que quería mucho. Todos los días le ataba una aleta de buceador en cada pata y practicaba en una laguna de la zona de Güines. Llegado el momento, pintó al animal con petróleo y chapapote, para que no se le acercaran los tiburones, y cabalgó rumbo a la Florida. Transporte equino prestando servicio marítimo internacional. Otra anécdota es la de «el deportista que dio el salto más grande del mundo». Pasaba todos los días frente a la embajada de Portugal con una garrocha en la mano, trotando como si se dirigiera a entrenar en un polideportivo que quedaba cerca. Con el tiempo se ganó la simpatía del guardia de seguridad, que se aburría como una ostra. Lo saludaba dando muestras de la famosa cordialidad cubana y al guardia le encantaba ese amigo que todos los días pasaba a la misma hora. Un día cualquiera, mientras el guardia le sonreía agitando la mano, el atleta hincó la garrocha de este lado del alto muro y voló hacia el más allá. Pidió asilo; comenzó su salto en La Habana y cayó en Lisboa.

Imagino que hay mucho de mito y exageración en todas las anécdotas, pero hay una menos espectacular, pero mucho más trascendente, en la historia de Cuba.

Una mañana de marzo de ese año 1980 un grupo de habitantes del barrio de Buenavista, desesperados por huir de Cuba, tuvieron una extraña idea. Se les ocurrió robarse un autobús, circular por la Quinta Avenida del barrio de Miramar y meterse por la fuerza en la embajada del Perú, que estaba vigilada por dos custodios, uno en cada caseta a ambos lados de la entrada al *parking*. El autobús, con una familia completa, aceleró enfilando hacia la zona del *parking* y los custodios cubanos de la embajada tomaron la decisión de abrir fuego, como era su deber y como les habían enseñado en la unidad donde cumplían el último año del servicio militar. Con tan mala suerte que, además de agujerear el autobús sin detenerlo ni herir a nadie, una de las ráfagas de un custodio alcanzó al otro en fuego cruzado. El guardia quedó fiambre ahí mismo.

Se montó un escándalo revolucionario. La televisión comenzó a dar la noticia de que unos delincuentes antisociales habían entrado por la fuerza en la embajada del Perú disparándole y asesinando a uno de nuestros soldados. Y le pidieron al embajador peruano que entregara a los asesinos. Pero el gobierno del Perú se negó a entregar a la familia porque, entre otras cosas, el gobierno de Cuba iba a fusilar al falso asesino. ¿Cómo se les ocurre a los peruanos desafiar así a Fidel Castro? Ah, ingenuos políticos incas incapaces de imaginar lo que se les venía encima. El Comandante siempre tenía ideas muy ingeniosas para situaciones como aquella: se le ocurrió retirar los custodios cubanos de la embajada del Perú, o sea, dejarla desprotegida para que todo el que quisiera pudiera meterse y pedir asilo político.

Recuerdo cuando niño ver desfilar por el barrio hordas de gente cantando, bebiendo ron, regalando sus pertenencias a su paso y gritando que «se iban *pa'l* Yuma». «El Yuma» era el término con que la semántica popular había bautizado a los Estados Unidos, la tierra prometida. Y a la gente no le importaba mucho el pequeño detalle de que se trataba de la embajada del Perú, o sea, de un país pobre tercermundista que no tenía nada que ver con Miami. La cosa era irse para cualquier parte, huir, salir de la isla.

Comenzaron las llamadas «marchas del pueblo combatiente». La televisión nacional situaba sus cámaras, se movilizaban escuelas enteras, centros de trabajo y muchedumbres humanas revolucionarias para que fueran a desfilar frente a la embajada gritándole a los miles que acampaban en el patio «escorias, gusanos, vendepatrias y traidores». De paso, muchos de los que desfilaban blandiendo carteles aprovechaban para acercarse al muro y, a mitad de una consigna, volar y caer del otro lado. Vamos, la transformación inversa: de mariposas revolucionarias a gusanos. Las cifras extraoficiales hablaban de más de cinco mil cubanos acampando en los patios, recintos y techos de la embajada, cocinando con la madera de las mesas de los despachos y esperando que el gobierno del Perú los fuese embarcando hacia Lima. El gobierno peruano siguió en sus trece de darle asilo a todo el mundo. Estados Unidos terció en el conflicto y se abrió el puerto cubano del Mariel a las lanchas que venían de la Florida a llevarse gente, mientras que otros miles se iban en aviones hacia Perú.

Pero con Fidel no se juega, y el Comandante tuvo otra idea ingeniosa: ¿cuál era el sector antisocial de Cuba más estorboso, ese que había que quitarse de encima como un cáncer? Elemental: la población de las cárceles. Fidel comenzó a darles salida a todos los delincuentes, asesinos, violadores, rateros y traficantes que malvivían en las cárceles. Fue una jugada maestra. ¿Quieren acoger a todos los cubanos? Pues prepárense, que me quito de encima tener que alimentar a todas esas bocas inútiles y conflictivas y les regalo mucha mierda a granel.

Así fue como llegaron al Perú el Monstruo de Pachacámac y miles de delincuentes cubanos. Y a Miami. Así fue como el Picúo, de la noche a la mañana, ganó el premio gordo. El mejor negocio de su vida: cambiar treinta años de cárcel por el viaje a la tierra que nadie le había prometido. Tuvo doble fortuna, fue de los que llegaron a Miami.

Una tarde, mientras Mercedes hacía lo de siempre —nada— en la sala de su casa, escuchó que la vecina le gritaba:

—¡Merceeeedes, te llaman por teléfono del Yuma!

O sea, como Mercedes no tenía teléfono, solía utilizar el de su solidaria vecina a cambio de regalarle jaboncitos perfumados de vez en cuando, y ahora le estaban informando de que alguien la llamaba desde los Estados Unidos.

«¿A mí?», pensó Mercedes. Y sí: el Picúo la llamaba a ella, a la familia y a todo el barrio de Buenavista para que supiesen que había triunfado. Que su carrera había alcanzado un nivel superior. Ahora podría robar en las grandes ligas, como en las películas americanas.

La familia Montalbán no se lo podía creer. Estaban en la cima delirante del orgullo. Su vástago tarambana estaba en el Yuma, eso sí que era prosperar en la vida. Y ahora viene lo mejor: el Picúo y algunos sensibles delincuentes de la cárcel habían acordado ayudar a sus familias a dar el salto. Fletarían una lancha consiguiendo el dinero Dios (o el diablo) sabe cómo para que los familiares se embarcaran en el puerto cubano del Mariel rumbo a la Florida.

Los Montalbán empezaron a hacer las maletas, aunque en realidad había que ir ligeros de equipaje por si ocurría alguna contingencia.

—Hay que apurarse —les había dicho el Picúo—: con *Patilla* (Castro) nunca se sabe, puede cambiar de idea.

Y también había dicho:

—Mama, dile a Lobby que no se preocupe, que aquí hay cantidad de trabajo. —Y no se refería precisamente a ser contratados como obreros de la construcción.

Y el Nubio ¿dónde estaba cuando ocurrió la llamada telefónica que cambiaría la vida de todos? Como siempre, escondido en ese lugar misterioso donde hacía cosas raras. Cuando llegó esa tarde a la casa señorial de los Montalbán, Mercedes le dijo, con lágrimas de felicidad en los ojos:

—Prepárate, que nos vamos *pa'l* Yuma.

Rosendo tenía preparado un *cake* —tarta de cumpleaños— enorme para ofrendarle a Yemayá, diosa de los mares, en cuando subieran a la lancha. El barrio entero estaba de fiesta. Iban y venían de casa de los Montalbán llevando botellas de ron, la música sonaba enloquecida a través de unos enormes bafles que antaño habían sido propiedad de algún extranjero radicado en La Habana y los vecinos hacían planes.

Según las promesas que iba despachando Mercedes a diestra y siniestra, en cuanto llegara y consiguiera unos miles de dólares —que, como todo el mundo sabe, en Miami están tirados en cada esquina, en los contenedores de basura, en los jardines, salen volando por las chimeneas, y todo para que los cubanos llenen bolsas de plástico con toda esa pasta— iba a mandar una lancha para que se piraran Angelita y toda su familia. Y luego otra lancha para Nieve y su familia. Y a su vez Angelita y Nieve iban a enviar tres o cuatro lanchas, acorde a los miles de dólares que conseguirían enseguida, para que se embarcaran Ramoncito, el Timba y sus respectivas familias. Y luego Ramoncito y el Timba..., en fin, ya se sabe. Después de cuatro horas de fiesta, todo el barrio de Buenavista se veía con un pie en Miami.

Lobby salivaba, no le alcanzaba su modesto conocimiento del álgebra para contar cuántas latas de cerveza iba a tomarse nada más llegar. Y Liudmila salivaba pensando en cuántos rabos rubios, tontos, medio blandos, pero millonarios, iba a conseguir y, gracias a ellos, tendría fajos de dólares para usarlos de papel higiénico. Acababa de tomar la decisión de salir embarazada de un americano. «¿Cómo le pongo a tu nieto?», le preguntaba con cara de júbilo a Mercedes. Hasta el abuelo, que no entendía muy bien lo que pasaba ni sabía qué era Miami, intuía que algo grande se estaba cocinando y lo único que lograba sacar en claro era que ya no habría apagones en la futura casa a la que estaban a punto de mudarse.

¿Y Montalbán, con qué perspectivas salivaba? Montalbán tenía ganas de llorar de rabia. Sus dieciséis años ni siquiera le servían para plantearse, consciente y valerosamente, una decisión al respecto. Su familia y él se iban *pa'l* Yuma y punto. ¿Y luego? Trataba de imaginarse un aula de niños rubios con él ahí sentado, más negro que una noche en la sierra Maestra, y se encandilaba. Y le dolían los ojos. Y le flaqueaban las piernas.

El guateque duró dos días y tres noches, hasta que entró la nueva llamada del Picúo informando de que la lancha ya había salido desde Miami hacia el puerto cubano del Mariel. El ñáñigo había cumplido, era un delincuente de palabra, el orgullo de la familia.

Borrachos y felices, los Montalbán subieron a la tolva de la camioneta de Ramoncito rumbo al paraíso. Salvo por una excepción. Julio César Montalbán, que durante la fiesta interminable había permanecido callado y nadie se daba cuenta de que él seguía estando allí, de pronto dijo:

—Yo me quedo.

Ni siquiera lo había pensado, simplemente le salió así cuando estaba a punto de trepar a la camioneta. Lo dijo muy bajito, como solemos decir esas cosas que no queremos y al instante ya estamos arrepentidos. Mercedes no lo escuchó. Rosendo tampoco. Nadie lo escuchó entre los llantos de despedida, los gritos y las promesas. Cuando todos estuvieron sobre la tolva y el vecindario se manifestaba sobre las aceras, los balcones y los árboles, Mercedes reparó en que su hijo permanecía de pie en la acera, con los ojos llenos de lágrimas y una mirada cristalina que parecía no enfocar ninguna cosa.

—¡Sube, comemierda, qué esperas! —le gritó.

Entonces Julio César dijo muy alto y claro:

—¡No, que yo me quedo en Cuba!

«¿Aquí? ¿En Cuba? ¿Haciendo qué, si aquí no hay nada?» Pero Mercedes comprendió que su hijo hablaba en serio. Muy en serio. Entonces procedió a hacer lo que toda madre en una telenovela:

—¡Ayyyyy, *mi'ijo!*

Su llanto era sincero y desgarrado. Hizo ademán de saltar de la tolva, pero, al ver que nadie la agarraba, repitió la operación del «ayyy, *mi'ijo*» haciendo un nuevo ademán, esta vez un poco más lento para que los demás reaccionaran. Y ya Rosendo la tenía agarrada por la cintura y Liudmila y Lobby la agarraban de los brazos, y entonces sí que desplegó toda su inútil fuerza gritando insultos y palabras de amor hacia su hijo para que a nadie en el barrio le cupiese la menor duda acerca de su dolor. La camioneta arrancó y lo último que escuchó el Nubio, que ya no veía nada, fue:

—¡Comemierda, te vas a morir de hambre en esta isla!

Así fue como el Nubio, con dieciséis años y sin la menor idea de qué hacer con su vida, se quedó viviendo solo en la enorme casa señorial de los Montalbán. ¿He dicho solo? Nones. Días antes había entrado en escena un curioso personaje. Su tía Erlinda, hermana de su madre, que vivía en Santiago de Cuba. La idea era que Erlinda, viuda desde hacía ocho años porque su marido se había caído de una mata de aguacates, se quedara con la casa. Cosa prácticamente imposible porque en Cuba nadie es dueño de sus casas aunque figure como propietario. Es algo difícil de explicar. Nadie es dueño de nada en un país socialista aunque figure como propietario, y punto. Y menos de una casa republicana que parecía un palacio, ruinoso pero palacio a fin de cuentas, y menos aún si los que antes vivían allí se habían ido a los Estados Unidos. Erlinda lo tenía muy difícil, pero el hecho de que su sobrino, menor de edad, decidiera quedarse en Cuba lo cambiaba todo.

Erlinda había sido un bicho raro durante toda su vida. Un espécimen atípico que aprendió a leer con la campaña de alfabetización revolucionaria en el campo de Cuba. Y, como a quien le regalan un juguete nuevo, descubrió que el juguete de la lectura nunca se gastaba ni se estropeaba. Podía usarlo todo el tiempo y no necesitaba de nadie más. Por las piedras brillantes de sus ojos ámbar habían pasado casi todos los libros de la Colección Huracán. Desde Tolstói hasta Verne y Emilio Salgari, desde Mark Twain hasta Máximo Gorki, pasando por Shólojov. Pero, como había vivido toda su vida en un bohío de suelo de tierra y entre salvajes orientales, le resultaba imposible acceder a los enredos del intelecto de la misma manera que a un sordo aprender idiomas: aquellas miles de páginas de lectura pasaban por ella como las infinitas gotas de un aguacero se deslizan sobre una superficie pulida y engrasada.

Parecía bruta e inculta, pero no lo era. Parecía poseer la ingenua frescura del buen salvaje, pero era astuta como un aprendiz de bruja. Y era libidinosa como toda negra santiaguera cubana, pero quería tanto a su marido que el trauma de su muerte por caerse de una mata de aguacates la había dejado prácticamente mutilada, incapaz de sentir deseo sexual hacia otros hombres.

Cuando Erlinda fue a ver al presidente del CDR (Comité de Defensa de la Revolución) para buscar apoyo en los trámites de quedarse con la casa mientras adoptaba a su sobrino, Reinaldo, que así se llamaba el compañero, decidió darle todo su apoyo y mucho más. ¿Por qué? Porque Erlinda tenía un culo redondo y generoso, unas tetas eternamente jóvenes y una piel muy lisa que brillaba bajo las camisetas raídas que se ponía.

Reinaldo le dijo:

—Mami, te voy a ayudar con todo.

Y al día siguiente se le aparecieron en casa dos policías y un tipo rarito que vestía camisa a cuadros y miraba a través de unas gafas anticuadas.

—Compañera Erlinda —le dijo uno de los policías—, queremos hablar un ratico con el chama Julio César Montalbán.

Y el tipo rarito intervino:

—Yo soy periodista, trabajo para el periódico *Juventud Rebelde*.

Dos días después, apareció un extenso artículo con la foto de Julio César Montalbán donde se le relataba al pueblo de Cuba cómo, a pesar de los muchos antisociales, gusanos y traidores que estaban abandonando la isla en un momento tan difícil, existían héroes pequeños, el hombre nuevo de quien hablara el Comandante Guevara, dispuestos a seguir construyendo la Revolución. El adolescente Julio César se había negado a traicionar a la patria, etcétera.

La gente del barrio se sentía importante con la instantánea fama del Nubio. Le daban palmaditas de regocijo y muchos de los que cuatro días antes hacían planes para irse a Miami en medio del guateque, ahora le comentaban que «había hecho bien en quedarse». Este fenómeno de «doblepensar» (¿suena conocido?) podría servir como materia de análisis para uno de esos aburridos estudios de psicología social. Basta decir que ahí se esconde una de las claves de que muchos regímenes se mantengan pese a que aparentemente nadie crea en ellos, o todo lo contrario, que, aunque parezca que todo el mundo está en contra de un régimen, este siga manteniéndose con persistencia mineral en medio de la desidia de todos. El cubano es caribeño, o sea, ligero y entusiasta. Y oportunista.

Erlinda no tuvo ninguna dificultad para quedarse con la casa señorial de los Montalbán, a fin de cuentas era la casa de un pequeño héroe. El único problema fue rechazar una y otra vez a Reinaldo, el presidente del CDR, que estaba convencido de que ya era pan comido meterle mano (y todo lo demás) a la mamita oriental esa tan rica.

La tristeza del Nubio duró un par de semanas, pero, en cuanto vio a su tía oriental leyendo tranquilamente en el cuarto con la puerta entreabierta un libro titulado *Madame Bovary,* comenzó a sospechar que quizá la vida no fuera tan cruel.

Es el momento de aclarar el enigma del misterioso refugio del Nubio. Una semana después volvió a entrar en la habitación donde Erlinda seguía leyendo *Madame Bovary* y le dijo:

—Tía, voy un rato a la biblioteca.

—¿Y qué tú *hace* allí, papito? —le dijo Erlinda con ese particular acento santiaguero, incorporándose de tal manera que sus piernas oscuras provocaron una intempestiva retirada del camisón que dejó a la vista un abismo de aún más negras profundidades.

—Leer —respondió feliz el Nubio—, leo de todo.

Podría pensarse que la felicidad del Nubio se debía a esa especie de liberación que significaba no tener que esconder más sus hábitos de lector. Ya no tendría que ocultar en su propia casa su afición por la poesía de Martí, de Nicolás Guillén, de Lorca y de Quevedo. Julio César devoraba libros, memorizaba kilómetros de versos que lo mantenían en una especie de limbo. Pero es el momento de aclarar otro secreto a gritos: era virgen y no tenía la más mínima esperanza de dejar de serlo. Se consideraba feo, con ese pelo amarillento siendo negro como un zapato, y experimentaba ante las amiguitas del colegio un pavor de gato al que se pasan el día lanzándole cubos de agua. Y además estaba acostumbrado a que las mujeres de su casa se burlaran de él y jamás le hablaran con cariño. Claro que su felicidad se debía a pasar, de la noche a la mañana, de la clandestinidad a la legitimidad de lector precoz. Pero ni siquiera él mismo llegaba a darse cuenta de otra cosa, que tuvo que ver con la primera vez en que vio a su tía leyendo acostada en la cama con la puerta entreabierta.

Volvamos a esa imagen: el Nubio pasa frente al cuarto de su tía y la ve de refilón abstraída en la lectura, la cabeza reposando sobre una almohada, las piernas hacia la puerta entreabierta de la habitación y un camisón blanco, de raída trasparencia, que cubre y descubre un extraño territorio de piel negra. Tuvo una erección instantánea, feroz y vergonzosa como un mal consejo que se lleva oculto. Y, para colmo, su tía Erlinda resultó ser la mujer más cariñosa del mundo. Le decía papito esto y papito lo otro y, de tanto papiteo a todas horas, al Nubio le daban ganas de ponerse a leer con la cabeza apoyada en su regazo.

Y había otro problema, que vino a sumarse desde el primer momento a su locura hormonal de adolescente tímido. Erlinda no usaba sujetador mientras se pasaba el día trajinando de un lado a otro. Sus tetas antigravitatorias se movían vivarachas y las aureolas levemente sudadas de los pezones parecían gritar bajo la tela raída.

El Nubio comenzó a pasar mucho tiempo en casa junto a su tía, sin siquiera planteárselo ni darse cuenta. Sacaba los libros de la biblioteca, se aposentaba en uno de los cómodos sillones comprados con el dinero que robaban sus hermanos y apenas podía concentrarse en la lectura porque enseguida aparecía Erlinda a limpiar la sala, a sacudir los adornos, a inclinarse aquí y allá con ese descuido grácil de animal santiaguero acostumbrado a las libertades del campo. La primera vez que vio los pezones recios como frijoles negros de su tía tuvo que morderse el labio inferior para no pegar un grito.

Un día regresó del colegio a la hora acostumbrada, siempre a las dos de la tarde, abrió la puerta gritando «Hola, tía» y escuchó un silencio habitado por un ruido leve hacia el fondo de la casa. Era agua que caía, lo fue comprendiendo a medida que se acercaba al último y más grande de los baños.

Erlinda estaba parada en la bañera, detrás de la cortina de baño, echándose jarritos de agua una y otra vez. Se le había quedado la puerta entreabierta. Y a través de la cortina casi transparente, salpicada de flores rojas y velada de vapores de agua, Montalbán vio la silueta de su tía inclinándose de lado una y otra vez para alzar jarritos de agua que vertía sobre su cuerpo. Erlinda estaba tan abstraída que pareció no darse cuenta de su presencia, y él la escuchó decir, como hablando sola:

—Qué rico.

Miró durante un largo minuto, pero no pudo más. Corrió a su cuarto y se tiró sobre la cama. Fue empezar a masturbarse y terminar al mismo tiempo.

Entonces comenzó su sufrimiento. Ya tenía claro que se había vuelto loco. ¿Qué cochinada era esa de estar como un perro en celo a causa de su tía, sangre de su sangre y mujer cincuentona? Pero todos los días, cuando regresaba del colegio a la misma hora, se encontraba a Erlinda puntualmente afanada en el baño del fondo. Con la puerta cada vez más entreabierta. Una vez ni siquiera tenía completamente corrida la cortina de baño y el culo sobresalía con cada inclinación. Y la tía se tomaba todo el tiempo del mundo y jamás se daba cuenta de su presencia. A partir de esa vez, Montalbán la encontraba siempre con la cortina casi descorrida, luego salía envuelta en la toalla y, al verlo distraído en la cocina, le decía:

—Ah, papito, ya llegaste, ahora te sirvo el almuerzo.

Y se metía en su cuarto a airearse y echarse talco y mirarse en el espejo y vestirse.

Julio César se moría de vergüenza. Pero no podía evitar ponerse a rondar en el patio como si se le hubiera perdido algo entre las macetas y veía por la franja de las ventanas a su tía completamente desnuda rebuscando en las gavetas, y hasta a veces le daba por hacer la cama sin todavía vestirse.

Un domingo, cuando regresó jadeante de pedalear barrio arriba y barrio abajo en una de las bicicletas robadas de sus hermanos, Erlinda le dijo:

—¿Estás *cansao,* papito? —Y como él no atinaba a decir nada porque no entendía bien, pero estaba agitado como un deportista en su momento límite, su tía le ofreció—: A ver, *acuétate* ahí, que voy a darte un masaje.

Eros y casi thanatos

Erlinda parecía poseer la ingenua frescura del buen salvaje, pero era astuta como un aprendiz de bruja.

Para ella todo había comenzado desde la primera semana. El Nubio había acabado de darse un baño, había salido con la toalla enrollada en la cintura y se había metido en su cuarto a cambiarse de ropa. Creía que su tía había ido a la bodega. La puerta de la habitación estaba entreabierta y Julio César tenía por costumbre vestirse delante del largo espejo de la puerta del armario. No le gustaba su cara, pero sí su cuerpo delgado y atlético, de modo que, sin ni siquiera darse cuenta, solía admirarse mientras se vestía lentamente. Y Erlinda pasó en el preciso momento en que su sobrino, de espaldas a la puerta entreabierta, se quitaba la toalla lanzándola maquinalmente hacia la cama y sosteniendo el calzoncillo en la mano izquierda. Quizá todo hubiese quedado en uno de esos insignificantes percances de intimidad doméstica entre parientes si la puerta del armario no hubiese estado ladeada. Desde su ángulo del pasillo Erlinda pudo ver *aquello*, una anaconda *baby* brillante y perezosa que se prolongaba en el centro de su sobrino.

Se quedó con la boca abierta y los ojos aún más abiertos. Tanto tiempo de abstinencia para una negra santiaguera libidinosa tenía sus consecuencias y podría pensarse que se sintió atraída en ese instante por su sobrino. Nada de eso. Erlinda, campesina cimarrona y asilvestrada, no padecía veleidades morales. Pero la falta de costumbre, en ese instante de asombro ante el animalito de su sobrino, lo único que le despertó fue curiosidad.

Estuvo varios días pensando en el asunto casi sin querer. En toda su vida había visto un cuerpo tan delgado y proporcionado pegado a semejante apéndice. Así que, al cabo de la misma imagen incrustada recurrentemente en su cabeza, la curiosidad fue más fuerte. Decidió explorar, comprobar que no había sido una visión exagerada del instante.

Se metió en el cuarto de su sobrino una mañana de sábado muy temprano, de puntillas, blandiendo un plumero como coartada. El Nubio dormía el sueño hormonal de los adolescentes. O sea, debajo de sus cortos y sueltos calzoncillos de tela fina sobresalía su apéndice más o menos rígido. Y esta vez Erlinda sintió algo que no sentía desde hacía mucho.

Tuvo ganas de tocarlo, pero se contuvo. No sabía cómo reaccionaría él ante una cosa así. Y sintió pavor de lo que se le estaba pasando por la cabeza.

A partir de ese día comenzó a descuidarse todo lo posible delante de su sobrino. Fue un acto instintivo en un inicio, pero, al percibir los ojos de adolescente famélico con que el Nubio la miraba mientras ella leía *Madame Bovary,* se sintió deseada. Pero no con ese deseo de acoso y peligro que percibía en cuantos hombres se cruzaban en su camino, sino con la cómoda sensación de que el deseo de su sobrino no podía ir más allá, como el elogio permanente de un niño. Y entonces pasó a la premeditación de dejarse ver mientras se echaba jarritos de agua, justo a la hora en que su sobrino regresaba del colegio. Erlinda se sentía transportada a un territorio desconocido de permanente erotismo, casi agónico durante las noches en su cama solitaria en las que despertaba y tenía que contenerse, con las ideas aún nubladas por el sueño, para no ir a meterse en la cama del Nubio y empezar a acariciar aquella extensión de cuerpo vivo.

· Cuando amanecía sentía terror de lo que había estado a punto de hacer, pero la tranquilizaba la certeza de que jamás lo haría. No por escrúpulos morales, sino por la intuición de que dar un paso más sería como intentar agarrar con las manos una pompa de jabón: le reventaría en la cara.

Pero esa tarde, cuando el Nubio regresaba de pedalear por todo el barrio, y al verlo así, jadeante y brilloso, descamisado y con cada uno de los músculos de su torso latiendo, se sorprendió diciéndole aquello:

—¿Estás *cansao*, papito? A ver, *acuétate* ahí que voy a darte un masaje.

Su sobrino se tendió bocarriba en el sofá de la sala y Erlinda comenzó a reírse:

—No, quítate el *shorcito*, quédate en calzoncillo y ponte bocabajo. *Va* a ver qué buen masaje te hace tu tía.

Comenzó por los hombros y los brazos, presionando suave y trazando surcos con los dedos hacia la zona superior de la espalda. Montalbán estaba todo rígido.

—A ver, aflójate, no *piense* en nada.

Y mientras iba bajando por los lados de la columna, durante un buen rato una y otra vez, Erlinda contemplaba aquel culo perfecto de negrito pendenciero.

—Con la bici las piernas se te cansan, *¿verdá?*

Él dejó escapar un resoplido afirmativo. Ella pasó directamente a masajearle las piernas y los muslos. Se los abrió levemente, luego comenzó con las nalgas de una redondez hiriente. Siempre por encima del calzoncillo. El nacimiento de las piernas. La base de la espalda.

Aquella primera vez se ocupó durante media hora, poniendo énfasis en la zona lumbar y en las largas piernas. Comenzó a hacerse una costumbre aquello de darle masajes a su sobrino. Siempre de la misma manera: «¿Estás *cansao*, papito?». Y, sin más preámbulo, él se acostaba bocabajo en el sofá de la sala y ella procedía a recorrer los mismos caminos. Pero cada día avanzaba un centímetro más. Sus manos grandes envolvían, manipulaban como quien amasa una figura muy pequeña. Al cabo de muchas sesiones, ya Erlinda entraba con sus manos abarcadoras bajo totalidad de la tela del calzoncillo. Poseía las nalgas de su sobrino con sus manazas como si quisiera domesticarlas. Apretándolas levemente, soltando, surcándolas con la punta de los dedos, moviéndolas en círculos imperceptibles. Y se situaba con las rodillas encajadas en el sofá, entre las piernas de él, de tal manera que los muslos quedaban abiertos como un compás y Erlinda podía ver, a través de las piernas, esa increíble cosa rígida que intentaba escapar.

Una vez, ella se atrevió a rozarla. Como se aburría ese día de tanta nalga apretujada, dejó que sus dedos larguísimos se deslizaran entre las piernas hasta rozar *aquello*. La respiración repentina del Nubio pareció tragarse todo el aire de la sala, se retorció, quiso levantarse y salir corriendo, pero, cuando estuvo sentado, ella lo sujetó y le dijo:

—No te *preocupe*, papito, que eso es normal.

Estuvieron más de una semana sin que él se atreviera a mirarla a los ojos y sin repetir los masajes. Hasta que un día en que ella había estado trajinando y limpiando la casa de punta a cabo, le dijo:

—Papito, necesito que hoy *sea* tú el que me haga un masaje, estoy molida.

Y se acostó bocabajo sobre el sofá de la sala.

Erlinda lo sentía respirar agitado, las manos mientras la amasaba torpemente por encima del camisón blanco raído.

—Ahí, que me *duele* las piernas —le dijo, al ver que él no pasaba de su cintura, siempre por encima de la tela.

Sintió que unas manos intentaban abarcar sus muslos gruesos y rotundos. Una y otra vez, sudorosas. Entreabrió levemente las piernas.

—Más arriba —le dijo.

Y él comenzó a masajear las nalgas por encima de un calzón blanco y una bombacha que Erlinda había heredado de su hermana Mercedes.

—Así.

Ninguno se atrevía a más, aunque siempre parecía que ascendían un pequeño escalón. Y jamás hablaban de lo que realmente hacían. Era como si ambos alzaran un muro compartido, pero cada parte del muro tenía ladrillos diferentes. Los de él eran los ladrillos de una timidez casi patológica, y sencillamente no saber qué más podía hacer con todo aquello que de pronto se abandonaba entre sus manos. Los de ella eran la intuición de un miedo. El peso de su aversión hacia los hombres durante tantos años le impedía concebir a su sobrino como un hombre. Y, precisamente porque no lo era, se había vuelto adicta a jugar con él como si se tratara de una mascota dócil.

Una tarde Erlinda, mientras se echaba encima tranquilamente jarritos de agua en el baño del fondo, palpó bajo su axila, en el costado de uno de sus senos, una bolita minúscula y dolorosa. ¿Y esto qué es?

Thanatos

El médico, que también vivía en Buenavista y era amigo de los Montalbán, le hizo el consabido examen manual y luego una ecografía. Puso una cara que no era de preocupación, pero tampoco lo contrario, y dijo lo de siempre:

—Hay que operar.

Erlinda, con cara de mucha preocupación, también le preguntó lo de siempre:

—*Doctó, ¿es malo?*

El médico le explicó que probablemente fuera rutinario; esos nódulos aparecían con mucha frecuencia, vamos, toda mujer lleva su nódulo de mama a cuestas. Cuando abrieran, se vería.

Erlinda pensó que iba a morirse, que Dios la castigaba por lo que estaba haciendo con su sobrino, y esa noche pasó el pestillo de su cuarto.

Cuando el cirujano abrió y entró con su finísima llave de acero inoxidable, se encontró con una constelación de pequeños nódulos y uno ligeramente mayor. *Displasia* era el término provisional, con resonancias herméticas porque Erlinda era incapaz de relacionar aquella palabreja con sus hermosas tetas. Solo sabía que Dios la había castigado, pero a pesar de la fatal predisposición de la negra santiaguera, cuando a la semana siguiente el médico le informó de que tenía cáncer de mama y era muy grave, la sorpresa la dejó con la boca abierta. Luego movió la boca y dijo:

—Me cago en Dios.

El Nubio recibió la noticia como si estuviera soñando, con el pavor de las pesadillas y con la certeza de que en algún momento despertaría. Enseguida despertó a la realidad de las sesiones de quimioterapia. Como si de pronto regresara un antiguo enemigo. Comenzó a tener la sensación de que su vida era el triste trasiego de los hospitales, y las otras cosas, la biblioteca, los libros de poesía y los masajes, habían sido un privilegio momentáneo, un sueño feliz del que había despertado para regresar a su negra vida.

Acompañó a su tía al hospital una de esas raras mañanas en que entraba un frente frío y el trópico se convertía en otro mundo.

—Espérame aquí, papito, y no llore que *usté e* un hombre.

Fue la última imagen de una Erlinda «saludable» que vio Julio César. Porque esa que regresó de la primera sesión de quimio no era su tía. Todo su cuerpo se había ralentizado, cada gesto parecía no acabar nunca y en el fondo brillante de sus ojos ámbar había como tierra.

A veces permanecía varios días en el hospital y al Nubio le gustaba cada vez más aquella mezcla de olores a alcoholes, metal frío y una leve punta de corrupción de la carne. Observaba el trasiego de los médicos, el ir y venir de las enfermeras y del personal de limpieza como si se tratara de una especie de ámbito religioso con una liturgia compleja, superior a todo lo que podía concebirse. Los médicos, con sus batas blancas y sus credenciales, eran los sumos sacerdotes del mundo donde la Revolución salvaba las vidas. Los termómetros eran varitas mágicas que tranquilizaban o daban la alarma, los estetoscopios eran el utensilio de comunión entre el doctor y el paciente. Todo lo demás era misterioso para el Nubio.

Era fácil enamorarse de la medicina. Eran los tiempos en que los médicos cubanos vestían batas inmaculadamente blancas, el gobierno les otorgaba el derecho de comprar Ladas y Moskovitch, y practicaban la profesión en espacios pulcros y ordenados. Todo muy socialista e idílicamente gratuito.

Cuando unos años antes el Nubio había sufrido en carne propia el proceso de las diálisis, no se le ocurrió pensar en la muerte. A pesar de lo grave que sabía que estaba, la muerte pertenecía al reino de los otros; pasara lo que pasara, no podría alcanzarlo. Pero, cuando al cabo de unos meses los médicos concluyeron que la metástasis era irreversible y desahuciaron a su tía, Julio César pensó por primera vez en la muerte. Estuvo cerca de dos horas detenido en una página de un libro de César Vallejo, mirando las letras sin verlas e intentando comprender qué era eso de «pasar a mejor vida, meterse en el traje de palo, mudarse al "barrio Bocarriba" o chupar gladiolos». ¿Por qué la gente inventaba esos términos cómicos para referirse a la muerte? Se dio cuenta de que lo peorcito de la muerte era lo que le ocurría a quien se quedaba vivo. Ahora, en medio de una página invisible de Vallejo, quien heredaba, se adueñaba y era abarcado por la muerte de su tía era él mismo. Sintió una rabia infantil de dar patadas en el suelo, escupir e incluso cagarse en su tía. No tenía ningún derecho a hacerle aquello.

—No te *preocupe,* papito, que yo no le tengo miedo —le había dicho Erlinda—, porque cuando yo *etoy,* la muerte no está, y cuando la muerte *eté,* pues no estaré yo.

Claro, qué graciosa, pero quien se quedaba de este lado era él. ¿Cómo ocurrió la muerte de Erlinda? Como ocurren muchas muertes. Se fue abriendo paso entre vómitos, fiebres y sudores. El Nubio sabía lidiar con la mierda de cada día como si hubiese nacido en su ámbito. Pasaba las noches vigilando el sueño de su tía, aprendió a administrarle morfina, a cocinar calditos y fletar lentas cucharadas que viajaban, sostenidas por su mano firme, del plato a los labios inapetentes. Lavaba la ropa de ambos y pastoreaba al contingente de vecinos que insistía en pasar a darle «una vueltecita a la paciente».

Una mañana, en uno de esos paréntesis en que Erlinda podía hablar y parecía estar más de este lado que del otro, llamó al Nubio y le dijo:

—Toma, papito —le alcanzó un sobre abultado y amarillento—: ahí hay mil *dólare,* que me los mandó tu mamá hace tiempo y los tenía *guardado* para cuando hiciera falta. *Escóndelo,* que si te coge la policía con esto vas preso.

Esa cantidad de dinero equivalía al sueldo de más de un año de cualquier trabajador en la Cuba de los ochenta. El Nubio no había querido saber nunca nada acerca de su familia. Al principio, cuando la gorda Mercedes llamaba e insistía en saludarlo con culpabilidad lacrimosa, él se encerraba en la habitación del fondo, hasta que poco a poco todo el mundo se fue acostumbrando al hijo que no quería aguardar el regreso de su familia pródiga.

Julio César agarró su herencia con asco, sonriendo de agradecimiento para no defraudar a su tía y pensando que jamás utilizaría uno solo de aquellos billetes imperialistas.

Cuando estuvo lo suficientemente grave como para no permanecer en casa, Erlinda sobrevivió una semana en el hospital oncológico del Vedado. Fue en aquellos días, a raíz de un incidente concreto, cuando al Nubio le dio por escribir poesía.

Acababa de regresar de una de esas noches de cloroformo y orín del hospital que tanto le gustaban y repugnaban a partes iguales, con los nervios revueltos como un cardumen de nervios, cuando la vecina Margarita tocó a su puerta. O, más exactamente, se asomó por la ventana del largo portal y se puso a gritar su nombre.

—Qué pasa —le dijo el Nubio, abriendo la puerta.

—¿Cómo está tu tía? —se interesó la vecina, con un auténtico dolor tapando su cara de mulata siempre *happy*.

Al Nubio lo sacaba de quicio aquella práctica generalizada en el barrio de preguntarle lo mismo de la misma manera. Como si no pudieran imaginarse la respuesta. Y es que si algo resulta fundamental para el cubano es lo que se ha dado en llamar «ser buena gente». Todo el mundo se creía en el deber moral de pasarse el día tocándole a la puerta para demostrar lo buena gente que eran preocupándose por Erlinda. La historia de la carabina de Ambrosio a escala de barrio.

El Nubio fingió agradecer la preocupación de Margarita y le explicó:

—Los médicos dicen que en cualquier momento se va a morir.

—¡Ayy, *mi'jo*, no es fácil, con lo luchadora que era! —Margarita parecía que se iba a echar a llorar allí mismo, pero de pronto, sin que viniese a cuento, dio un quiebre de lo más florido—. Y con tantas cosas lindas que tenía en la vida.

—¿Cómo?

Poco a poco, en medio de una complicadísima divagación barroca, el Nubio fue sacando en claro a qué se refería Margarita con eso de «las cosas lindas que tenía en la vida».

—Te tenía a ti.

Esta acotación le hizo saber, con alarmante sorpresa, que la vecina super-Margarita estaba enterada, o sospechaba, acerca de los tejemanejes eróticos que él y su tía sostenían desde hacía casi un año. Pero, en medio de la maraña de comentarios de la vecina, fue definiéndose una línea argumental de lo más cubana.

—Y todas las cositas que le dejó Mercedes antes de irse para el Yuma.

En fin, el caso era que super-Margarita la buena gente estaba interesada en la ropa de Erlinda; vamos, que quería comprársela toda.

El Nubio se despidió prometiéndole la herencia para no herir la sensibilidad de su vecina, tomó una libreta cuadriculada y empezó a escribir un largo poema titulado *Materia*.

Erlinda murió al día siguiente y la enterraron en el cementerio de Colón, con todo el aspaviento propio de un vecindario telenovelizado. Entonces el Nubio pasó a una especie de clandestinidad social. Al principio los vecinos se daban una vueltecita por el caserón de los Montalbán a ver cómo seguía el chamaco, pero poco a poco prefirieron adoptar el rumor, con el consiguiente tono proletario, de que el Nubio se había vuelto un rarito del carajo, una especie de loco.

Salía para el colegio muy temprano y no regresaba hasta el anochecer, respondía con monosílabos y no abría las ventanas de la casa. La gente se acostumbró tanto a aquella rutina que el Nubio llegó a ser el hombre invisible de Buenavista, y todos le perdimos el rastro. ¿Qué hacía? Probablemente leer como un condenado, escribir poesía como un condenado y pulular por el hospital de Maternidad obrera olisqueando formoles y admirando el lujo clínico que presagiaba su gran futuro de oncólogo.

Su vida de negrito se fue oscureciendo cada vez más, pero una cosa llevó a la otra. La penumbra a la poesía, y las veleidades poéticas le abrieron una puerta cuando menos se lo esperaba. Una pequeña puerta luminosa en medio de su rutina enloquecedora.

El Establo (1)

Si se pone en Google «el Establo Cuba escritores», aparecerán algunas entradas que aluden a un grupo de *baby writers* que, a finales de los ochenta, hicieron cosas que nadie sabe muy bien en qué consistían. Como *babies* que eran, hubo mucho de pataleo y llanto por el puro gusto de molestar (o de mamar). Y todo habría caído en el olvido —con excepción del recuerdo de sus propios protagonistas, en plan vejetes, hablando de los buenos tiempos— si algunos de estos *baby writers* no hubieran, con los años, cosechado triunfitos y publicado libros de cierta importancia para alguna gente. El caso es que engrosar tres o cuatro flacas entradas en internet, que ya se sabe que no tiene nada de serio ni asegura el mérito, en todo caso le otorga al asunto un cierto hálito de historia. Hay quienes hablan del Establo en tesis doctorales, y algún que otro crítico nostálgico cubano lo cita para demostrar cosas raras en torno a la movida emergente de creadores cubanos de finales de los ochenta. Y así se fue alimentando un minúsculo mito. Pero, a estas alturas, casi nadie sabe muy bien a qué se dedicaban los implicados. ¿Cómo empezó todo?

El Nubio trajina entre libros. ¿Qué hace Julio César Montalbán esa mañana escondido en la biblioteca del barrio, además de husmear entre la colección de Premios Casa de las Américas de poesía? ¿De qué habla con esa bibliotecaria que se le acerca? La señora, parsimoniosa y atrapada en sus feas gafas de bibliotecaria, le dijo:

—Julio César, he visto que a veces escribes tus cositas, ¿verdad?

El Nubio, limitado por la idea de que el barrio de Buenavista era una esfera cuyo centro estaba en todas partes y cuyo perímetro se trasladaba al infinito, nunca se hubiera atrevido a confesar, dentro de su único mundo posible, que escribía poesía. Pero aquella señora, caracterizada por sus enormes gafas, a las que solía eludir y reafirmar con el típico gesto de bajar un poco la cabeza y mirar por encima de ellas, aquella matrona pescadora de libros que no tenía ni siquiera que consultar los catálogos, pertenecía a otro mundo. Así que el Nubio le respondió, con la voz llena de miedo:

—Sí, escribo algunos poemas.

—¿Me dejarías leerlos un día de estos?

¡Ni hablar! ¿Usted está loca o qué? Ni aunque me pongan una pistola en la sien y simultáneamente vayan calentando una paila de aceite para freírme dejaría que alguien leyera mis poemas... Y el Nubio, al que a esas alturas de las lecturas de la vida le gustaba mucho aquella frase de Tristan Tzara que asegura que «el pensamiento se forma en la boca», se sorprendió diciendo:

—Está bien. Gracias.

Durante los siguientes días no fue por la biblioteca. Le daban ganas de llorar cada vez que se veía encerrado a cal y canto en el caserón con ganas de ir a meterse en ese ámbito cuyas paredes eran torres de letras, al que no se atrevía a entrar por miedo a que la acosadora de las gafas siguiera con lo mismo. Pero, al final, se atrevió a volver porque no podía evitarlo. Y podría pensarse que fue simplemente su necesidad de biblioteca, pero en algunos secretísimos momentos de los días previos —secretos incluso para consigo mismo, que no se atrevía a confesarse— fantaseaba con que la matrona de las gafas leía y aprobaba sus versos.

Se hizo el loco durante un rato sentado en su mesa de siempre, en un rincón de la biblioteca. Hasta que la acosadora se le acercó y le dijo con la mayor naturalidad del mundo, como si fuese una ley más inevitable que la salida del sol:

—¿Me trajiste eso?

Él echó unas miraditas furtivas a su alrededor y le entregó subrepticiamente un legajo mecanografiado y lleno de tachaduras. Parecían traficantes. El Nubio le pasó la droga a la yonqui de las gafas y sintió que ya estaba perdido, que en manos de aquella consumidora de letras estaba la verdad acerca de su talento (o de la ausencia de este).

De más está decir que cada día se sentaba en su mesa de la biblioteca y escudriñaba a la terrible jueza creyendo que ella no se daba cuenta. La matrona de las gafas se limitaba a hacerle algún gesto, acercarse de vez en cuando a su mesa para comentar el libro de turno y guardaba un sádico hermetismo en torno al asunto.

Hasta que una mañana el Nubio vio que la mujer tenía cara de velorio. Todo su cuerpo empezó a temblar bajo la certeza de que no había nada que hacer: lo único en la vida, además de su voluntad de ser médico, que lo mantenía dentro de los índices mínimos de estabilidad que anteceden a la idea del suicidio era la certeza de que su poesía valía para algo.

La mujer se acercó y le dijo:

—Lo siento mucho, Julio, pero ha ocurrido algo malísimo. Mi perro se comió tus poemas.

¿Quéeee? El Nubio ni siquiera se detuvo a analizar aquella frase, claro, como todos los perros del planeta no hacen más que tragar toneladas de poemas inéditos al menor descuido de sus dueños... Se tomó el imprescindible minuto de silencio previo al llanto, que sin dudas la matrona sádica pudo catar como «ya es suficiente». La bibliotecaria mudó su cara en una luminosa sonrisa.

—Mentira, bobo, estaba jugando contigo.

¿Jugando? El Nubio no se podía recuperar del susto. Escuchó que su torturadora le decía:

—Ya los he leído. Quería ver qué cara ponías ante la idea de perder tus poemas. —Entonces volvió a ponerse seria—. ¿Te importan mucho, verdad?

—Sí —respondió él, como si acabara de confesar un gran pecado.

—Entonces mi opinión no es lo más importante del mundo.

¿Qué quería decir con eso la gran torturadora, que sus poemas eran la caca de la vaca? El Nubio tenía ganas de echarse a llorar allí mismo.

—Piensa un momento —siguió diciendo ella—; si realmente te importa mucho y tienes fe en lo que escribes, eso es suficiente. Y lo que yo piense no es más que la opinión de una lectora sobre alguien que, además, está empezando.

La cosa iba de mal en peor. El «que, además, está empezando» sonaba fatal. La biblioteca entera de pronto se había transformado en una mazmorra del santo oficio. El Nubio permanecía esperando el golpe final con cara de perro negro.

—Entonces, ¿me prometes que no vas a tomar demasiado en serio mi opinión?

—Sí...

Estuvo a punto de decir: «Sí, cojones, pero suéltalo ya».

—Tus poemas me han gustado. Creo que tienes talento. Pero te falta mucho para escribir una gran poesía: la escritura es un diez por ciento de inspiración y un noventa por ciento de transpiración.

El Nubio, sintiéndose estúpido al tiempo que lo decía, respondió:

—Gracias.

—Que a mí me gusten más o menos no tiene mucha importancia, ahora no vayas creyéndote por ahí que eres un genio. Pero lo que sí tienes que tomarte en serio de todo lo que te digo es eso del trabajo. Te he hecho marcas y sugerencias.

El Nubio tenía ganas de abrazar y besuquear a la superbibliotecaria, a la diva que había emitido un sincerísimo veredicto favorable a su futuro como escritor. Lo del trabajo era lo de menos, él podía hacerlo, literalmente, como un negro.

—Te aconsejo que vayas a algún taller literario. Aquí en la casa de la cultura de Playa hay uno, funciona los viernes por la noche.

Así fue como el Nubio, nervioso como un cimarrón, se apareció en el taller literario de la casa de la cultura del municipio Playa.

La poesía es un arma cargada de friquis

La fauna del taller era de mucho cuidado. Quienes hayan asistido alguna vez a un taller literario saben a lo que me refiero. Por allí pasta la flor y nata de los *nerds,* y los hay de todas las especies: huraños, incomprendidos, agresivos, introvertidos, autosuficientes, eruditos, parlanchines, psiquiátricos, pelirrojos, cojos, antideportivos, ambidiestros, normales..., todo mezclado.

Esa noche el Nubio se mantuvo callado en un ángulo de la larga mesa donde sesionaba aquella cofradía. ¡Existía gente —más o menos— como él en el mundo! Dios los cría y ellos se juntan. ¿O era la Revolución, con su eterna sabiduría y sentido del humanismo, quien los juntaba? En la Cuba de los ochenta funcionaba una extensa red de las llamadas «casas de cultura», una por cada municipio, donde se daba espacio a los creadores aficionados del barrio. Otra faceta de la educación gratuita para el pueblo. Lo único que había que hacer era ir e inscribirse: talleres de teatro, de danza, de artes plásticas. Pero lo más sobresaliente de los talleres literarios era que cada uno contaba con un «asesor». O sea, algún experto graduado en filología encargado de aleccionar a los otros, llevar la voz cantante y tener la última palabra. Pero el asesor también tenía la «palabra secreta». ¿Y eso qué era? Es sabido que, en la Francia de Napoleón, el grande hombre —o enano criminal— fomentaba las tertulias y los conciliábulos literarios para luego infiltrar allí a sus agentes y mantenerse al tanto del pulso ideológico de los intelectuales. Lo mismo ocurría en la URSS y en casi todo lugar donde había degenerados en el poder. Degenerados o no, presuntamente bienintencionados con aquello de salvaguardar las conquistas de la Revolución, la Seguridad del Estado cubano también vigilaba aquellas cofradías de *nerds,* nidos de disidentes en potencia, gente inquieta que leía más de la cuenta. Y el asesor solía ser, además de filólogo, agente encubierto.

Ahí fue donde conocí a Montalbán. Esa noche vi llegar al negrito alto y nervioso que se presentó como Julio César Montalbán, escritor de poesía, y tomó asiento en uno de los ángulos de la larga mesa de plástico. Se mantuvo callado, tratando de parecer invisible con unos ojos que hablaban como megáfonos. Se notaba que aquello le encantaba. ¡Por fin había encontrado gente —más o menos— como él en el mundo! Amantes de los libros, que todo el tiempo empleaban palabras como praxis, enunciado, estructura, semántica.

El ala extrema de los *nerds* en el taller del municipio Playa estaba liderada por un tal Villacorta, que escribía largos e insustanciales cuentos de ciencia ficción, era rosado y considerable, autoritario, pero también ineficaz. Su rasgo más típico era que, al hablar, se tejía entre sus labios una espesa cortina de saliva espumosa. Sin duda, era virgen.

Pero esa noche —no podía ser de otro modo— quien más admiración despertó en el Nubio fue Pablito García, alias *Fuellescúplex,* conocido cariñosamente como *el Fuelle.* Se trataba de todo un personaje de fama tallerística: había ganado algunos premiecitos de poca monta, hecho sus primeras conquistas editoriales en alguna que otra revista y hablaba tomándose muy en serio el texto de cada cual, siempre citando de pasadita y con modestia a algún autor de renombre y repartiendo consejos y críticas que parecían irrefutables. A pesar de su cara arratonada, de su cuerpo más bien magro y de su escasa estatura, no era virgen.

Uno de los presentes leyó un cuento de ciencia ficción que al Nubio le pareció magnífico. Su autor se hacía llamar Yoyo, cosa que al Nubio le resultó incompresible pues sonaba bastante feo. Quizá por eso casi nadie aceptaba lo de «doble yo» y le decían simplemente José Manuel. Su atuendo y apariencia contrastaban radicalmente con su intelecto, que hacía pensar en un genio. Al lado de él, todo *nerd* se quedaba corto, parecía…, cómo decirlo…, era una mezcla de Conan el bárbaro, con boca dentada de tiburón, voz fina e impecable como uno de esos intelectuales de las películas de Woody Allen, y se vestía intentando emular a Rambo, pero en versión cutre tropical. Sin camisa, cubierto por una áspera y calurosa chaqueta sin mangas que él mismo había tuneado, y hacia abajo se embutía en un vaquero recortadísimo cuya principal función parecía ser la de dejar asomar un huevo peludo y colgante al menor descuido. ¿Era virgen? Tenía el pelo hasta los hombros y ceñía su frente con una cinta militar de camuflaje y los brazos con gruesas muñequeras de hule negro. Daba la impresión de que en cualquier momento sacaría una ametralladora.

Los otros que llamaron la atención del Nubio y despertaron su incondicional admiración no eran vírgenes, eran pareja. Felipe y Natasha, el prototipo cinematográfico de intelectuales jóvenes. Pero no de cualquier pareja intelectual: parecían recién salidos de Mayo del 68, vamos, que llevaban su barricada a cuestas. Felipe Artieda era popularmente conocido como *el Artieda,* había nacido pegado a las socorridas gafas de pasta y cada cosa que decía parecía original e importante porque separaba mucho una palabra de otra. Elevaba los ojos por encima de sus gafas y su voz pausada y grave era capaz de convencer a cualquiera acerca de cualquier cosa, como, por ejemplo, de que la Revolución era buena, pero no tan buena. Y le encantaba soltar esta especie de flores delante de todos, haciendo que el asesor y yo tomáramos nota secreta de la desviación ideológica. Natasha era hija de madre rusa con padre cubano, pero su formación de fina sensibilidad y voz leve se la debía a esas escuelas especiales que el gobierno tenía para los hijos de extranjeros radicados en el país.

Esa noche el Nubio no dijo nada, pero al viernes siguiente estaba listo para leer su primer poema en el taller. Aterrorizado, por supuesto. El círculo de bichos raros lo miraba con condescendencia: el rosado Villacorta se encendía dispuesto a formar parte activa en el bautismo del novato, el Yoyo afilaba sus dientes de tiburón y Pablito «Fuelle» García lo animaba con diligente indulgencia y voz paternal a que arrancara con la lectura.

El Nubio leyó un poema raro que pertenecía a un subgénero experimental que un famoso escritor cubano había bautizado como «jitanjáfora». Y era esto:

Poemio

Déjame pensar
tírata mácara bórata
la luna machuprapada en un saco de papel
y tú
gritando orgías trinarias
guatesmásforo parástera
estoy loco, is pensar
a mi tien no existe
bucólico tiempo

bajel de rocas pragmarias
subel de nada.
Déjame pensar imálgenes, y seré poerta.

Fue todo un éxito entre el ala *cool* del taller. O sea: el Fuelle, Yoyo, el Artieda y Natasha, y un servidor. A todos les encantó el hecho de no entender absolutamente nada de aquel poema y que, sin embargo, sonara tan bien. Pero para Villacorta, el asesor-policía y el resto, la cosa fue poco menos que un insulto. A juzgar por su ira, Villacorta debió sentir que Montalbán no había escrito, sino defecado un poema. El asesor se devanaba los sesos tratando de detectar alguna clave oculta y contrarrevolucionaria entre aquellos escombros de palabras. Y alguien intentó explicar que la poesía no era solo sonido, también hacían falta contenidos humanos que el pueblo pudiera entender.

A partir de ese día el Nubio dejó de ser el Nubio para convertirse en Montalbán, o *el Montal,* a secas y muy cariñosamente. Había tenido que cumplir dieciocho años y meterse en un taller literario lleno de anormales para que empezaran a llamarlo por su nombre. Si estamos de acuerdo con Guillermo de Occam en aquello de que «la palabra es la cosa», hay que concluir que desde entonces Julio César Montalbán fue él mismo.

¿Y yo, qué pinto en todo esto? Me decían Roni, y a veces me llamaban por mi feo nombre de futbolista: Ronaldo. Llevaba varios meses metido en aquel nido de bichos de laboratorio por lo mismo que todos. Había comenzado a escribir unos años antes en la Lenin, no sabía que había animales de mi especie y, como vivía en Buenavista, también fui a parar al taller literario del municipio Playa. Pero ya estaba hecho todo un «baluarte revolucionario» y enseguida mis amigos superiores, es decir, los compañeros agentes de la Seguridad del

Estado que me visitaban hacía un par de años, me advirtieron que tuviese cuidado con ese ambiente tan «delicado y a veces nocivo».

Y ¿qué pasa con el grupo que se hizo llamar el Establo? Todavía no se les había ocurrido. Todavía no había comenzado la parte más ardua de mi vida.

El Establo (2)

Todo empezó como suelen arrancar ciertas cosas importantes para sus propios protagonistas: como si nada.

Se me ocurrió decirle al Pablito «Fuelle» García, a quien admiraba por encima de mi trabajo de informante, que me acompañara un sábado a la escuela Lenin, donde habíamos quedado en reunirnos ciertos especímenes leninistas que también hacíamos un taller literario. Se lo dije sin mucha convicción, pues consideraba que el maestro maldito estaba por encima de aquellas veleidades de aburguesados de la mejor escuela del país. Además, el Fuelle urdía en aquellos tiempos uno de sus grandes mitos personales. Se pasaba la vida hablando de un grupúsculo al que pertenecía, y que se hacían llamar los Hongos, con una *femme fatale* como líder a la que llamaban la Loba. Según el Fuelle, solían reunirse bajo el puente del río Almendares para fumar marihuana —que en Cuba sonaba a chutarse heroína— y luego pasaban la noche celebrando desaforadas orgías y cantando canciones de *rock* junto a una hoguera acompañados por su destartalada guitarra.

Así que invité al maestro Fuelle a la Lenin un viernes por la noche convencido de que se negaría, pues al parecer el genio maldito no se daba abasto entre orgías y hongos. Para mi sorpresa, me dijo que sí. Y, ya que hacíamos planes un viernes por la noche en el taller de Playa, cuidando mucho de que no se enterara el ala *nerd*, también invitamos al Yoyo, a Artieda y Natasha, y a Montalbán.

Fue una reunión rarita. Además de los cófrades del taller de Playa, estaban un par de personajillos pertenecientes a la Asociación Hermanos Sainz, institución oficial de escritores. Uno se llamaba Noel Machín y el otro Luciano Cruz. Este último era un chileno hijo de una especie de gánster difunto y revolucionario del MIR, de los tiempos de Allende. Los leninistas leyeron sus cuentos y poemas con ese aire de superioridad encapsulada, y el Fuelle, Yoyo y Felipe Artieda se encargaron de hacerles saber a los hijitos de papá que estaban muy lejos de escribir la gran literatura cubana de los años ochenta. El Yoyo no los impresionó en absoluto con su pinta de Rambo, pero sí con el consabido huevo que siempre le colgaba por la pernera del pantalón recortado. Luego procedieron a leer sus textos «mis amigos del taller de Playa», y la cosa se puso linda y fea. El asesor literario de la Lenin, un profesor de Literatura amanerado y entusiasta, no podía creer que alguien se atreviese a escribir cosas así en Cuba.

El cuento del Fuelle estaba plagado de marihuaneros, putas que hablaban mal del gobierno y roqueros que también hablaban mal del gobierno. Luciano, el hijo del héroe chileno, leyó un poema titulado *Las jineteras del apocalipsis,* en el que, al parecer, intentaba hacer una nueva revolución en Cuba y que lo mataran para seguir con la tradición familiar. Del Artieda baste decir que leyó un poema titulado *Los prisioneros:* daba la impresión de que en Cuba todos estábamos presos. ¿Y el Montal? A esas alturas, del negrito tímido de Buenavista quedaba muy poco; no se dejó arredrar por el monstruo de los mil ojos y leyó tres poemas con su voz sonora y feliz. En los momentos más arduos en que la polémica comenzaba a pisar el peligroso terreno de la política, yo hacía silencio y recordaba las advertencias de mis amigos superiores.

Fue al final de este día de literatura de andar por casa cuando al personajillo de la Asociación Hermanos Sainz se le ocurrió crear un grupo. De pronto, cuando ya habíamos huido de la Lenin y nos empinábamos la primera botella de ron de la historia del grupo en el Parque Lenin, Noel Machín dijo:

—Oigan, ¿y por qué no formamos un grupo literario?

Y enseguida el Fuelle intervino, como si temiera que en la posteridad alguien le arrebatara su estatus de líder fundacional:

—Eso mismo estaba pensando hace rato, vamos a formar un grupo.

Y otro dijo:

—Tremenda idea, compadre.

Y el Montal:

—Es inevitable, como una buena metáfora.

En ese instante el ex-Nubio se sentía como un miembro fundamental de los felices hombres del bosque, junto al Fuelle Hood.

—Podríamos llamarnos —retomó la batuta Noel Machín— Ejército Desnudo de Sombras sin Alojo.

Hubo un escándalo de aprobación. O no. Quiero decir, todos aprobaban aquello de formar un grupo, pero a algunos no les gustaba eso de Ejército Desnudo, etcétera.

—¿Qué te crees, socio, que vamos a escribir guiones para películas porno? —dijo el Yoyo, descolgando una vez más su huevo primigenio.

Y el Montal:

—¡Caballero, lo importante no es el nombre del grupo, sino lo que vamos a hacer!

Esto último suscitó un nuevo debate. Algunos querían saber inmediatamente qué íbamos a hacer para ponernos manos a la obra; otros estaban en total desacuerdo e insistían en rechazar el horroroso nombre; y el Fuelle zanjó el asunto, secundado por el bloque monolítico de Artieda y Natasha:

—Como la idea fue de Machín, nos llamaremos Ejército Desnudo de Sombras sin Alojo… —hizo una pausa magisterial—, hasta la semana que viene. Vamos a reunirnos el domingo próximo en la plaza de Armas para decidir de nuevo si mantenemos ese nombre o alguien tiene otra propuesta. Así que tenemos toda la semana para pensar nombres. Ahora, lo que dice el Montal, lo importante es hacer un plan de trabajo, definir a qué nos vamos a dedicar.

El resto de la tarde se enlazó con la noche en una desmesurada cadena de botellas de ron, poemas nuestros y canciones de Silvio Rodríguez, acompañados por la guitarra del Fuelle. El tema constante de debate era el famoso plan de trabajo. Al final todos estaban borrachos, cantando desafinados por las aceras del Vedado y el plan de trabajo había cuajado: escribir lo que nos diera la gana. Sin trabas, sin límites, sin autocensura, con mucha experimentación, ya que de escribir bien sabíamos poco. Pero, sobre todo, sin *autocensura*: el Ejército Desnudo estaba dispuesto a formular una poética, haciendo una literatura fresca, joven y contestataria —el tonito panfletario es exacto, en honor a la verdad— que criticara los problemas presentes en la sociedad cubana y que nadie se atrevía a tratar. Así visto éramos un bodrio, pero divertido.

—Ya que no hay prensa —explicaba Artieda con voz traposa—, nosotros, desde la literatura, vamos a hacer la nueva Revolución.

Yo observaba que el Montal, cada vez que la cosa se ponía políticamente incorrecta, hacía silencio o se lanzaba a defender las conquistas de la Revolución. Pero no había que ser muy perspicaz para percibir en el resto una cierta tendencia al desmadre ideológico.

Al domingo siguiente, en la plaza de Armas en medio de La Habana vieja, en verdad parecían un ejército, aunque vestidos. (Con la excepción de Yoyo, que no se sabía si *eso* era vestirse). Se había corrido la voz entre talleristas, pseudobohemios, leninistas, amigas de las novias y allegados que no tenían nada que hacer, y el foro crecía desde las ocho de la mañana repartiéndose entre los bancos de piedra colonial y en un amplio semicírculo en el suelo. El semicírculo estaba presidido, a las nueve de la mañana, por un par de botellas de ron que había sacado el Fuelle de su mochila. Para el desayuno, dijo.

En algún momento se apareció Luciano, el chileno, con noticias ¿desalentadoras? Al parecer, el personajillo Noel Machín, que había tenido la iniciativa grupal, no iba a venir. Vamos, él creía que no iba a aparecer nunca más, pues se le había ocurrido la ingenua idea de comentar en la sede de la Asociación Hermanos Sainz lo del grupúsculo de escritorzuelos que estaba formando. ¿Machín no lo sabía? ¿Noel Machín no sabía que *ellos* están en todas partes? ¿Quiénes? Elemental, querido Machín: ¡los comecandelas! Se le echó encima todo un contingente de aguerridos comecandelas, de esos que siempre están atentos al más mínimo síntoma de desviación ideológica, preguntándole qué falta le hacía a la Revolución que por ahí se estuvieran fomentando reuniones extraoficiales.

Así fue como Machín entró en pánico y decidió desertar. Y ya que nos habíamos quedado sin padre onomástico, tampoco necesitábamos un nombre. Machín y su Ejército Desnudo de Sombras sin Alojo podían irse al carajo, es más, todo el mundo estaba de lo más entusiasmado con que así fuera. Es momento de decirlo: la Seguridad del Estado es un fantasma que recorre el mundo, tu mundo. El Establo siempre tuvo su informante a cuestas, y no solo fue un servidor. En aquella mañana de candente sol, haciendo rotar las botellas de ron, a todos en la plaza de Armas les parecía perfecto que en la Asociación Hermanos Sainz nos miraran con malos ojos.

—Esa es la prueba —explicaba el Fuelle— de que en Cuba hay mucha censura, y las cosas tienen que cambiar.

De pronto, como si se alzara con voz de ultratumba de entre los muertos, alguien callado y reflexivo se atrevió a discrepar. Montalbán dijo:

—¿Y qué cosas tienen que cambiar? A mí la Revolución me lo ha dado todo, hasta me salvó la vida.

Se hizo el silencio. ¿Y este de dónde salió? Enseguida se fue alzando una algarabía de opiniones, casi todas de acuerdo en un solo punto: las cosas tienen que cambiar.

—La Revolución es grande —zanjó el Fuelle—, eso nadie lo duda. Pero a estas alturas se siguen cometiendo muchos errores. Hay que cambiar las cosas desde dentro, ¿entienden?

Claro que todo el mundo entendía. Aquello de cambiar las cosas desde dentro terminó por despejar los escrúpulos de los más comprometidos con la causa socialista, yo incluido. O en todo caso, había que ponerse de acuerdo cuanto antes para continuar con la juerga.

Al principio nos hacíamos llamar «el Grupo», a secas. Montalbán por fin había encontrado su lugar en el mundo. Pasaba las horas de clase impaciente por salir disparado a subreunirse con el subcomandante Fuelle y el resto en los trozos de cemento carcomido por el mar de la Playita de 110, un descampado rocoso donde se podía beber, cantar y leer relatos tranquilamente (o sea, escandalosamente). A medida que avanzaba la tarde, iban llegando otros. Y otros. Y otros.

El aspecto del Grupo era el de una gigantesca ameba. Tenía su núcleo y una enorme zona, informe y nebulosa, integrada por mucha gente que iba y venía hablando de las películas de Tarkovsky, de los estructuralistas franceses y del teatro de la crueldad.

Uno de los rasgos más notables del Grupo era su ascendencia heroica de difuntos y presos políticos de la vieja izquierda latinoamericana. El padre de Artieda, un eminente físico salvadoreño, había estado exiliado en Cuba junto al hijo del poeta Roque Dalton, y un día la Seguridad del Estado cubano lo subió a un avión clandestino con la misión de hacer alguna cosa revolucionaria en El Salvador. Pero allí lo estaban esperando los magos-policía de la dictadura salvadoreña y lo desaparecieron junto a su amigo Roquito Dalton. Estaba el padre de Luciano, baleado alegremente por los pacos de Pinochet. Javier Sandoval era un chileno que sabía tocar todas las canciones protesta del mundo y cuya madre permanecía a buen recaudo en las cárceles del Pinocho. Y Carla, que llegó al Grupo a través de Luciano. Era tan flaca que parecía estar siempre de perfil. Se ponía unas camisetas tan holgadas que uno se pasaba el día mirando sin querer un par de tetas breves como la lluvia de primavera pegadas a un cuerpo preadolescente. (Bueno, uno pasaba el día mirando eso y el huevo del Yoyo). Y tenía las orejas masacradas de pendientes de plata del Perú. Su madre era peruana, su padre era cubano, todo un personaje amigo de Frank Fernández, Silvio Rodríguez, Vicente y Santiaguito Feliú, Carlos Varela, Gerardo Alfonso y otros trovadores más o menos famosos. Pero lo más altisonante en la estirpe de Carla era su superbisabuelo, don Pedro Albizu Campos, héroe nacional de Puerto Rico y también asesinado. Teníamos todo un cementerio de héroes. En fin, que por alguna extraña confabulación de los astros, en el Grupo se revolvían ideologías de lo más raras. Olía a exilio y clandestinidad, a nostalgia y romanticismo revolucionario.

El Fuelle, con la voz gubernamental que solía poner para las grandes decisiones, dijo una tarde:

—Natasha y Artieda dicen que hay que ponerle al grupo el Establo.

El caso era que, desde hacía un tiempo, circulaba por el Grupo una famosa novela que nadie conoce: *Itzam Na,* escrita por el guatemalteco Arturo Arias, premio Casa de las Américas de no sé qué año. En aquel entonces nos parecían las más refulgentes joyas de la literatura experimental y emergente Heberto Padilla, Roque Dalton, León De Greiff, Luis Britto García, Fernando del Paso, y nuestra Biblia era *Rayuela,* del profeta Cortázar. Y el susodicho Arturo Arias con su novela *Itzam Na.* Trataba sobre un grupo de pseudojipis aburguesados guatemaltecos que se pasaban el día copulando, fumando marihuana, comiendo hongos, escuchando música y metiéndose en líos con los vendedores de drogas. Y se hacían llamar el Establo. ¿Qué tenía que ver aquello con nosotros? Nada, pero sonaba *cool,* y nos encantaba el aura de despelote maldito que rodeaba a los personajes de *Itzam Na.*

Montalbán dijo:

—El Establo, me gusta.

Y fue ponerle el nombre al Grupo y tener el primer lío con la Seguridad del Estado.

Contacto del tercer tipo

La Seguridad del Estado es un fantasma que recorre el mundo, tu mundo. El gran hermano secreto. El ojo de Sauron que atraviesa montañas, árboles, carnes y huesos. La perenne opacidad de quienes viven en sistemas totalitarios. Solo que, en aquel momento, los chiquillos del Establo no lo sabían.

Todo empezó, como siempre, por culpa del Fuelle, del Artieda y Natasha. Pero tuvo como blanco a Montalbán.

¿A quién se le ocurrió lo de publicar un fanzine mal diseñado con nuestros textos? Un domingo cualquiera, mientras se emborrachaban poéticamente en el parque Lenin, de pronto la santísima trinidad del Fuelle, Artieda y el espíritu Natasha estaban discutiendo acerca de la línea editorial que seguir en lo que sería el órgano oficial del Grupo: un fanzine mensual que se llamaría, por supuesto, *El Establo*.

—Hay que hacerle saber a la gente cómo pensamos y qué escribimos —explicaba el Fuelle—; en Cuba nadie está tocando los temas que nosotros tocamos.

Y Natasha, que estudiaba Periodismo:

—A mí me parece que la línea principal no debe ser poesía ni ficción, sino artículos de opinión denunciando los problemas de la sociedad cubana actual.

Y el Artieda, que estudiaba Física:

—Lo primero es saber cómo coño vamos a imprimir un fanzine, ¿o quieren mecanografiar uno a uno los ejemplares?

Aquello dio materia de discusión para una semana entera. No lo de cómo imprimir el añorado órgano oficial del Establo, cuestión que quedó zanjada gracias a Montalbán, sino las otras cuestiones de política editorial. Al cabo de cinco o seis borracheras, gritos, negociaciones y casi insultos, se acordó que publicaríamos de todo. Fue la salomónica decisión del Fuelle, pues, si seguíamos por ese camino, el grupo corría el riesgo de desintegrarse antes —y por culpa— de su órgano oficial. Y ¿qué pintaba Montalbán en todo esto? Su gran aportación fue recordar que el antiguo pretendiente de su difunta tía, el compañero Reinaldo, presidente del CDR, trabajaba en una imprenta. Habló con él para que le hiciera el favorcito de imprimirle una especie de boletín, de revistucha picada en esténcil que estaba haciendo con unos amigos. El compañero, por supuesto, era buena gente. Y dijo que sí.

En el grupo se pusieron manos a la obra. Como siempre, cada domingo se reunían en el parque Lenin donde la cantautora Teresita Fernández tenía una «peña». O sea, entre árboles y sobre piedras, Teresita, que cantaba canciones infantiles, arremetía con sus loas a la vida, a la paz, a los pajaritos e incluso a los renacuajos, todos eran necesarios. Cantaba su *hit*, *El gatico vinagrito,* que en Cuba toda mi generación conoce porque lo pasaban en la tele una hora sí y otra también, y a los cófrades del Establo les encantaba formar parte de la peña de Teresita. Iba gente variopinta, pero sobre todo cierto sector especialmente «sensible y espiritual» de la bohemia habanera, de esos que gustan de acariciar y cargar con todo tipo de perros sarnosos y gatos callejeros. Los del Establo también leían en voz alta sus textos para el respetable público porque Teresita era un amor de persona y consideraba que en su peña los jóvenes creadores tenían un espacio para ser felices. Todo era felicidad, hasta que, por ejemplo, Artieda leía su ya clásico poema *Los prisioneros,* y el Fuelle seguía con su corte de personajes marihuaneros, roqueros, prostitutas y militantes corruptos del Partido. Luego Yoyo levantaba una pierna, aireaba su huevo y leía algún cuento de ciencia ficción —esa era su especialidad— en que unos extraterrestres raptaban a algún alto mando militar, que a su vez era miembro del Buró Político, y exigían una serie de cambios en la política cultural cubana. A la amorosa Teresita se le desorbitaban los ojos. La pobre debía pensar que de un momento a otro aparecerían unas furgonetas grises y se montaría un operativo policial que terminaría con toda la pandilla —ella incluida— en alguna mazmorra.

En el chapoteo de estas arduas sesiones se preparó el fanzine, órgano oficial del Establo. El Fuelle se encargó de mecanografiar, dibujar y picar los textos en esténcil. En la portada, por algún misterioso motivo, bajo la cabecera «El Establo», había dibujado un tigre que parecía un gato con escoliosis y un tío pelilargo en sedentaria actitud pensativa. Montalbán cargó con todo el material y se lo dio a Reinaldo, el presidente del CDR y expretendiente de su difunta tía.

—No te preocupes, Nubio, yo te lo resuelvo —le dijo con su mejor sonrisa de compañero buena gente.

Al cabo de tres días tocaron a la puerta. Cuando Julio César abrió una rendija lo sobrecogió —como suele decirse— una extraña sensación. Junto al compañero presidente del CDR, que ya no ostentaba su sonrisa de buena gente, había otros dos que parecían sonreír, aunque estaban serios.

—¿Podemos pasar? —le preguntó Reinaldo y, mientras tomaban asiento en la sala, comenzó a explicar—: Estos son dos compañeros de la Seguridad del Estado que quieren conversar un poco contigo.

¿Y eso por qué?, debió preguntarse Montalbán mientras observaba, moviendo la cabeza como un ventilador, a uno y otro personaje. ¿Doctor Jekyll y Mister Hyde? Había escuchado en alguna parte que en las parejas policiales siempre hay quien asume el rol del «bueno», mientras el otro era el «malo», y que al final resultaba que el bueno era mucho peor, pues fingía todo el tiempo estar un poco de tu parte para engatusarte y luego machacarte. Tenía que estar muy atento, aunque por lo pronto no estaba atento, sino aterrorizado, y ninguno de los dos personajes parecía «el malo»: ambos eran Doctor Jekyll.

—Hemos venido a verte a causa de ese fanzine —comenzó diciendo Dr. Jekyll 1.

—Julio César —intervino el presidente del CDR—, ¿no sabes que en Cuba las publicaciones independientes son ilegales?

«Y también es ilegal comprar carne de vaca, cabrón —pensó Montalbán, más aterrorizado que nunca—, y tú y todo el mundo en el barrio lo hacéis cuando tenéis dos pesos».

El compañero Dr. Jekyll 1 siguió hablando:

—Pero eso no es lo que más nos preocupa. —Puso el fanzine sobre la mesita—: Por suerte lo hemos atajado a tiempo. Has tenido suerte de que el compañero Reinaldo nos avisara, lo ha hecho para protegerte.

—La Seguridad del Estado —comenzó diciendo el Dr. Jekyll 2 con voz jovial— ha cambiado su estilo de trabajo desde hace unos años, nuestra labor ahora es sobre todo *persuasiva*, no represiva, ¿entiendes?

—Y sabemos que eres un muchacho revolucionario, que en su momento sirvió de ejemplo para nuestra juventud.

El sol se filtraba por la ventana abierta como un fuego dispuesto a derretir cada mueble, la alfombra *kitsch* estampada de pájaros y al propio Montalbán, quien, a esas alturas, parecía que iba a inundar la sala con su sudor.

—¿Puedo encender el ventilador? —preguntó, y los compañeros sonrieron.

«¿Y estos de qué se ríen?» Montalbán comprendió que era gracioso, por no decir ridículo, que pidiera permiso para poner el ventilador en su propia casa. Ya no estaba aterrorizado, pero sí muy nervioso.

—Nuestra experiencia nos dice —continuó el Dr. Jekyll 1— que estos grupitos como el Establo empiezan siendo cosa de muchachos, que se reúnen para emborracharse, cantan canciones de Silvio y Pablo, pero siempre hay dentro del grupo algunos «elementos» con malas intenciones, y lo que empieza como un chiste termina en disidencia —hizo una pausa cautelar—: en contrarrevolución.

La palabra «contrarrevolución» volvió a ponerle a Montalbán los pelos de punta, suponiendo que sus pasas de negro asustado pudieran erizarse.

—Nosotros no somos contrarrevolucionarios —se apuró en explicar—, somos jóvenes escritores que queremos un poco de libertad de expresión y ayudar a la Revolución desde dentro.

Lo que siguió a continuación sí que lo cogió por sorpresa. Los doctores Jekyll allí presentes comenzaron a repasar, literalmente, la historia del Establo. Sabían cómo y dónde había surgido la idea, lo del nombrecito de Ejército Desnudo, cuántas veces se habían reunido en el parque Lenin, cuántas en la plaza de Armas y casi el número exacto de merodeo etílico por las calles oscuras del Vedado. Y hasta los chistes que hacían. Solo les faltó hablar del huevo colgante de Yoyo. E insistieron mucho en lo peligrosa que resultaba para el grupo gente como Pablito García, Artieda y Natasha.

—Sabemos que siempre has sido un joven comprometido con la Revolución —continuó diciendo Dr. Jekyll 1, que también se había puesto a sudar entusiastamente— y para nosotros es una tranquilidad que formes parte de ese grupo.

Fichados. Esa fue la palabra administrativa que se proyectó a todo color en la pantalla de la mente de Montalbán. Eso significaba que en alguna gaveta gris, en un escritorio de una oficina recóndita, había una entrada bajo el rubro «El Establo», y a continuación un tarjetero con pequeñas fichas de cartulina donde figuraba cada nombre y una breve acotación acerca de los datos básicos y de por qué estaban «fichados». ¿O los tendrían archivados en *files* y hojas largas? De pronto, sin saber muy bien por qué, Montalbán se sintió importante.

Dr. Jekyll 2 tomó la palabra repitiendo lo último que había dicho su clon:

—Para nosotros es una tranquilidad que alguien como tú, un joven revolucionario con las ideas claras, forme parte de ese grupo, ¿entiendes?

—Sí —respondió, pero en realidad no entendía mucho aquello de la tranquilidad.

¿Acaso si él no estuviese en el Establo la Seguridad del Estado estaría intranquila? ¿Por qué? Montalbán, aunque se sentía cada vez más importante, no podía evitar pensar que un grupito de peludos que escribían y se emborrachaban no era para tanto.

—Queremos pedirte algo. —El Dr. Jekyll 2 se puso de pie para estirar las piernas y de paso estar por encima del resto—: Queremos que nos garantices que serás un verdadero baluarte revolucionario dentro de ese grupo.

Montalbán, el baluarte, tenía ganas de ir al baño a defecar.

—Yo siempre seré un verdadero revolucionario, la Revolución me ha salvado la vida.

—Es cierto —continuó diciendo—, la Revolución lo paga todo, por eso nos preocupa tanto que alguien como tú sea captado por el enemigo.

¿El enemigo? ¿Qué enemigo? El Fuelle, Yoyo, Artieda y Natasha, y Ronaldo (un servidor) éramos sus amigos. Sus únicos amigos. Y su familia, porque él no tenía otra familia. Se había quedado en Cuba porque sus padres y los cabrones de sus hermanos sí que se habían ido con el enemigo.

—¿Qué quiere decir «captado por el enemigo»? —preguntó Montalbán.

El sol se había elevado. Ya no era una tela ardiendo que lo cubría todo sino un reflejo, pero el sudor de Montalbán seguía amenazando con arruinar la alfombra.

—Chico —el Dr. Jekyll 1 le puso la mano en el hombro y Montalbán casi lo abraza—, una cosa lleva a la otra. Empiezan haciendo un par de chistes con trasfondo político, escribiendo unos poemitas, y terminan organizando alguna cosa contrarrevolucionaria.

—En el Establo nunca va a pasar algo así. —Montalbán tenía ganas de echarse a llorar allí mismo.

—Queremos pedirte —el Dr. Jekyll 2 también se puso de pie— que seas nuestro guardián dentro de ese grupo…

A veces, en la vida, aquello de cierta importancia que está ocurriendo entre varias personas, y las decisiones trascendentes que toma cada cual, dependen de algo muy sutil: un ademán, el rictus de una boca, una frente arrugada, una sonrisa ambigua o un parpadeo demasiado prolongado. El Dr. Jekyll 2 no había terminado la frase y Montalbán, en un acto reflejo, torció levemente la boca y dejó entrever un brillo de disgusto en sus ojos marrones. Quizá fue por eso que el agente matizó sus palabras, dejando gotear una especie de brillante ambigüedad.

—… que seas nuestro guardián, o sea, que simplemente veles por los principios revolucionarios allí dentro.

—Por supuesto —se apuró en responder Montalbán, restregándose el sudor de la frente con ambas manos—. Eso no hay ni que pedírmelo.

—Sabemos —empezó a explicar Dr. Jekyll 1— que quieres estudiar Medicina. En eso podemos ayudarte.

¿Estaba escuchando lo que creía que estaba escuchando? Montal, ¿tienes alguna duda? Escucha, escucha...

—Y también podemos ayudarte con tu vocación literaria, podemos hacer que algún compañero escritor de prestigio te asesore, te apadrine. ¿Qué escritor cubano vivo te gusta? El que tú quieras.

«¿Y no podrían conseguirme uno muerto?», pensó Montalbán. Y también: «Cabrera Infante está vivito, *stop*». Y luego pensó en Miguel Barnet: le sonaba bien aquello de *Biografía de un cimarrón*, pero no había leído nada de Barnet y además le parecía medio mariconcito. Eduardo Heras León, Norberto Fuentes, Jesús Díaz, ¿sí? «Pero, ¿qué estás pensando, negrito cimarrón?»

—No se preocupen, gracias, las cosas quiero lograrlas por mis propios méritos —dijo resolutivo—, pero claro que seré un guardián de la Revolución dentro del grupo.

—¡Muy bien! —de pronto Dr. Jekyll 2 parecía a punto de ponerse a bailar una conga, tan feliz como estaba con su pelo recortado, su sonrisa de arcoíris y el arcoíris de sudor que se expandía bajo las mangas de su camisa a cuadros—: eso es lo que esperamos de un joven como tú.

—Y piénsate lo del escritor —continuó Dr. Jekyll 1—, ya hablaremos.

El del CDR también se había puesto de pie y los tres estaban la mar de contentos mientras se despedían. Aquello ponía muy nervioso a Montalbán. ¿Qué había dicho para que los jinetes del apocalipsis se transformaran en faunos? Bueno, quiso pensar, una reunión amistosa, solo eso.

Con el remezón que acababa de sufrir no le habrían quedado ganas de seguir adelante con el famoso fanzine, órgano oficial del Establo. Pero, antes de despedirse del todo —en

Cuba las buenas despedidas duran diez minutos y se condimentan con palmaditas y abrazos—, uno de los agentes dijo algo que sí llegó a irritar mucho a Julio César. Le dijo...

Aquellos maravillosos ochenta

—Y con respecto a ese fanzine, les hemos hecho un favor —continuó el Dr. Jekyll 1 mientras sonreía despidiéndose desde la acera—, la calidad de los textos es muy dudosa.

Montalbán les contó al Fuelle, Artieda, Natasha y a un servidor que lo habían visitado unos agentes de la Seguridad del Estado por culpa del fanzine. Toda la credibilidad del discurso persuasivo del equipo Dr. Jekyll se había desmoronado cuando dijo aquello de la calidad dudosa de los textos. Y Montalbán también explicó, asombrado como quien descubre una gran injusticia, que los agentes lo sabían todo acerca del grupo.

—¿Y cómo lo saben? —pregunté, haciéndome el ingenuo.

—Muy sencillo —precisó Natasha con cinismo y rotundidad—: tienen a alguien infiltrado en el grupo.

¡Bingo! ¿Y qué más? Esa misma tarde todo el Establo estuvo de acuerdo en no sacar un fanzine, sino dos. De golpe.

La segunda vez que aparecieron los agentes en casa de Montalbán fue como si ya los estuviese esperando. Vamos, aunque se tratara de unos parientes inoportunos, a fin de cuentas, eran de la familia. Lo que hablaron aquella vez queda en secreto. Pero fueron buenos, muy buenos. Ya ni siquiera parecían persuasivos, sino permisivos. No les importaba que finalmente el Establo hubiese conseguido publicar esas revistuchas que repartían en las casas de cultura, en los conciertos de *rock* de Alamar y mataperreando por las calles y los parques del Vedado. Pero había que estar muy atentos a los contenidos. Solo querían llamarlo y conversar un poco de vez en cuando, sin ningún compromiso.

Cuando comenzó la época dorada del Establo, Montalbán se sentía, sencillamente, raro. Era extraño que de vez en cuando lo visitaran, le hiciesen preguntas sobre cada uno de los miembros del grupo y le dieran cientos de palmaditas en los hombros. ¿Soltaba prenda? Habría que preguntárselo. ¿Montal, soltabas prenda? Mira tú, eso depende de a lo que uno llame «soltar prenda». Porque hay prendas valiosas y otras que son unas baratijas de vergüenza. Si los agentes hubiesen sido más represivos que persuasivos, el negrito cimarrón se hubiese plantado y con dos testículos como los de Maceo los habría mandado a freír espárragos, o, a falta de ellos en Cuba, a efectuar una visita guiada a la casa del carajo, que para el caso es lo mismo. Pero aquello de las palmaditas en los hombros lo ablandaban como el agua al pan viejo, lo convertían en una masa informe y pegajosa dispuesta a adoptar más o menos la forma del recipiente. Montalbán tomó la decisión de salvaguardar en secreto los principios revolucionarios, pero sin delatar «más de la cuenta» a sus amigos, que a su vez eran su única familia. Y ¿cómo se hace eso?

Comenzaron las noches rosadas —así las llamaba el Fuelle— en el cuartico que Natasha y Artieda tenían adosado a la casa de los padres de esta. Los sorprendía la madrugada leyendo y discutiendo sobre libros de Lenin, de Sartre y discursos de Fidel sobre la política cultural cubana en los años setenta. Cada vez que algo olía a gusanería barata, el Montal alzaba la voz y se enfrascaba en un cuerpo a cuerpo hasta poner a su contrincante fuera de combate. Con la Revolución había que ser serios, muy serios, y toda crítica tenía que ser argumentada. El problema de tanta seriedad es que a veces era su contrincante quien lo ponía a él contra las cuerdas y tenía que reconocer, por ejemplo, que la represión contra los homosexuales durante los años setenta estaba mal. Y las UMAP (versión cubana del gulag) habían sido un experimento indigno. Y la falta de libertad de prensa. Y el hecho de que el *Padre nuestro que estás en la isla* santificara su nombre tampoco era bueno. Stop. Con el Comandante que nadie se meta.

—Pero, Montal —le decía Artieda, blandiendo cada palabra como ganchos letales—, no es legítimo que alguien se mantenga en el poder durante tanto tiempo sin ser cuestionado. El poder absoluto corrompe absolutamente.

Entonces el pugilista Montalbán tiraba su último golpe apelando al bloqueo norteamericano. Y ahí mismo se armaba el zafarrancho. ¿Por qué? A ver: para los miembros del Establo, mencionar el famoso bloqueo intentando justificar los problemas y represiones en Cuba era como decirle a los padres de niños asesinados por un psicópata que la culpa no era del susodicho psicópata, sino del entorno familiar hostil en que había crecido. Y peor, había que absolverlo y dejarlo en libertad. Artieda concluía:

—El bloqueo somos nosotros mismos.

Después de aquellos lances agotadores, cada cual dormía en un sector del suelo del cuartico, y continuaban cantando y discutiendo al día siguiente. Pero lo más arduo de aquellas noches era la cantidad de alcohol que se metían entre pecho y espalda. Y lo rápido que cada uno iba mejorando como escritor, según lo que pensaba cada cual acerca de sí mismo.

Y a lo dorado y lo etílico se sumó lo significativo. Carla un día les dijo:

—Estamos invitados esta tarde a casa de mi padre, va a haber una pila de ron —hizo una pausa, con la cara de quien está a punto de dar la noticia de la lotería, y agregó— y va a ir Silvio Rodríguez.

Silvio era amigo de su padre.

La estrella no llegó nunca, pero sí llamó por teléfono para disculparse y aquello fue como si hubiese ido. Al parecer estaba buscando a su unicornio *blue* o alguna otra quimera de cantautor famoso. Quienes sí se aparecieron a mitad de la tarde fueron los hermanos Santiago y Vicente Feliú, Donato Poveda, Alberto Tosca y Gerardo Alfonso, todos juglares de cierta fama. Pimplando ron a cachetes llenos, se pusieron a cantar sus éxitos de siempre y lo último de sus cosechas. Los del Establo estábamos tan felices que daba un poquillo de asco.

Entonces tocó el turno de que «los muchachos» —así nos llamó Vicente Feliú, con los honores del caso— leyeran algo. Y Artieda leyó su ya casi famoso cuento «La horma», no sin antes advertir que se lo habían pedido para publicarlo en la revista *El caimán barbudo*. Se trataba de una historia donde unos roqueros están en un concierto del barrio de Alamar y la policía los detiene por gusto —o sea, por escuchar *rock* en un concierto de *rock*— y los encierra una semana en el calabozo.

En cuanta tertulia en que Artieda leía aquel cuento se montaba un escándalo. A ciertos comecandelas les irritaba mucho que los personajes del cuento, una docena de roqueros peludos hacinados en un calabozo de una unidad de la PNR, se dedicaran a hablar mal de la policía y de las injusticias en Cuba.

El padre de Carla, comunista de la vieja escuela y matemático de cierto renombre, dijo con voz clara y gubernamental:

—Es una pena que la Revolución gaste tinta y papel en publicar mierdas como esa.

Fue extraño lo que ocurrió a continuación. Montalbán, que regresaba de buscar un jarro con hielo picado en la cocina, le contestó:

—Pues a mí me parece que si la Revolución se niega a publicar cosas como esa es porque tiene cosas que ocultar.

Al padre de Carla casi le da un infarto. Al calor del debate —por así decirlo, que aquello no era calor, sino una olla a presión—, Natasha le dijo algo muy desagradable para un revolucionario de la vieja escuela:

—Tiene que morirse toda una generación para que las cosas cambien en este país.

¿Qué pensó Montalbán de esta última estocada? Fue en ese instante —y sin querer que ninguna generación muriera, pero sí que las cosas cambiasen un poquito— cuando el Montal arribó a una secreta conclusión: no podía tratar con la Seguridad del Estado si no quería ser un delator. O le mentía alevosamente al equipo Dr. Jekyll o les notificaba las barbaridades que podían decir gente como Artieda y Natasha. Decidió no verlos nunca más —al equipo Jekyll, por supuesto— y sintió que se quitaba un enorme peso de encima.

Sin embargo, siguió viéndolos. La Seguridad del Estado es un fantasma que recorre el mundo. Y ya se sabe que los fantasmas aparecen cuando les da la gana y es difícil quitárselos de encima.

La discusión quedó zanjada cuando los trovadores allí presentes comenzaron a darle palmaditas en los hombros al padre de Carla y a decirle:

—Coño, compadre, deja que los muchachos se expresen, que ellos también quieren lo mejor para Cuba.

Montalbán, cuya cabeza no dejaba de trabajar ni cuando dormía, observó algo: esas palmaditas que los trovadores le otorgaban al patriarca no eran solo palmaditas, eran un puente. Y los trovadores no eran solo trovadores, eran las piedras de un puente. Las piedras que conforman el arco que sostiene el puente. En un extremo estaba un pilar firme, mineral, casi enmohecido y ¿agrietado?: la generación a la que pertenecía el padre de Carla, los que habían hecho la Revolución. Las palmaditas querían decirle: «Tranquilo, camarada, estamos contigo, somos *casi* de tu mismo bando». Eran la generación intermedia, la de Gerardo Alfonso, Santiago Feliú y Donato Poveda, que insistían en darle palmaditas al padre de Carla para tranquilizarlo, pero que miraban hacia nosotros con una mezcla de escepticismo, temor, incredulidad, envidia, simpatía y no sé qué más. Y nosotros éramos el otro pilar, una columna no muy firme de pequeñas piedras construida al otro lado del río de las revoluciones. Habíamos nacido después del año 1959, no éramos parte de la Revolución, sino una consecuencia. Nos interesaba más el futuro que el pasado. Y al pasado no estábamos dispuestos a darle palmaditas, sino patadas.

Durante los meses siguientes, Montalbán fue testigo y parte de lo que podríamos llamar «la radicalización del Establo». ¿Y eso qué era? Para empezar, les dio por hacer serenatas. A las borracheras político-literarias se unió la espantosa costumbre de conquistar a las chicas que iban por el grupo apareciéndose en sus casas sin previo aviso, a las tres o cuatro de la madrugada, cargados con guitarras, botellas de ron, claves y armónicas, y ponerse a cantar a gritos frente a sus balcones temas de Silvio, Santiago Feliú y el Fuelle. Como tunos, pero enrollados y militantes de la canción protesta. Montalbán se moría de vergüenza viendo cómo los vecinos gritaban y lanzaban cubos de agua.

Pero la radicalización del grupo tuvo que ver con otro montón de cosas. Empezaron a hacer espeleología en los montes de Pinar del Río, específicamente en una gruta polvorienta en el flanco de una montaña llamada el Pan de Guajaibón. Era como hacer «espeleología de conspiradores»: por el día pasaban cinco o seis horas en las cuevas con un lamentable instrumental improvisado y sogas a punto de romperse —hablando de política y filosofía o haciendo chistes políticos— y en las noches alimentaban una hoguera y durante horas seguían discutiendo de política y filosofía. Ahí, en la gruta, se podía hablar libremente, criticar al gobierno y burlarse de los dinosaurios del Buró Político. ¿Las paredes de las cavernas no tienen oídos? Estaban seguros de que no. Sin embargo…

En estos debates neandertales ocurría algo curioso: criticaban mucho, se esforzaban por desmontar las bases de los problemas en Cuba y por escupir, mear y defecar sobre todo lo que el discurso oficial consideraba sagrado, pero, salvo Artieda y Natasha, nadie se atrevía a meterse con Fidel. ¿Por qué? Una cosa era criticar a la Iglesia y otra a Dios. Se trataba de un fenómeno de la estirpe de los emperadores en el antiguo Egipto: la punta afilada de la pirámide del poder no estaba solamente plantada sobre la pirámide, sino metida entre las nubes, en un cielo alto y sagrado. De modo que los mortales que habitaban en el valle la percibían más como una abstracción que como algo vulnerable. Incluso si la pirámide se derrumbaba, su punta quedaría flotando entre las nubes. El Comandante no era humano, era divino: la culpa siempre la tenían los que estaban por debajo, piedras que podían desaparecer como Camilo Cienfuegos, irse como el Che, o ser fusilados como el general Ochoa y los hermanos Laguardia.

Lo más notable de esta época del Establo fueron dos cosas: las «establadas» y los premios literarios. ¿Qué era lo primero? Como siempre, una idea del Fuelle, del Montal, de Artieda y Natasha, e incluso de un servidor. Preparábamos *performances* grupales, lecturas ensayadas y dramatizadas en espacios públicos estratégicamente localizados. O sea, ahí donde más molestaba. Casas de cultura, parques, plazas. Primero embaucábamos a algún funcionario de cultura de esos que quería hacer carrera bajo la postura de «abierto y tolerante», le hacíamos creer que se trataría de una lectura inocente, entusiasta y juvenil, y conseguíamos el permiso. Nos aliábamos con artistas plásticos recalcitrantes y con trovadores muy recalcitrantes que años después triunfarían en Madrid haciéndose llamar Habana Abierta, y montábamos el guateque. Lo llamábamos «establada», y el funcionario de cultura responsable sufría palpitaciones, fibrilaciones y depresión instantánea producto del terror cuando veía aquella sarta de canciones y poemas subversivos que comenzaban a desplegarse ante un público juvenil sediento de sangre.

Si uno investiga someramente —otra vez Google, que suena a ganglio o a pelota inflable—, podrá conseguir mucha información más o menos fidedigna sobre la movida cultural cubana de los ochenta. Pero lo que ningún apunte puede trasmitir es el olor y el sabor: olía a hierba fresca, a barricada, a *smoke* urbano. Sabía a carne cruda y agua dulce. Y sonaba a *rock,* a novísima trova y arte de vanguardia.

Los ochenta fue la última década en que la ciudad no dormía. Había festivales de *jazz,* ciclos de cine de Tarkovsky y Andrzej Wajda, conciertos de trova y *rock,* teatro alternativo y, con el Festival Internacional del Nuevo Cine Latinoamericano, los artistas grabadores del Instituto Superior de Arte (ISA) se empleaban a fondo falsificando credenciales de modo que toda la farándula juvenil habanera, zarrapastrosa y peluda, podía entrar a los estrenos como si fuesen gente VIP, y luego pasar la noche de fiesta en fiesta fumando marihuana y comiendo pastillas. Y el Establo siempre a la altura del momento histórico.

El caso más sonado de hacer cositas subversivas fue el de un pintor díscolo llamado Ángel, que a veces se aparecía por las fiestas que frecuentaba el grupo. Quería pisar fuerte, dejar con la boca abierta a sus colegas, hacer algo que de verdad diera que hablar. Y se le ocurrió la idea de hacer una *performance* en medio de una importante exposición en el Centro de Desarrollo de las Artes Visuales, emporio oficial. Angelito esperó a que llegara el ministro de Cultura, Armando Hart Dávalos, héroe de la Revolución —o sea, viejo carcamal gangoso a ojos de los artistas—, tomó un periódico donde presumiblemente se hallaba una fotografía del Comandante en Jefe —en este punto no todos se ponen de acuerdo— y tuvo a bien bajarse los pantalones y echar una considerable cagada delante del ministro y su séquito, y proceder a limpiarse con el periódico *Granma*. Crónica del Ángel caído: a la mañana siguiente la policía se apareció en su domicilio y le dio los buenos días, lo procesaron y le echaron tres años de cárcel. ¿Por defecar en público o por hacer contrarrevolución? ¿O acaso era lo mismo? Todo un escarmiento con moraleja: si quieres cagar, vigila que el ministro no esté cerca. Y usa auténtico papel higiénico, es más saludable.

Empezó a escucharse una extraña palabra. ¡El Gran Neologismo! Sin un significado preciso, una palabra en movimiento. Con sonido de piedras duras que se desmoronan: perestroika.

Y para el Establo empezaron los premios literarios. El más codiciado a nivel nacional era el Premio David, inspirado en resonancias bíblicas donde el insignificante David vencía a Goliat, o sea, era la oportunidad de que un pequeño autor inédito saltara a la escena literaria nacional publicando un libro.

El primero en ganar el gran premio fue Sergio Cevedo con su libro *La noche de un día difícil,* y en años consecutivos lo consiguieron Pablito García, alias *el Fuelle,* Natasha, el Yoyo, Artieda y un servidor. Cada fin de año, a las doce de la noche y en medio del escándalo etílico, las voces se unían para brindar por el próximo premio David que conquistaría alguien del grupo. Para perplejidad de críticos, funcionarios y farándula literaria cubana, el premio durante aquellos años parecía haber sido amañado para que ganara el Establo.

Montalbán se había olvidado por completo de su tía difunta, de sus padres traidores, de sus hermanos delincuentes y de su pelo medio amarillento de negro cenizo. Comenzó a ser hasta un poco célebre dentro del ambientico literario con sus jitanjáforas. El erial de su oscura vida había florecido como un campo de girasoles. Solo le faltaba alcanzar su gran sueño: convertirse en médico. Se acababa la etapa preuniversitaria y había que optar a las carreras de nivel superior.

¿Será cierto eso que dicen?: El que nace para martillo, del cielo le caen los clavos. O: El que nace para árabe, del cielo le cae el camello. ¿Era Montal el martillo y el árabe, y lo otro era su congénita mala suerte? A Julio César le llegaron su clavo y su camello en menos de lo que canta un gallo. Y la culpa de todo la tuvo, precisamente, esa costumbre que tenía su maravilloso Establo de permanecer pastando borrachos hasta que los sorprendía el canto del gallo entre fiestas y tertulias. Tanta negligencia etílica, lucha por la causa y felicidad absoluta terminó pasando factura. Montalbán había descuidado faranduleramente sus estudios y, cuando informaron de que ese año el sistema de ingreso en la Universidad sería por exámenes de concurso además del promedio, el Montal no estaba en condiciones de competir en los terroríficos exámenes de ingreso contra los alumnos de la escuela Lenin ni contra casi nadie, ni tampoco tenía un buen promedio.

La noche antes de los exámenes tenía la intención de estudiar asesorado por Artieda y otros dos del grupo, pero el Fuelle se apareció con su guitarra de cada día y terminaron cantando y bebiendo como el diablo manda. No fue un desastre total: alcanzó un promedio rayano en el límite inferior para optar por la carrera de Medicina, y eso le daba una última y desesperada oportunidad.

¿Cuál?

Confidencia unilateral

La llamada «Orden 18» fue un invento del gobierno cubano para que jóvenes con cierto perfil más o menos «calificado» fueran a pelear a Angola, en un momento de la contienda en que ya casi nadie se dejaba convencer. Te rebajaban a un año la condena del servicio militar bajo el heroico rubro de «internacionalismo proletario», y luego ibas de cabeza a la universidad si regresabas con la cabeza sobre los hombros de la guerra en África.

Como sacado del filme *Hair*, de Miloš Forman. Cuando a Montalbán le hicieron el chequeo médico para su ingreso en el Servicio Militar, y aun estando completamente desnudo en la entrevista frente a un capitán de las Fuerzas Armadas Revolucionarias (FAR) que, al parecer, estaba muy concentrado en determinar si *aquello* que ostentaba el cadete era una anaconda o una boa constrictor, el Montal se sorprendió diciendo:

—Sí, acepto.

¿A qué pregunta del capitán hipnotizado respondía esta conformidad? Rebobinemos:

—¿Acepta cumplir misión internacionalista? —El capitán lo había preguntado maquinalmente, siguiendo el protocolo, porque a esas alturas de la historia de Cuba casi nadie estaba lo suficientemente loco como para irse a luchar a la guerra de Angola de manera tan voluntaria.

Cuando escuchó el «Sí, acepto» de aquel negro pegado a su rabo, el capitán levantó la vista como si de pronto hubiese descubierto que las anacondas hablaban.

Le repitió la pregunta en un tono indefinido entre la incredulidad y la burla, y Montalbán respondió lo mismo. Y agregó:

—Quiero acogerme a la Orden 18.

Fue decirlo y dejar de ser dueño de su persona.

—Recluta... ¿Julio César? —le dijo el teniente bajando la vista al expediente, y ratificó—: Recluta Julio César, dentro de tres días deberá presentarse en esta misma unidad con su cepillo de dientes para irse a «la previa». Ahora vístase.

La famosa «previa» consistía en un entrenamiento intensivo de treinta días del que se hablaba casi peor que de la guerra, en algún cayo superpoblado de mosquitos. Y sí, Montalbán no dudó en presentarse para luchar por la patria.

¿Por qué hiciste eso, Montal? Cuando dio la noticia en el Establo, un viernes por la noche, además de repetirle una y otra vez la misma pregunta durante las siguientes quince horas de despedida, el grupo quería secuestrarlo, o torturarlo para que se arrepintiera, o embarcarlo en una balsa para Haití, o incluso matarlo para evitar que engrosara las estadísticas de muertos heroicos en la guerra de Angola.

¿Por qué hiciste eso? La respuesta fácil sería que era el camino más corto para llegar a la universidad. Nada de subir por la calle San Lázaro y luego trepar la escalinata, guiñarle un ojo al *alma mater,* pasar frente a la Facultad de Derecho donde había estudiado Fidel Castro, rodear el aula magna de arquitectura neoclásica y caer de cabeza en la Facultad de Medicina. Era mucho más sencillo darse antes un paseíto por la guerra más duradera de la historia de África. Pero no solo esto. El Montal, sencillamente, tenía ganas de morirse. O al menos le daba lo mismo.

No hubo manera de convencerlo de que desertara. A las seis de la madrugada, después de girovagar durante doce horas en caravana cantando y pasándonos botellas de ron por las calles del Vedado, bajamos por la avenida de los Presidentes hasta el malecón. A esas alturas —o profundidades—, todos estábamos lo suficientemente borrachos como para no saber lo que decíamos. Así fue como escuché al Montal cabeceando sobre el muro y, como hablando consigo mismo, pero para que yo pudiese oírlo:

—Debí aceptar que me ayudaran con la Universidad... No, no debí, hice bien en no aceptar nada de esa gente...

El resto del grupo se aglomeraba en torno al Fuelle cantando *Fusil contra fusil*, de Silvio, dado el carácter épico de la velada. Y nosotros teníamos toda la intimidad confidencial que nos regalaba el malecón de La Habana, con su aire tibio, los edificios detrás que parecían sufrir alguna enfermedad de la piel, y ese mar que ciñe a la isla como el desierto que rodea una cárcel, y que a su vez parece una permanente promesa de libertad, de fuga. ¿Por qué Montalbán se sinceró conmigo?

Le dije, pasándole el brazo sobre los hombros:

—¿De quiénes estás hablando, Montal?

Parecía que iba a echarse a llorar allí mismo, ¿o ya lo hacía?

—La Seguridad del Estado, compadre.

Y me contó su historia de delator apócrifo. Allí mismo, amparado por la borrachera y el malecón de las confidencias. Si uno quiere guardar un secreto, nunca debe sentarse en el malecón de La Habana borracho con un amigo. Lo hizo con vergüenza, aclarando cada dos por tres que nunca les decía nada de importancia.

—Hiciste bien, negro, hiciste bien en seguirles la corriente sin decirles nada de importancia. Y sobre todo en no aceptar ninguna ayuda.

Yo también me resistía a ser delator, aunque seguía dejándome llevar por esas amistades peligrosas y hacía mucho que quería soltárselo a alguien, pero me contuve. Estuve a un dedo —a una falange— de decirle que yo intentaba no soltar prenda como delator desde hacía un tiempo y estaba empezando a creer que todo en la Revolución era una farsa. Y quería a mis amigos. El Establo también era lo mejor que me había pasado en la vida. Pero me contuve porque me puse a mirar fijamente el reflejo de una enorme farola sobre el agua negra en lugar de mirar los ojos enrojecidos de Montalbán.

Angola

¿Por qué Cuba, que parecía flotar como una endeble canoa en medio del Caribe intentando construir su pequeña Revolución, se metió a mediados de los años setenta en una guerra entre africanos?

Eso todo el mundo lo sabe: para contribuir al bienestar del pueblo angolano en su camino hacia la construcción del socialismo, que era el único sistema verdaderamente justo y democrático sobre la faz de la tierra. Porque los países humanistas y revolucionarios como Cuba no pueden permanecer indiferentes ante las injusticias y siempre están dispuestos a tenderle una mano a los pueblos oprimidos. Porque la Revolución se ha hecho con los humildes, por los humildes y para los humildes, y uno de los principios de la Revolución cubana es el «internacionalismo proletario». Menuda monserga. A otro perro —fiel— con ese hueso.

El enfoque cambia si se pregunta algo mucho más básico: ¿Por qué cualquier país —léase gobierno— decide meterse en una guerra que no es suya?

En el año 1988 fueron detenidos y procesados el general de Ejército Arnaldo Ochoa, y los hermanos y generales Patricio y Antonio Laguardia. Acusados de narcotráfico y alta traición a la patria, fueron condenados a muerte y llevados inmediatamente al pelotón de fusilamiento. El general Ochoa estaba al frente de las tropas cubanas —alrededor de cincuenta mil soldados— destacadas en Angola. El juicio se televisó para todo el país, la gente lo veía como si se tratara de una telenovela y, dada la serenidad y presencia de ánimo con que el general Ochoa respondía a las preguntas del fiscal, la gente farfullaba en las esquinas que «tenía un buen par de cojones». ¡Cómo les gusta a los cubanos eso de los hipertestículos! Un macho cubano puede incurrir en cualquier bajeza, degeneración, ruindad o delito, pero, si mantiene los testículos a la altura de las circunstancias llegado el momento de pagar factura, nuestra maravillosa y siempre estúpida *vox populi* está dispuesta no solo a perdonarlo, sino a ensalzarlo. En cuanto los fusilaron la gente se puso a decir algo tan cretino como que Ochoa, ante el pelotón y dado el tamaño de sus testículos y su grado de general, decidió él mismo dar las voces de «preparen, apunten, fuego» para que las balas fueran a su alcance.

He aquí el Gran Detalle: habían sido condenados por «narcotráfico». Delito de alta traición tratándose de un general de las Fuerzas Armadas Revolucionarias (FAR). ¿Alguien me va a decir que el ojo de Sauron, que atraviesa montañas y lo ve todo, no sabía que los generalotes traficaban? ¿Nuestro Comandante en Jefe no estaba enterado de estos turbios tejemanejes en la hermana tierra angolana, donde estábamos metidos hasta el cuello desde hacía casi quince años y había minas de diamantes? Guerra y diamantes. ¿Resulta familiar? Ahora estamos en condiciones de responder el siguiente ejercicio escolar:

Marque con una X la opción que considere correcta:

Cuba intervino durante más de quince años en la guerra de Angola por:

a) Ejercer los principios desinteresados del internacionalismo proletario ayudando a un país hermano a construir una sociedad de igualdad y justicia social.

b) Tenía intereses políticos respaldados por la posición hegemónica soviética, intereses de orden económico, y además turbios y desconocidos intereses que nosotros, los simples cubanos de a pie, no podemos ni imaginar.

Dicho sea de paso, nuestra desaforada y siempre radical *vox populi* comenzó a rumorear que el general Ochoa y sus lugartenientes, que además gozaban de gran fama y apoyo incondicional de sus tropas, estaban tramando un golpe de Estado contra el gobierno de Cuba.

Al Montal lo raparon, lo metieron en un uniforme impecable, le colgaron una mochila que pesaba aun estando vacía, le gritaron «Mariconcito, pato, hembrita» mientras un teniente lo obligaba a marchar, a arrastrarse bajo alambradas con fuego rasante de ametralladoras, a saltar en paracaídas y, otra vez, «Mariconcito, firme, ustedes parecen niñas sacadas de un orfanato», gritaba el teniente, y así transcurrió «la previa» en una islita sin nombre con más mosquitos que granos de arena.

El cadete Julio César Montalbán aterrizó en Luanda sin hacerse una sola pregunta acerca de por qué Cuba participaba en aquella guerra entre africanos que hablaban portugués. El general Arnaldo Ochoa todavía comandaba las tropas y la cosa se estaba poniendo fea para las FAPLA (Fuerzas Populares de Liberación de Angola, de ascendencia socialista) y para los cubanos. Tuvo mucha suerte nuestro poeta guerrero; vamos, que si lo que quería era morir en combate, las probabilidades estaban a punto de aumentar exponencialmente.

Cuando llegó, todo el mundo se quejaba de que llevaban meses limpiando mierda en las letrinas, marchando, transportando víveres y trabajando en la construcción de instalaciones para las tropas que iban llegando y que, en cuanto aterrizaban, los ponían a marchar, limpiar letrinas… Parecía que el propósito fundamental de las tropas era defecar y limpiar su propia mierda. Y también bebían mucho alcohol de contrabando a espaldas de los oficiales, pero con la venia de los oficiales, que también bebían mucho alcohol de contrabando a espaldas de los soldados.

«¿Esto es la guerra de Angola y el internacionalismo proletario?», se preguntaba el recluta Julio César, blandiendo los utensilios de limpieza y desmontando y montando su AKM cuatro veces al día para mantenerse en forma.

Pero un día los oficiales se pusieron a gritar. Otra vez: «Vamos soldados, mariconcitos, jevitas de culo gordo, ¡fiiiirmes!». Y, de la noche a la mañana, los pusieron a marchar seis horas al día. ¿Qué estaba ocurriendo? Empezaron a llegar aviones cargueros con tropas y más tropas y un buen día se apareció el mismísimo general Arnaldo Ochoa, el señor de la guerra del que se contaban hazañas hollywoodenses, a pronunciar un discurso en medio de la pista principal donde aterrizaban los aviones que traían a los Avispas. ¿Y esos quiénes eran? Las tropas de élite cubanas, con sus boinas negras y una insolencia de Rambitos tropicales pintada en el rostro. ¿Y por qué llegaban batallones de Avispas?

El general Ochoa aclaró en su discurso que el Comandante había ordenado la maniobra denominada «XXXI Aniversario de las FAR», que el enemigo, o sea, las SADF y la UNITA, llevaba meses hostigando al ejército revolucionario de las FAPLA y ahora la situación era crítica. Que las tropas revolucionarias habían tenido que replegarse en la región de Cuito Cuanavale y esperaban, de un momento a otro, una feroz ofensiva por parte de la UNITA y de las tropas sudafricanas. Ante esto, el Comandante en Jefe había ordenado el despliegue de una gran fuerza militar cubana para apoyar al ejército revolucionario angolano en la región de Cuito Cuanavale, y ahora además contaban con el apoyo de los Mig-23 soviéticos y con las tropas Avispas de élite.

Entre la soldadesca aburrida y rapiñera cundió un ambiente de júbilo. Vamos, que de limpiar letrinas, pasarse el día marchando y bebiendo alcohol de contrabando, y las noches haciendo guardia y haciéndose pajas a entrar por fin en combate, era como si les hubiesen prometido una gran fiesta de fuegos artificiales. No había tiempo que perder. Los formaron en columnas y hala, mariconcitos, a mover el culo gordo durante día y noche por senderos y ciénagas en medio de la selva, en dirección a Cuito Cuanavale.

Fueron suficientes dos días de marcha forzada para que las caras de fiesta prometida comenzaran a ponerse serias. Si aquello era la inminencia de una fiesta, ¿qué cosa era el purgatorio? Empezaban a creer que lo siguiente sería el infierno.

El soldado Montalbán trabó una instantánea amistad con el soldado Jesús Rodríguez cuando, en medio de una noche agujereada de mosquitos, este le dijo:

—Bróder, la única vez que entré en combate fue hace diez meses en una emboscada. Nosotros hicimos la emboscada a los UNITA, la tuvimos fácil, los freímos. Pero te juro que casi me cago en los pantalones viendo cómo las balas atravesaban las hojas de los árboles.

Rodríguez le contó que hasta el instante previo al jaleo, todos parecían de lo más heroicos, calladitos en las trincheras, posesionados con las AKM apuntando a un bosque que parecía una muralla. Pero cuando apareció la columna de la UNITA y se armó el tiroteo, todo el mundo empezó a revolcarse en el fango, a retorcerse arrastrándose para ponerse a cubierto, y algunos lloraban paralizados abrazándose a las AKM.

—Yo disparé como un loco, Montal, ni siquiera apuntaba, pero estoy seguro de que le partí el culo a algunos cabrones.

En la mañana los despertó lo que parecía ser la reminiscencia, la sombra adelantada de una pesadilla. Percusión remota de artillería. Un traqueteo de tormenta que se acerca. ¿Y eso qué coño es? La tropa se ponía cada vez más seria y nerviosa, como un solo animal de muchos ojos que se escrutaban entre sí a punto de fragmentarse en estampida. «A ver, jevitas amariconadas —gritaba el teniente—, eso que están escuchando es la artillería enemiga sobre las fuerzas revolucionarias de las FAPLA. Hay que llegar cuanto antes para apoyarlos porque, si no, van a acabar con ellos y luego con nosotros.»

Corrían, caían, volvían a levantarse y se metían hasta los hombros en charcos de agua que parecía aceite negro. La percusión hizo silencio horas antes de que llegaran ensopados de sudor y sanguijuelas a la región candente. Lo primero que vio Montalbán fue a un grupo de soldados gritando muertos de risa en un descampado.

—No vayas allí, Montal —le dijo Jesús, que siempre estaba diez pasos por delante de él.

Montalbán leyó como un rayo una especie de presagio, un espanto que cruzaba el rostro de su amigo Jesús.

Jugaban al fútbol.

Montalbán echó a correr en dirección al descampado donde los soldados jugaban al fútbol. Y si ahora, mi querido y hollywoodense lector, estás imaginando que los soldados revolucionarios cubanos jugaban al fútbol con la cabeza de algún soldado enemigo, y que una escena como esa es el trajinado y barato recurso para pintar el espanto de toda guerra, no es así. Montalbán vio de lejos que jugaban al fútbol con una enorme bota militar. Y la poesía se despertó en él. ¡Ah, nuestro poeta guerrero! He aquí la imagen que se dibujó en su mente acostumbrada a los endecasílabos: pelota de los soldados, juegan pateando una bota militar. Qué vanguardista. Pero Montalbán se siguió acercando y entonces pudo comprobar que a través de la bota, de la poesía y de la paradoja asomaba una bola ennegrecida de barro y levemente sanguinolenta. Le informaron, risueños, que dentro de la bota permanecía un pie, que la habían encontrado en un campo de minas que estaba ahí mismo, a menos de cien metros.

—Ellos nos tiran con artillería que viene por el aire —le explicaron a punto de cobrar un penalti— y nosotros los jodemos por debajo con las minas.

El 13 de enero de 1988, a media tarde, comenzó el festival que duraría hasta el 23 de marzo. Las tropas enemigas lanzaron seis ofensivas contra el ejército cubano y las FAPLA acantonados en Cuito Cuanavale.

«Quiero ser médico y ahora estoy matando gente», pensó Montalbán dos minutos después de que el sargento le dejara la caja de granadas, la noche del 13 de enero de 1988. Y esa noche Julio César también sintió que había nacido por tercera vez cuando a su amigo, el soldado Jesús Rodríguez, a menos de dos metros de él, le borraron la cara en menos de un segundo, convirtiéndola en un escupitajo que desapareció en el barro de la trinchera.

Esa primera ofensiva los dejó machacados a todo lo largo y ancho de la línea de trincheras. Montalbán decidió realizar un *tour* para apreciar la belleza que florece después de una batalla. No podía quejarse, había estado solo unos días limpiando letrinas, otros pocos marchando y enseguida había empezado «lo bueno». Las náuseas no lo dejaban en paz. ¡Había tanta belleza! Con todos los ingredientes de un buen filme bélico: mutilados que gritaban y lloraban; soldados lelos con los ojos muy abiertos mirando hacia el humo, como si temiesen que apareciera un ejército de fantasmas a rematarlos; algún miembro cercenado pudriéndose en el fango; un muertito por aquí, otro por allá. Muchas moscas. Una permanencia de moscas cruzaba la longitud de la vista. Y todo el mundo diciendo que quería salir de allí, regresar a Cuba, o al menos ser destacado con la muy digna misión de limpiar letrinas en la retaguardia.

Y ¿por qué, si nos han machacado de esta manera tan indiscutible, las tropas enemigas no han tomado nuestras posiciones? Los oficiales explicaron que la geografía del terreno no dejaba que el ejército sudafricano trasladara allí su arsenal y su artillería, y tuvieron que regresar a las bases de partida. Pero, prepárense soldados —ya no les llamaban mariconcitos, había que levantar la moral de la diezmada tropa—, porque los cabrones van a volver.

Fue una espera larga y desmoralizada. Prolongada como una noche que proyecta una y otra vez la misma pesadilla de insectos que se mueven en la selva con la semblanza de hombres. Las guardias se hacían completamente a oscuras para evitar que los morteros del enemigo leyeran sus posiciones, y cada día salía una columna que se dedicaba a la agricultura carnívora: sembraban minas de tal manera que parecía que una vasta extensión de selva minada era todo lo que había en la tierra. Y esperaban a que algún día esas minas florecieran en forma de carne y huesos rotos.

La segunda ofensiva se efectuó el 14 de febrero, día de San Valentín, perfecto para una masacre. El ejército enemigo tomó las altas posiciones de Chabinga y el batallón aterrorizado de Montalbán tuvo que replegarse hacia el río Tumpo.

Allí la cosa empezó a cambiar.

Montalbán escribió en su cuaderno rojo, diario que había inaugurado después de la primera batalla:

El río se ha convertido en nuestra salvación, es una inmejorable línea defensiva. Aquí van llegando todos los batallones y dicen que ahora sí que vamos a resistir.

Y al día siguiente anotó una inevitable reflexión:

Mi motivación fundamental para venir a Angola es que quiero ser médico. Y quiero ser médico porque quiero salvarle la vida a la gente. Pero, para lograr ambas cosas, tengo que matar gente. Qué raro.

La guerra lo ponía melodramático. La guerra no, la espera bélica. Y escribía cartas a sus amigos del Establo.

Lo que siguió dejó de ser una interrupción de mosquitos y noches oscuras para recuperarse: los paréntesis se hicieron invisibles. Lo único que existía eran los énfasis, la artillería lloviendo. Las fuerzas de la UNITA lanzaron otras cuatro ofensivas combinadas con las SADF sudafricanas, se decía que con apoyo norteamericano. Pero la línea defensiva de cubanos en Cuito Cuanavale había ido creciendo como una colmena enloquecida. Ya ni sabían contra quién disparaban, a nadie le importaba por qué se peleaba y el término «internacionalismo proletario» era recibido como una broma de mal gusto. Todo el mundo se cagaba en la madre de quien los había mandado a pelear en esa tierra donde ni los revolucionarios de las FAPLA los querían. Aunque ese *quien* era una abstracción, un rostro sin nombre, como la causa anónima e innombrable de un fenómeno descontrolado. «Que se jodan estos negros de mierda, yo lo que quiero es llegar vivo a mi casa.» Montalbán tenía que escuchar cosas como esta todo el santo día.

Pero desde la tercera ofensiva empezaron a recibir la noticia de que la guerra estaba girando. Nuestro poeta escuchaba aquello y se imaginaba la guerra como una bandada infinita, como una nube de caballos que de pronto giraba y emprendía una contramarcha donde se atropellaban unos a otros. El 25 de febrero, el enemigo tuvo que replegarse hacia la zona este del río Tumpo y empezó el alegre infierno —para el enemigo— de los Mig-23 soviéticos piloteados por cubanos. Las noticias eran confusas, pero los oficiales se pasaban el día repitiendo que había cincuenta y cinco mil soldados cubanos desplegados en la zona y que ese enjambre de cazabombarderos que hacían puré las tropas enemigas eran lo último en tecnología soviética.

Parecía que el general Ochoa ponía las cosas en su sitio. La guerra estaba ganada y pronto comenzarían las negociaciones. ¿Estaba Montalbán orgulloso? Lo único que sentía era miedo y asco. Le daba la impresión de que nunca más conseguiría conciliar el sueño. Su vida se había convertido en una trinchera oscura donde la noche y el sueño nacían ligados al barro y al humo, de manera que se hacía difícil distinguir cuándo se dormía o se estaba despierto.

Entonces, cuando parecía que la moral estaba restablecida y habían cesado las ofensivas de la UNITA, comenzó a crecer entre la tropa un rumor peor que un incendio forestal. El general Ochoa y los hermanos Toni y Patricio Laguardia estaban siendo procesados en Cuba por delitos de alta traición a la patria. ¿Iban a fusilarlos? La primera vez que Montalbán escuchó aquello, en medio de un coro que jugaba cartas dentro de una tienda de campaña, se puso de pie con los ojos como dos piedras de cal viva y dijo:

—No estén hablando tanta mierda, que los van a procesar a ustedes por sedición.

—Negro —le dijo uno de los que se hacía eco de la noticia—, algo gordo tiene que estar pasando en la isla para que fusilen a nuestros jefes.

Para la tropa aquello era incomprensible. Llevaban años creyendo que Ochoa era el dios de la guerra, el rayo veterano capaz de paralizar al enemigo con un golpe de estrategia, y a nadie le cabía la menor duda de que habían sobrevivido gracias a las decisiones del alto mando. ¿Qué hacía entonces, de la noche a la mañana, el alto mando en la isla procesado por alta traición? ¿A quién habían traicionado exactamente? A Montalbán no le había vuelto a llegar una sola carta del Establo, así que decidió no escribirles preguntando por el juicio contra el general Ochoa.

Montalbán soñó con sus amigos. Los vio saliendo de casa de Natasha y Artieda, después de una tertulia que había durado tres días, listos para levantar barricadas y gritar consignas revolucionarias en contra de la Revolución. Se despertó como si se hubiera pasado la noche comiendo hormigas vivas, con una sensación de ahogo. Entonces el teniente le dijo que volvían a Luanda, que ya empezaban los preparativos para que gran parte de las tropas regresara a la isla.

—A lo mejor te vas a casa en unos meses, poeta —le dijo palmeándole los hombros—; estás vivito y coleando, alégrate.

Un recibimiento por todo lo alto

—¿Saben quién me llamó por teléfono y va a venir hoy? —dijo el Fuelle sacando una botella de ron y poniéndola en medio del círculo—: ¡El Montal, nuestro poeta guerrero!

Aquel fue uno de los mejores momentos del Establo. ¿Cuánto necesita durar un momento para que sea eterno? La pregunta y la noticia que nos acababa de dar el Fuelle se alargaron paralelas a su gesto, a ese arco de la mano metiéndose en la mochila y colocando un instante después la botella de ron a un costado de las bolsas con las latas de pintura y las brochas.

Estábamos en el parque de Paseo y 23, un recinto oculto entre altos muros al que se accede a través de dos anchas escaleras perpendiculares. Y habíamos decidido pintarrajear el parque, ni más ni menos, aunque nos referíamos a ello como hacer una «acción plástica». ¡Y nuestro poeta guerrero, el negro retinto de pelo rubicundo, estaba a punto de hacer su estelar aparición! ¿Se parece la vida a las películas cursis? Por suerte, a veces sí. De modo que toda la cursilería del mundo desbordó los muros del parque de Paseo y 23 cuando el Montal llegó partido en dos por su flamante sonrisa, deshaciéndose en abrazos, palmadas, puñetazos en los hombros, manos amasando cabezas, buches de ron, más abrazos, empujones propinados por el Yoyo, saltos y brincos y más buches de ron.

—¡Hermano! —le gritábamos—. ¡Tigre!

—Estás entero —declaraba Artieda muy calmo, observando a cierta distancia los brazos y las piernas del Montal.

Todos habían cambiado: el Yoyo seguía manteniendo su tendencia al ridículo, pero a veces no exhibía el huevo porque se ponía unos pantalones de camuflaje militar espantosos. La palabra del Fuelle ya no era un *magister dixit*, sino un reto que contradecir. Y en general todos se habían vuelto un poco cínicos.

La noche comenzó a alargarse como uno de esos tubérculos plagados de nudos, ramificaciones, vericuetos y zonas informes. El Montal tenía su aparte con cada cual y las confidencias se alternaban con lacrimosos quiebres y mucho ron. A mí me contó el rosario de granadas que convirtió en barro y sangre a no se sabe cuántos soldados de la UNITA. Recibió con perplejidad taciturna la noticia de que Artieda y Natasha se habían separado y que ella abandonó el grupo de la noche a la mañana diciendo que, para hacer algo verdaderamente importante en literatura, había que entrar en el mundo de los adultos. Lo instruimos acerca del calvario de la Seguridad del Estado, que no nos dejaba en paz. Lo mismo se aparecían en casa de las novias nuevas que entraban en el grupo, a aterrorizar a sus padres informándoles de que el Establo era una especie de antro de conspiraciones y «diversionismo ideológico», que insistían en captar más adeptos que fungieran de informantes secretos en el grupo.

—Pero aquí seguimos, negro, luchando por la causa. Con infiltrados y todo.

Ya teníamos bastante claro qué era «la causa». En Cuba, a finales de los ochenta y despuntando los noventa, comenzó el apocalipsis. Y, como todo fin del mundo, preconizaba un nacimiento, aunque la verdad no sabíamos bien qué era lo que estaba por venir. La perestroika no era roja, sino verde esperanza. Solo faltaba que le diéramos un empujoncito: nosotros, y los artistas plásticos callejeros, y los trovadores de la casa de la cultura de la calle 13 esquina 8. ¡Todavía no se nos había ocurrido huir de la isla! Habían prohibido la circulación del diario soviético *Pravda* y la revista *Novedades de Moscú* porque ya no hablaban bien del paraíso soviético. Recuerdo uno de los titulares: «Brézhnev, un líder cómodo», y la foto de un sillón presidencial lleno de medallas. Fidel acababa de burlarse en uno de sus discursos del idioma ruso que, hasta hacía unos meses, era una asignatura obligatoria en casi todas las escuelas del país. Y el Establo estaba en pie de guerra perestroikana.

—Por eso vamos a pintar hoy mismo este parque —gritaba el Fuelle como si arengara a una tropa—, para ejercer nuestro derecho a la libre expresión.

Montalbán parecía mareado, ido, azorado, atragantado, meditabundo, aletargado, pero feliz de volver a estar con nosotros. Y nos pusimos manos a la obra.

El Fuelle y Yoyo blandieron sendas brochas, cada cual fue echando mano a la lata de pintura que mejor le venía y empezó la acción plástica vanguardista. O sea, sin tener la menor idea de qué íbamos a pintar, y sin saber pintar, comenzamos a afear alegremente el suelo, los bancos, los muros, las farolas y hasta los troncos de los árboles del parque de Paseo y 23. Yoyo dibujó una especie de calavera militarizada rodeada de cadenas, el Fuelle trazaba poemas crípticos con pintura blanca, Artieda pintaba mujeres desnudas, otros intentaban pintar al hombre de Vitrubio metido en un círculo que, en realidad, parecía un huevo cascado. Había alas de ángeles que parecían extremidades de pollo, estrellas bocarriba, escupitajos a todo color y marcas de zapatos porque, de tanto pintar abigarrados, terminábamos pisoteando la obra del otro. Yo estaba al lado de Montalbán, que intentaba dibujar una espiral que no acababa de parecer una espiral, en el momento en que llegó la policía.

Llegó la policía. Hay que repetirlo porque no podíamos creerlo. Todo un operativo como un río de cauce invertido trepando por las escaleras del parque, saltando los muros, saliendo de debajo de las piedras. No nos habíamos dado cuenta, tan concentrados como estábamos, de que las luces azules de los furgones iluminaban las ramas y las hojas.

Lo que siguió es predecible, aunque con ligeros toques de sorpresa. Para empezar, nos alinearon en un coro sobre los escalones de uno de los costados apuntándonos con una cámara de vídeo.

—Para la posteridad— susurró el Yoyo, arreglándose el pelo.

Nos grabaron de izquierda a derecha y luego de derecha a izquierda. Después hicieron un primer plano de cada uno. Y se pusieron a grabar —¿imágenes de apoyo?— todos los garabatos que habíamos pintado. Sencillamente, nos cagábamos de miedo.

—La filmación de las figuras hay que llevarlas al departamento de análisis —decía el que parecía comandar el operativo—, y a estos, a la Unidad.

Imaginé a un equipo de la policía ideológica sentados ante una pantalla, en una oficina gris, intentando hallarle algún sentido a nuestros garabatos sin sentido: esta calavera quiere decir que en Cuba no hay futuro, y esta estrella bocarriba ¿es una alusión al Comandante? ¿Y estas mujeres desnudas? Mmm..., pornografía imperialista.

Nos esposaron y nos alegraron la noche con empujoncitos, sonrisas amenazadoras y algún que otro manotazo, y hala, a la Tercera Unidad de la PNR, la que queda cerca del cementerio Colón. ¿Iban a ejecutarnos y lo del cementerio tan cerca era para simplificar trámites funerarios?

Montalbán estaba lívido. En el momento de meterlo en el furgón policial, un policía negro con cara de delincuente le dio un manotazo en la nuca. El Montal se detuvo, plantó sus dos recias piernas de soldado recién salido del horno, lo miró y le dijo:

—Usted no tiene que pegarme, no me estoy resistiendo.

La última palabra en realidad no tuvo tiempo de pronunciarla porque un empujón deportivo y perfecto lo lanzó de cabeza en el furgón. Tenía los ojos inyectados de rabia.

Fue un recibimiento por todo lo alto para nuestro poeta guerrero. ¿Qué esperaba, una banda de música y una medalla? Vamos, Montal, dime con quién andas y te diré en qué calabozo te meto. Pero no. Nada de una mazmorra de piedra con una letrina donde echarían agua una vez al día. Ni los pies encadenados mientras los carpinteros levantaban laboriosamente un patíbulo digno del Establo. Ni siquiera un cuartico con una silla de interrogatorios y un par de tipos blandiendo una picana y haciéndose los desagradables. Una vez en la Tercera Estación, nos metieron en una especie de oficina para tomarnos declaración y casi fuimos felices cuando nos quitaron las esposas. Casi. Pero el Montal, por algún extraño motivo, cabeceaba mirando hacia el suelo. Cabeceaba con una especie de..., ¿cómo se dice?, amarga sonrisa dibujada en los labios. Ay, Montal, compadre, los policías no entienden de amargas y cinematográficas sonrisas. Ni tienen la menor idea de que eres una especie de héroe anónimo de la patria, de que casi te vuelven un colador los negritos de la UNITA con sus M-16. Ni mucho menos de que estás recién bajado de un avión carguero de las Fuerzas Armadas Revolucionarias.

Así que un policía le increpa:

—¡Oye, negro de mierda, de qué coño tú te ríes!

—¿Yo? —No sé por qué la gente siempre dice «¿yo?» cuando les están gritando algo desagradable que los alude en una directísima segunda persona.

La respuesta no se hizo esperar. Pero no cualquier respuesta. No, Montal, nuestra PNR tiene su propio lenguaje. El otro policía, que tenía una cara de delincuente a tiempo completo y que ya había estado calentando con la nuca del Montal y el empujón dentro de la furgoneta, se le paró delante y le dio una colosal bofetada. De esas que solo un policía puede dar cuando el detenido no se lo espera. Con sonido de chancletazo húmedo contra una pared. Y, acto seguido, como si hubiera sonado el pistoletazo de salida, una cuadrilla de policías empezó a repartir golpes a todos y cada uno de los miembros del Establo, aunque no tuviésemos dibujada en el rostro esa amarga sonrisa. A todos por igual, que esto es un país socialista.

Lo vi venir. Quise verlo venir. Imaginé al soldado Montalbán, curtido por las selvas de África y sin los amaneramientos barrigones de nuestra policía citadina, en guardia y poniendo en práctica lo que había aprendido en los entrenamientos. O sea, una llave de judo por aquí, tres golpes de kárate por allá, un salto a lo shaolín y luego un poco de boxeo tailandés para terminar de neutralizar a la cuadrilla. Entonces los esposaríamos en nombre de la libertad de expresión, tomaríamos la Tercera Unidad para acuartelarnos y dar comienzo a la segunda Revolución cubana convocando a todos los peludos, roqueros, poetas, trovadores, artistas e indignados de La Habana.

En lugar de esto, el Montal se había puesto de pie, erguido y llorando de rabia, y, con las manos entrelazadas detrás de la cintura, gritaba:

—¡Anda, golpéame, cojones, golpéame que no me estoy defendiendo!

Predeciblemente, los policías le hacían caso.

Al cabo de unos minutos de trifulca, que en realidad había sido una *monofulca* donde los únicos que repartían hostias eran los guardianes del orden público, fueron comprendiendo que no éramos dignos rivales, sino un lamentable conjunto de niños aterrorizados. Vamos: maquinaria infernal vs. orfanato. Y los golpes fueron cesando, con todavía alguna que otra patada de salida que dejaba muy claro que se quedaban con las ganas de seguirnos machacando.

Luego entró un tipejo muy digno y marcial gritando:

—¡Mírenme bien la cara, yo soy el capitán Desoto, jefe de acciones del municipio Plaza! —Y, mientras lo obedecíamos mirándolo lo mejor que podíamos, continuó—: ¡Si ustedes se ponen a pintar un parque en un país capitalista no los tratan tan bien, les meten un bastón en el culo —hacía el gesto de quien sostiene un bastón y lo introduce— y luego los dejan tirados en una cuneta!

Pensé que Artieda, que siempre hacía ese tipo de cosas, estaba a punto de darle las gracias.

El capitán Desoto siguió un buen rato gritándonos lo generosa que era la Revolución con gentuza como nosotros y el combatiente estaba tan inspirado que hasta llegó a decir que, si por él fuera, nos metía un balazo en la nuca. Aquello sonó muy feo. Inmediatamente tomé la decisión de darle las quejas a mis amigos de la Seguridad del Estado. Compañeros, hay un capitán que se llama Desoto en el municipio Plaza que se pasa la vida queriéndole meter un balazo a todo el que pintarrajea un parque, que no es para tanto, gente como esa perjudica la imagen de nuestra Policía Nacional Revolucionaria y le hace mucho daño a la Revolución, como si no hubiese delincuentes para golpear en todas las esquinas de La Habana, etcétera.

¿Y el Montal? *Of course*, lloraba. Con un llanto transparente para los muchos ojos del Establo. Todo el mundo podía leer en su llanto que el negrirrubio no radicalizado, antiperestroikano, temible pugilista de verbo inmisericorde para quienes soltaban algún chiste en contra del Comandante, estaba muy triste. Estaba muy triste porque, a medida que el capitán crimen hiperbolizaba su discurso acerca de todas las cosas que él y su equipo nos harían, el Montal sentía que un típico espécimen engendrado y formado por la Revolución le quitaba todos sus argumentos revolucionarios.

Pasó lo que tenía que pasar. Nuestro gran sofista Artieda no pudo quedarse callado por más tiempo. Abrió la boca, pensando que tenía bajo la manga su as argumentativo, aquello que, una vez declarado, haría que los policías comprendieran su error y se reconciliaran con nosotros:

—Capitán cólera —dijo con voz cavernosa, soltando cada palabra como si expulsara perfectas pompas de jabón—, ese al que han golpeado tanto es un héroe de la patria. Acaba de regresar de Angola y estuvo en Cuito Cuanavale.

¡Qué ingenioso Artieda con eso de «capitán cólera»! ¿A quién se le ocurre insultar al enemigo que te tiene maniatado cuando está a punto de dejarte tranquilo? A Artieda se lo llevaron a empujones en una especie de visita guiada y sazonada con paliza en dirección al calabozo. Pero lo mejor de todo, la cereza del pastel del recibimiento al Montal, la puso a continuación… ¿quién? Elemental, ¡el capitán Desoto, nuestro ángel exterminador! Sin una pizca de cólera, podría decirse que hasta con cara de tipo ingenioso para medirse con un Artieda ausente —al sofista debían estarlo magullando ostensiblemente—, poniendo ese énfasis perfecto de las cosas desagradables que se dicen en voz baja, dijo el capitán:

—Así que este negro acaba de regresar de Angola. —Y, acto seguido, añadió—: Recuerden que a Ochoa acaban de fusilarlo y era el jefe de todos esos. En Cuba sabemos cómo tratar a los gusanos y los traidores.

Hizo una pausa reflexiva, teatral, y agregó:

—Ahora mismo —miraba a uno de sus subordinados, el de la cara de delincuente— prepara una buena carta explicando que fueron detenidos por hacer contrarrevolución, y envíala a la universidad, al CDR, a las organizaciones de masa, a los centros de trabajo y a todas partes donde puedan tenerlos controlados. Van a saber lo que es bueno estos mariconcitos.

Permítanme explicarles, señores del jurado, yo no hice contrarrevolución. Yo solo estaba pintando un parque. Es cierto que afeaba el ornado público y transgredía alguna pequeña ley, pero de eso a...

Sencillamente, una carta así podía tener imprevisibles y funestas consecuencias en un país como Cuba.

No viene al caso detallar cómo afectó a cada uno. Solo nos concentraremos en el Montal. Ah, nuestro poeta guerrero, que quería estudiar Medicina y estaba a punto de lograrlo. Que se había jugado el pellejo en Angola porque era el único camino para estudiar Medicina. Sin embargo, una carta como aquella enviada a la Comisión de Ingreso de la Universidad...

Gabinete de crisis

Nada de sorpresas. Ningún giro inesperado, ni siquiera un error en los servicios de correo postal o un cartero borracho que perdía el bolso de cartas. Ni mucho menos algún funcionario en la Comisión de Ingreso a la Universidad que fuese «de los nuestros», o sea, que estuviera harto de que cartas como aquella, ambiguas en cuanto a los hechos pero enfáticas en cuanto al anatema de contrarrevolucionario, le jodieran la vida a seres minúsculos molidos por una maquinaria que ni siquiera podían imaginar.

La carta llegó en tiempo y forma y Julio César Montalbán fue informado de que elementos contrarrevolucionarios, aunque hubiesen participado en misión internacionalista, no tenían cabida entre las filas de nuestros médicos. *Kaput. Finito.* Cuando el Montal recibió la noticia, ya tenía decidido qué iba a hacer porque solo podía hacer una cosa…, o dos. Asaltar al policía Desoto, matarlo y luego pegarse él un tiro. O algo menos heroico, más humillante, ¿qué? Por supuesto: pedirle ayuda al equipo Dr. Jekyll.

Pero había un significativo detalle: no tomaba contacto con sus «asesores» de la Seguridad del Estado desde unos meses antes de irse a Angola, hacía más de un año. Montalbán decidió aplicar la técnica del cubaneo, es decir, girovagar en torno a la casa residencial donde los compañeros solían reunirse con él.

Se trataba de una de esas mansiones republicanas «vacías» y que todo el mundo se pregunta qué función cumplen. Metida en una de calle impecable aledaña a Nuevo Vedado, con césped recortado y fachada tan pintadita que parecía pertenecer a otra Cuba. Se acercó dos veces sin ningún resultado. Al tercer día, la desesperación empezaba a hacerle pensar que debía haberse dejado matar en Angola, pero optó por agarrarse al alfiler ardiendo de ese absurdo refrán que alude a la tercera va la vencida y decidió plantarse ese jueves frente a la casa todo el tiempo que fuera necesario. O sea, como a la tercera va la vencida, iba a hacer que ese tercer intento durara por tiempo indefinido. Moriría allí de inanición, como si protagonizara una especie de huelga microscópica sin objetivo alguno, contra un patrón invertebrado gaseoso.

Cuando a las dos de la tarde las tripas empezaban a desafinar —concierto dodecafónico para hombre con hambre— ocurrió el milagro. El Montal vio que doblaban la esquina... ¿quiénes? Obvio: los padres pródigos, el gordo y el flaco, el mismísimo equipo Dr. Jekyll. Pero...

Punto y aparte.

Las casualidades siempre me han intrigado hasta provocarme veleidades místicas, y eso que soy ateo recalcitrante. ¿Cómo es posible que converjan en el espacio-tiempo dos acontecimientos cuya probabilidad de reunión es casi cero? Al grano: ¿Por qué el equipo Dr. Jekyll había decidido ese jueves del año 1989 presentarse en la casa republicana de los conciliábulos a las dos en sombra de la tarde? Hasta ese día no se me había ocurrido pensar que los agentes que me asesoraban podían ser los mismos que hacía un tiempo habían tomado contacto con el Montal. Pero volvamos a nuestro poeta guerrero, que tenía el corazón en un puño. El negrirubio vio cómo se acercaban, sonrosados y considerables, los dos agentes... y un tercer personajillo que, al principio, se negó a reconocer. En la corteza encefálica del Montal debió chisporrotear en aquel instante una alarma de sinapsis hirientes, interrogativas, contradictorias y profundamente entristecedoras. Porque ese jueves los agentes me habían dado cita a las dos de la tarde y, para colmo, habíamos coincidido una calle antes, cuando todos nos dirigíamos a la mansión de los conciliábulos. El Montal me reconoció, me miró con la boca descolgada —por algún retorcido motivo los agentes sonreían muy satisfechos— y solo atinó a decir «Ronaldo», no sé si en tono de pregunta o de anatema.

Evidentemente, llamarse Ronaldo, tener la forma de Ronaldo, ser la mismísima e innegable sustancia de mi identidad allí y entonces, era demasiado para la mansa franqueza y dignidad del Montal.

Los agentes le tendieron amistosas manos, vamos, las manos del triunfo:

—¡Julio César!

—¡Muchacho, qué gusto volver a verte! Sabíamos que estabas en Angola y habías regresado.

Claro, ustedes lo saben todo. Y yo... ¿Y yo? Lo miré hundido, apretado por dentro, levanté la mano que me pesaba como un leño húmedo y dije adiós. Solo eso. Pero sabía que el Montal no iba a perdonarme.

El diálogo que se desarrolló dentro de la casa es conjeturable, aunque hube de completarlo con la ulterior confidencia del Montal. El perplejo poeta guerrero comenzó por el orden del día, que había adquirido un repentino giro que no lo dejó ni siquiera terminar de sentarse antes de preguntar:

—¿Ronaldo trabaja para ustedes?

Y el Dr. Jekyll 1, siempre sonriendo:

—Chico, nosotros trabajamos con fuentes de información.

Y el Dr. Jekyll 2:

—Y jamás con una sola fuente; además, tú nunca nos has dado una información demasiado valiosa, que digamos.

Ya sentado, Montalbán volvió a preguntar:

—¿Y en el grupo hay más infiltrados?

Aquí uno de los agentes, digamos el Dr. Jekyll 2, que era ligeramente menos risueño, se puso muy serio:

—Mira, Julito, sabes que la palabra infiltrado no nos gusta, los compañeros que nos ayudan en nuestra misión no traicionan a nadie porque son fieles a la Revolución; los traidores son los otros.

El Dr. Jekyll 1 intervino:

—Pero sí. Respondiendo a tu pregunta, por suerte la Revolución puede contar con otros dentro de ese grupo.

Ay, Montal, por Dios, corrige el rumbo, comienza a hilar fino porque vienes a pedir uno de esos favores gordos, tan gordos que padecen una obesidad digna de infarto, y la conversación está tomando un camino de carrera de cien metros con obstáculos.

—Bueno —dijo el Dr. Jekyll 2, frotándose las manos estilo mosca en la cabecera de la mesa—, a qué debemos el honor de tu visita.

Montalbán les contó con ganas de llorar todo acerca del caluroso recibimiento y de las veleidades *psycho killer* del capitán Desoto, jefe de Acciones del municipio Plaza.

—Sí, estamos enterados de todo desde el primer momento. —*Of course*. El equipo Dr. Jekyll sabía que iban a pintar el parque de Paseo y 23 desde que Montalbán estaba en Angola. Y no porque yo lo chivara, ¿quién, entonces? *The answer, my friend, is blowing in the wind*.

Nuestro poeta guerrero arribó al punto crucial, al autentico y terrorífico orden del día de aquel jueves de 1989:

—No quieren aceptarme en la Universidad y necesito estudiar Medicina. —La voz se le quebró en un vergonzante puchero—: Me lo he ganado.

No te avergüences, Montal, te lo has ganado. Ese puchero no es debilidad, es dolor. Dolorcito puro y duro, de acero inoxidable. Como una catana que debería destripar a estos dos compañeros. Y servirme a mí para el *seppuku*.

El Dr. Jekyll 1 se puso de pie, dio la necesaria y cinematográfica vueltecita alrededor de la mesa, miró a su compinche en un diálogo silencioso que solo ellos entendían y emitió el veredicto. O sea, empezó con un largo rodeo en torno al veredicto. Explicó, en primer lugar, que la Revolución nunca abandona a sus hijos. Y que, a pesar de todo, ellos eran plenamente conscientes de que él era revolucionario —la cosa pintaba bien—, pero que, como él sabía, la carrera de Medicina representaba un gran esfuerzo para la patria: formar a nuestros médicos, que son los mejores del mundo, no es tarea fácil —ya la cosa no pintaba tan bien— y lo último que necesita el país es que, entre las filas de nuestros gloriosos médicos, hubiese elementos desafectos a la Revolución. Por tanto, Julio César —la pausa que sobrevino en este instante acabó con el Montal, lo dejó hecho un gorrión mojado y tembloroso posado en un cable de alta tensión—, vamos a ayudarte.

—Podrás estudiar Medicina, pero... —¿qué hay detrás de un «pero» emitido por un agente de la Seguridad del Estado? Paciencia, Montal, ya falta poco—... necesitamos de ti un compromiso.

—Necesitamos —dijo el otro— que te apartes de las malas influencias; ya que no estás dispuesto a colaborar con nosotros, al menos debemos tener la tranquilidad de que no vas a seguir formando parte de ese grupo disidente.

Desde el instante en que Montalbán había creído, hacía solo media hora, que yo era un delator, y tras la confirmación posterior —en boca del equipo Dr. Jekyll— de que en el Establo había otros que clamaban por la Revolución dentro de la Revolución y luego fungían de delatores, nuestro poeta guerrero había decidido alejarse del grupo. Cuando terminaba sus estudios preuniversitarios, no había conseguido el promedio suficiente en los exámenes de ingreso para estudiar Medicina por andar en esa parranda ininterrumpida que era el Establo. Luego había regresado de Angola con la certeza de poseer la carrera de Medicina, pero de pronto y sin saber cómo se vio pintando un parque con todo el Establo y un instante después apaleado en la Tercera Unidad de la PNR, con una carta —gracias a Artieda, que no se pudo quedar callado— que le había vuelto a arrebatar la carrera de Medicina. Y ahora tenía una tercera y última posibilidad, pero otra vez se interponía el Establo. ¿Sabes sumar dos más dos, Montal? *To be or not to be.* Solo que no siempre dos más dos son cuatro.

Rebobinemos:

—Necesitamos —dijo el agente— que te apartes de las malas influencias; ya que no estás dispuesto a colaborar con nosotros, al menos debemos tener la tranquilidad de que no vas a seguir formando parte de ese grupo disidente.

El Montal pareció no habérselo pensado dos veces. Con la misma voz quebrada con que una vez le dijo a su familia, trepada en la camioneta de Ramoncito para irse a los Estados Unidos, «Yo me quedo», les dijo a los agentes:

—No —y luego, con voz resolutiva—; no puedo hacer eso: va contra mis principios.

¡Montal, no dejes que los principios te impidan hacer lo correcto! Piensa en todas las vidas que vas a salvar cuando seas un médico brillante y sensible. ¿Acaso eso no es suficiente? ¿Crees que tu romántico Establo va a durar toda la vida? Pero si hasta habías decidido dejar el grupo. Ya sé lo que piensas: no se cede al chantaje, pase lo que pase. En fin...

La reunión terminó como suelen terminar estos lances en Cuba y en muchas otras partes: palmaditas en el hombro, piénsalo bien, si cambias de idea nos avisas.

—Reflexiona y da el paso —le dijeron a modo de despedida—: la Revolución te necesita.

Entonces, ¿consiguió por fin estudiar Medicina? ¿Dio «el paso»? Una semana después se apareció en el Establo. Leyó sus magníficos poemas escritos en Angola, alzamos las copas —los vasos de plástico o el pico de sucesivas botellas— y brindamos por el sol, la libertad, el mar y la perestroika. Montalbán no me miraba, o si lo hacía yo no me enteraba porque tampoco me atrevía a mirarlo a los ojos. Hasta que, al final de la noche —por supuesto, borrachos—, hicimos nuestro aparte en el mismo muro del malecón en que un año atrás habíamos aludido a la Seguridad del Estado.

—No me lo puedo creer —comenzó diciendo—: tú...

—¿Y tú? —Yo estaba tan nervioso que prefería que el Montal me diera una paliza—: ¿Crees que puedes lanzar la primera piedra?

Se notaba que ya tenía más o menos pensado lo que iba a decirme.

—Lo peor para mí no es que hayas caído en eso, hasta lo puedo entender. Lo peor es que te hayas callado como una perra cuando yo te confesé lo mío.

Eso también me lo esperaba.

—Hace muchos años que estoy metido en esto, compadre —le dije—, y cuando entras no es fácil salir. —Lo miré despacio, ¿se puede mirar así?—. Pero los del grupo son mis amigos, y nunca he delatado a nadie.

—¡Yo tampoco! Yo hice lo mínimo y nunca delaté a nadie, ni siquiera les prometí...

Así estuvimos un rato. La Seguridad del Estado es un fantasma que recorre el mundo, tu mundo. Cada cual empobrecía todo lo posible su *curriculum* de amistades peligrosas. Aquello se parecía más a un *ridiculum vitae*. El aire tibio del malecón era una esponja que ralentizaba nuestras voces haciendo que sonaran irreales. Qué irreal puede ser este país, pensé. Miré a nuestras espaldas los edificios despintados, la triste Habana ajada, violada por todos sus agujeros asfixiantes. Había llegado el momento de la pregunta del millón.

—¿Qué vas a hacer, Montal, se lo vas a contar a los otros...? ¿Les dirás que acepto hablar con la Seguridad?

También parecía tener preparada la Respuesta. Me dijo, mirando esta vez el reflejo de una alta bombilla sobre el agua:

—Voy a dejar que seas tú quien lo haga. Pero si no, claro que les voy a decir.

—Y cuando te pregunten cómo lo sabes, ¿qué les vas a decir, Montal?

—La verdad de mi historia.

Estuvimos callados todo el tiempo del mundo. Un silencio plomizo, penitenciario, alimentado del pequeño y sucesivo ulular de las olas. Las mismas olas que bañaban las playas de la Florida, el mismo mar donde los tiburones se comían a los balseros.

—Está bien —le dije alejándome—, pero que no sea hoy. Míralos qué contentos están.

El grupo cantaba, en torno a la guitarra del Fuelle y a grito pelado, una intensa canción de Frank Delgado: *La otra orilla*.

Apocalipsis now

Cuando algo se muere, conviene urdir un luto acorde con la magnitud de la defunción. El luto otorga tiempo para asimilar que las cosas, a partir de ese punto, tendrán otro color. El luto a veces consigue que la circunstancia de la pérdida no sea un punto rotundo, sino una bisagra. Esa noche, al despedirnos, les informé a mis entrañables borrachos que teníamos que reunirnos todo el grupo cuanto antes «para hablar una cosa seria». Y empezó mi luto secreto.

Cuando dos días después fuimos juntándonos en el parque de Paseo y 23 —habían intentado tapar nuestros garabatos con una áspera pátina de cal, pero el desaguisado insistía en regresar con todos sus colores—, sabía que sería mi última vez con el Establo.

Montalbán llegó cargando una mochila de silencio hirviendo. Se sentó en un lugar alejado del círculo y escuchó mis graduales confidencias de amigo de la Seguridad del Estado.

—¡Eres un cabrón hijo de puta! —dijo Carla, siempre tan entusiasta.

—Compadre —analizó el Fuelle—, tenías que habérnoslo dicho desde el primer momento, habrías hecho el doble juego y nosotros tranquilos.

Luego fue creciendo un barullo donde cada cual expresaba su punto de vista. Dentro de la maraña, insultante o argumentativa, un ala radical proponía poco menos que un lin-chamiento, otros hacían bromas y hubo hasta quien dijo que lo sospechaba desde hacía mucho tiempo. Artieda, que había permanecido más callado que un banco del parque, alzó su voz cavernosa con cierto tono de sorna y simplemente dijo:

—Bróder, yo igual te quiero.

—Eso —se apuró en decir el Yoyo, con su huevo tan col-gante como siempre y más sentimental que nunca—, yo pien-so lo mismo: si has sido informante o no, ese es tu problema, yo también te quiero.

Si seguíamos así, la cosa iba a terminar en uno de los llan-tos y besuqueos más amanerados de los anales de la historia de Cuba. No sé si la intención de Artieda había sido desviar el cauce en esa benévola dirección rosa, o si, como solía hacer, habló por hablar, por posar de cínico. Pero el caso es que todo el mundo empezó a estar de acuerdo con que yo siguiera en el grupo. La conclusión fue que el Establo no tenía nada que ocultar, que si había otros informantes infiltrados —cosa que to-dos sospechaban—, eso era asunto de los implicados y de sus respectivas conciencias.

—Lo que quieren —intervino el Fuelle— es dividirnos, que no estemos seguros de nadie, sembrar la absoluta desconfian-za. El principal propósito de esa gente es que dejemos de ser un grupo y, si no confiamos los unos en los otros, ¿para qué seguir siendo un grupo?

En aquellos días yo acababa de ver una película titulada *La isla de Pascalí*. Pascalí era un informante, vivía en una isla del Egeo y colaboraba con el Imperio otomano. Tanto delata y traiciona que, por su culpa, termina muriendo aplastada bajo una estatua de mármol una mujer hermosa que era su amiga. Hacía el final de la película, Pascalí tiene una revelación. Sue-ña que entra en el recinto a donde dirigía sus cartas delatoras, un enorme edificio de estirpe kafkiana nutrido de anaqueles y archivos gigantes. En la penumbra de su búsqueda, se derrumban sobre él miles de cartas e informes: sus propias insidiosas cartas sin abrir. ¿Por qué nadie las había leído? Pascalí comprende que el fin de sus informes no es una acción práctica, ni siquiera un destinatario. Sus denuncias eran una finalidad sin fin, un perverso círculo cuyo principal propósito era mantenerlo ocupado como delator, hacer de él un traidor solitario, un perpetuo cultivador de la desconfianza en medio de su entorno.

Terminamos —¿cómo?— borrachos a las cinco de la madrugada cantando en el malecón. Qué otra cosa podía hacerse sino prometernos amor eterno, abrazarnos, cantar y hablar otra vez de la perestroika y de cómo haríamos para, una vez iniciado el irreversible proceso de cambios en Cuba, evitar la entrada carroñera de los gusanos de Miami.

A finales de 1989 parecía que la cosa iba en serio. Pero, con el tiempo y una miradita más o menos adulta, uno puede cambiar de perspectiva: todo fue una fiesta (un sueño). La típica fiesta llena de drogas euforizantes, *rock,* alcohol y otra vez a llamar al *dealer* para que trajese más drogas. A finales de 1989 ya estaba amaneciendo y nosotros insistíamos en cerrar las ventanas de toda la casa, las ventanas de todas y cada una de nuestras cabezas, para que siguiera la fiesta y la noche. *The show, our show, must go on.* Pero fuera amanecía un sol inclemente (o sobrevenían las tinieblas, que es lo mismo en este caso). Y comenzaron los rumores.

El primero fue que iban a regular el consumo del pan y los huevos. Casi nadie en la ciudad se lo tomó en serio hasta que apareció el primer cartel en todas las bodegas, previa información en el telediario, de que cada familia contaría solo con un pequeño pan diario y con cuatro o cinco huevos a la quincena. Redujeron drásticamente la cuota de arroz. Desapareció la carne, todo tipo de carne. La leche fue estrictamente normada, con derecho a consumo solo hasta los seis años de edad. ¿Qué está pasando, bróder? Se derrumba el campo socialista, desaparece el CAME, ya la Unión Soviética no va a mantener más al hijo bobo que es Cuba. Las tinieblas, bróder, las tinieblas y no otra cosa.

—Yo lo advertí —decía Artieda con toda su santa paciencia—, aquí no va a haber perestroika ni un carajo, lo que va a haber es tremenda hambre.

¿Las tinieblas y no otra cosa? Para gente como Montalbán fue más bien lo contrario. Sintió —o mejor, comenzó a intuir sin quererlo— que hasta ese año 1989 había vivido entre tinieblas, flotando en un sueño patriótico-socialista-lleno-de-optimismo, inmune a las críticas radicales, pero de pronto se abría una ventana que lo despertaba de mala manera y hacía que la luz dejase distinguir el feo contorno de las cosas: la casa estaba llena de basura. No obstante, cuando se ha dormido y soñado tan profundamente como lo había hecho el Montal, no se despierta de golpe: el cuerpo se resiste, los ojos se achinan, la luz encandila. Montalbán se arrebujaba entre sus sábanas revolucionarias e insistía en apretar los ojos. Y tomaba su Valium: la culpa de todo la tiene el Imperialismo.

La gente comenzó a desesperarse cuando las cafeterías dejaron de vender hasta pan con aceite y el hambre se fue instaurando como el pan de cada día. ¿Cómo era el hambre en Cuba? Es complicado de explicar. Cuando uno le habla a esos tíos progres del primer mundo europeo, gente de izquierdas que militó contra Franco o que incurrió en Mayo del 68, o a sus hijos neomaoístas o anarquistas o trotskistas o indignados, sobre nuestra hambre cubana de cada día, enseguida te salen con el hambre de Somalia, de Bolivia o del Congo, eso sí que es hambre… y moscas. Cuba es su sueño, aunque sea la pesadilla de tantos cubanos. He aquí el tono panfletario con que cualquier miembro del Establo —a excepción del Montal, que toma Valium— argumentaría su postura:

¿Y a nosotros, adolescentes tardíos nacidos con la Revolución, con el CAME y con el paraíso soviético que iba a realizarse sobre la faz de la tierra, qué coño nos importa el Congo? ¿Y nuestros padres para qué hicieron la Revolución, y por qué murió tanta gente, y por qué nos prometieron tantas cosas? Si uno recibe una herencia es para reinvertirla o despilfarrarla, pero mantenerla intacta, intocada, es, como poco, aburrido. Si nos ponemos serios, sociológicos y económicamente rigurosos, la perdiz se puede marear hasta que cante como un loro. Pero el hambre es el hambre. Es cada madre de familia de todo un país chancleteando el barrio desde las siete de la mañana a ver si consigue unas yucas, o unos plátanos, o unos huevos y dos dedos de aceite para poner un plato sobre la mesa. Una cosa es hacer esto en una aldea de tierra del altiplano andino o en una sabana de África y otra en la Ciudad de La Habana, capital de la primera Revolución socialista de América. Y Cuba nunca fue un país de tribus de negros que se mataban entre indecibles padecimientos, ni un país andino devastado por los españoles y con un clima de infierno. Cuba fue la perla del Caribe a pesar de Batista y de todos los delincuentes de principios de siglo XX. Dejen el Congo en África y a Bolivia en el Ande profundo sin mar y con su lago Titicaca. Firmado: el Establo.

Desaparecieron el ron y los cigarros, golpe rotundo para el Establo. Recuerdo a varios de los más aguerridos recogiendo colillas a las cuatro de la madrugada en una parada de autobús para empalmar una con otra hasta conseguir un cigarro largo como tres cigarros que rotara entre ocho manos.

Cuando algo se muere, conviene urdir un luto acorde con la magnitud de la defunción. Pero los años noventa en Cuba no dieron tiempo a ponerse el traje negro y encargar un ataúd. Al Estado de bienestar cubano, ya de por sí bastante pobre, le dio un infarto masivo. ¿Cómo era ese «Estado de bienestar preperestroika»? Una libreta de racionamiento con los alimentos estrictamente normados; la circulación de divisas era penada por la ley; nunca hubo la más mínima libertad de expresión, pero sí muchos apagones; el transporte siempre fue un infierno; los niños compraban juguetes solo una vez al año, el llamado «día de los juguetes», y también de manera regulada... Aparte de esto, existía cierto «Estado de bienestar». Y punto.

En 1990 el Comandante se levantó un día en la mañana y decretó el Periodo Especial. ¿Y eso qué era? A la gente el término «especial» no acababa de sonarle a cosa terrorífica, pero el Comandante y los medios de comunicación empezaron a repetir a todas horas que el país estaba a punto de atravesar el momento más crítico de su historia revolucionaria, que se hacía un llamado general al sacrificio, a demostrar que resistiríamos al precio que fuese necesario. Fidel, que un mes antes terminaba todos sus discursos diciendo «Patria o muerte, venceremos», cambió el eslogan por el de «Socialismo o muerte». Seríamos el último faro del socialismo en el mundo, así, tan plataneramente en medio del Caribe.

Empezó a circular uno de esos chistes que tanto les gusta a los cubanos, especialmente en los peores momentos, y luego revientan en carcajadas y se regocijan y más carcajadas y hasta improvisan metacomentarios como «Qué alegres somos los cubanos, si hasta nos reímos de nuestra desgracia», o «Gracias a eso podemos salir adelante» y, sobre todo, «Nadie en el mundo se divierte tanto como nosotros». Tan orgullosos. Y los turistas llegan y se emocionan y son felices ante ese pueblo tan alegre y sonriente a pesar del bloqueo imperialista. Tremendos imbéciles —los alegres cubanos y cierta especie de turistas—, o quizá los imbéciles eran todos y cada uno de los miembros del Establo a los que no les hacía ninguna gracia lo que estaba pasando. No obstante, en el grupo fue repetido el famoso chiste: Fidel Castro, en la plaza de la Revolución, pronuncia un largo discurso —valga la redundancia— en el cual va informando de cada una de las medidas que se iban a tomar en el terrorífico Periodo Especial: «El pan será rebajado a uno diario, no tendremos más que cuatro huevos al mes por persona, nada de pollo ni carne de ningún tipo…», y un grupúsculo al fondo de la plaza comienza a gritar: «¡Trabajaremos más!». El Comandante sigue: «Ya no habrá leche ni papel higiénico, ni fósforos ni jabón para bañarse, ni detergente…», y el grupúsculo interrumpe: «¡Trabajaremos más!». Y continúan las aterradoras noticias: «No habrá combustible y apenas tendremos transporte y los apagones diarios serán de más de seis horas». Y el grupúsculo: «¡Trabajaremos más!». Entonces Fidel, sobrecogido ante tal espíritu de sacrificio, le pregunta a uno de sus asesores: «¿Quiénes son esos héroes del trabajo?». El hombre le responde temblando: «Comandante, ese es el gremio de los servicios funerarios».

Aparecieron manadas de perros callejeros devorados por la sarna y las legiones de gatos desaparecieron de los tejados. A los gatos la gente empezó a comérselos, y arrojaban sus perros a las calles porque no tenían con qué alimentarlos y no podían convertirse en alimento humano. Y como la recogida de basura se hacía complicada a causa de la escasez de combustible, comenzaron a aparecer enormes lomas de basuras y moscas en todas las esquinas, y los perros neocallejeros se encargaban de revolver y esparcir la mierda.

Cuando despuntó el año 1991, ya se había instaurado en todo su apogeo el Periodo Especial, el chiste se había hecho realidad y alguna gente empezó a preguntarse una cosa: ¿Cómo es posible que nuestros dirigentes hayan estado todos estos años dejando que el país dependiera de los soviéticos, sin aprovechar precisamente esa prolongada subvención del campo socialista para crear alternativas económicas autónomas? Alguien, dentro de Cuba, tiene que responsabilizarse de toda esta chapuza. ¿Quién? *Stop*. El Montal, a pesar del Valium, también se hacía tímidamente la pregunta, pero sin querer llegar a una respuesta.

El gobierno, siempre tan previsor, comenzó a hablar de algo fantástico, una cosa que le encantaba escuchar a los negros tribales del barrio de Buenavista y le ponía los pelos de punta a la gente común que gustaba de una vida más o menos privada en torno al núcleo del hogar y la familia. La llamada «opción cero» del Periodo Especial. Porque el armagedónico periodo no iba a ser una depresión económica estable. No, compañero. Murphy siempre acecha en Cuba: las cosas pueden ir a peor, vamos, cuesta abajo en su rodada, según el tango. La «opción cero» consistía en ese momento maravilloso, ese día dignísimo y heroico en que le demostraríamos al mundo que otra cosa no teníamos, pero espíritu de sacrificio sí, en montañosos, inagotables yacimientos. Cuando ya no quedara ni un pan viejo para asignar cada mañana, el gobierno, a través de los CDR y las organizaciones de masas, tenía prevista una brillante solución: las ollas colectivas. O sea, en cada calle, en el democrático suelo de la acera e incluso cerca de la loma de basura, pondrían un poco de leña y una gigantesca olla para llenarla de agua y echarle dentro algunos tubérculos, un par de orejas de puerco y unos pocos kilos de arroz, y hala, a hacer una cola todos en el barrio con un cuenco para comer una vez al día. Escuché hablar de aburguesadas señoras de la tercera edad a las que le dio un infarto al imaginarse entre todos los mulatos del barrio en torno a una hoguera.

El Montal no podía reírse, pero ya no me atreví a preguntarle el motivo. Conjeturé que era triple: no iba a estudiar Medicina, el Establo empezaba a dejar de ser el Establo y el país estaba en pleno Armagedón insular socialista. El día del cumpleaños de Carla, en que habíamos urdido una de esas fiestas a puerta cerrada y balcón abierto en su casa de Alta Habana que amenazaba con durar tres días, los cófrades empezaron a preguntarse por qué el Montal no había venido.

Luego comenzó a aparecer en el grupo, cabeceando como una especie oscura y grande de perro apaleado. Hasta que un día dejamos de ver su pelo amarillento. El pelo y todo lo demás, que hasta dejamos de tener noticias suyas en exposiciones, lecturas, ciclos de cine y conciertos. Y también dejamos de tener noticias de las exposiciones, lecturas, ciclos de cine y conciertos porque en pleno Periodo Especial las cosas dejaron de ser especiales: fueron ingresando al ciclo del hambre que lo devoraba todo, hasta las ganas de divertirse. Además, el gobierno no se podía permitir el aire acondicionado en los cines, ni las largas tandas de proyección, ni tampoco los conciertos y galerías donde la gente solía reunirse a protestar.

¡Ni la publicación de libros! Un día me llamaron de la UNEAC (gremio nacional de escritores) para explicarme que mi libro premiado en el concurso David no iba a publicarse hasta nuevo aviso porque en Cuba ya no había papel. Por supuesto, me palmearon los hombros y dijeron algo así como que a la primera oportunidad, en cuanto cortaran un par de árboles y lo hicieran legajos, lo publicaban. Poco a poco fui enterándome de que en esta sequía papelera de inedición forzada entraban otros muchos libros de colegas; casualmente eran libros críticos, conflictivos, casi perestroikanos. Y casualmente los libros de los funcionarios escritores que explicaban que no había papel se seguían publicando. A esto se le llamó, dentro del Establo, la neocensura enmascarada en el Periodo Especial.

Y ¿quién mató al Establo? ¿Es verdad eso que decía Guillermo de Occam de que «la palabra es la cosa»? Yo seguí yendo al grupo pero ya no era lo mismo, y de pronto un día me di cuenta de que ya no se autodenominaban el Establo, sino «el grupo», a secas. La palabra es la cosa. Y el Establo fue derivando en una cosa sin identidad onomástica. Sería pretencioso achacarme todo el triste mérito de la lenta desintegración del Establo. Pero aunque Artieda y Yoyo y luego todos decidieron que iban a seguir queriéndome, ya no me miraban con esos ojos teñidos de rosa enamorado, ni con esos ojos transparentes de cuarzo fraterno, ni se miraban entre sí con esos ojos rojos de lucha y camaradería y barricadas. La famosa confianza a prueba de traidores sufrió una de esas grietas que hacen de cualquier espejo un cristal peligroso, a punto de quebrarse y desfigurar los rostros. Pero el Establo también murió de viejo, y de Periodo Especial, junto con todo lo demás en la Cuba de los noventa.

Un día en que solo quedábamos sobre el muro del malecón el Fuelle, Montalbán, Artieda y yo, estirando media botella de alcohol de noventa grados mezclado con agua y jugo de limón (el ron había desaparecido del país) a las tres de la madrugada, Artieda dijo:

—Chamas, en este país no se puede cambiar nada porque ya todo ha cambiado. Ya no existe la Revolución, solo que la gente no se da cuenta.

Esa fue la última vez que el Montal estuvo en el grupo. Pareció despertar de su marasmo de oso negro en hibernación, miró muy serio a Artieda, y le dijo:

—Si no existe la Revolución, ¿qué queda, qué es todo esto?

Artieda puso exactamente la cara de quien se sienta a la mesa de un fastuoso banquete, pero que ya se ha atragantado de mala comida, y le dijo:

—¿Qué es todo esto? Un montón de viejos que dirigen el país, que la han cagado y que van a mantenerse en el poder a toda costa.

Por un momento creí que el Montal iba a regresar a su verbo pugilista. Cruzó por sus ojos un relámpago milimétrico de ideas, pero luego pareció apagarse. Preguntó cansado, sin mirar a Artieda, sino al mar negro que parecía aceite:

—¿Y cuál es la solución?

Artieda no lo dudó un instante. Recitó sin énfasis:

—Yo me piro. A la primera oportunidad, me voy de este país.

Esa fue la primera vez que en el grupo se habló de huir de la isla. Nunca nadie había aceptado ese tópico, pero de pronto, al escucharlo tan sencillamente planteado, pasándonos la última colilla de cigarro que habíamos recogido en la calle, comprendimos que huir de Cuba no era malo. Era posible.

En esos meses en que despuntó el año 1990, muchos artistas, intelectuales, peludos, faranduleros e inconformes pensaron —sintieron— exactamente lo mismo. El primer gremio que puso mar de por medio fue el de los pintores vanguardistas que asolaban galerías, debates, calles y parques. Nuestros colegas del grupo Arte Calle se fueron quedando en México con la galerista Nina Menocal. Otros amigos pintores empezaron a exiliarse en Alemania y el resto de Europa cuando los invitaba el coleccionista Peter Ludwig, alias *el Chocolatero*. Y un mal día nos enteramos de que el grupo de trovadores aguerridos con quienes solíamos infligir las «establadas» en la casa de la cultura de 13 y 8, del Vedado, se habían ido a Madrid. El gobierno ponía en práctica una política cultural de apertura y flexibilidad migratoria sin precedentes para los artistas. ¡Consiga un *marchand* que le compre un pasaje! ¡La Revolución por fin deja que sus artistas, gente cosmopolita y mundana, se largue a cualquier parte del mundo! Era mejor que los más recalcitrantes especímenes de la movida de los ochenta tuvieran que agradecerle a las instituciones cubanas el permiso de residencia en el extranjero —total, estaban de muy mal humor dentro de la isla— y se quedaran por allá tranquilitos, sin montar jaleos en el patio, que el horno no estaba para bollos. Todos los chilenos y descendientes de la vieja izquierda latinoamericana que merodeaban por el grupo también regresaron a sus países. Ya la fiesta revolucionaria cubana no les hacía ninguna gracia y en Chile sus familiares salían de las cárceles y se instauraba la democracia.

En cuanto el Montal decidió no asomar más la nariz por el agonizante Establo ni por ningún otro sitio, se me ocurrió hacer una jugada temeraria. La Seguridad del Estado es un fantasma que recorre el mundo, tu mundo. Y aunque a esas alturas solo me quedaban ganas de ahuyentar fantasmas, decidí convocar una vez más al equipo Dr. Jekyll para hacer lo que tenía que hacer.

La última palabra

Eran el equipo Dr. Jekyll, eso se sabe. Pero ya es hora de abrirles expediente: uno se llamaba Armando Gómez, y estaba sentado a mi izquierda con su prominente barriga disputándole a la mesa la idea misma de espacio. Edad: 38 años. Estado civil: soltero. Cantante favorito: Roberto Carlos. Su corazón tenía dos ventrículos (derecho e izquierdo), una válvula bicúspide y otra tricúspide, un conjunto de válvulas semilunares y el septo. El otro agente era el teniente Arturo, a secas, y se sentaba como un rey Arturo siempre a la cabecera de cualquier mesa. Edad: 51 años. Estado civil: casado, y con dos hijos. Cantante favorito: ninguno, le gusta Richard Clayderman, que no canta, y Stevie Wonder porque es ciego, pero no por lo que canta. A veces parece que no tiene corazón.

Cuando aquella última mañana estuvimos indisolublemente ligados en torno a la mesa de los conciliábulos, les dije:

—Tienen que ayudar a Montalbán a estudiar Medicina, no es justo que por pintar un parque…

Tenía preparada una larga perorata, un chachareo cívico revolucionario capaz de llenar la mansión, detener los relojes y escurrirse por debajo de la puerta hasta cubrir toda la calle. Pero me detuve en medio de la frase, sentí que ya lo había dicho todo. No tenía nada que perder, en todo caso iba a intentar que aquellos dos hombres, que tanto creían en su trabajo y ponían a la Revolución a la cabecera de cada una de sus frases, se vieran ante la posibilidad de comportarse como otro tipo de personas. ¿Ya lo había dicho todo? Me faltaba lo principal:

—Montalbán ya no va por el grupo; si eso era lo que les preocupa, ya no está bajo las influencias del Establo.

El teniente Arturo jugueteó con un bolígrafo entre los dedos, me miró por encima de sus gafas taxidérmicas y me dijo:

—Ya lo sabemos. La última vez que se apareció en el Establo fue aquella madrugada en que Artieda dijo que Cuba era un país gobernado por viejos, que iban a mantenerse en el poder a toda costa, y que él se iba a la primera oportunidad.

La gente, cuando se asusta, dice que el corazón «se le sale por la boca». Lo que yo sentí en ese momento fue otra cosa. ¿Puede el corazón saltar del pecho, trepar a través del cuello e instalarse en el cerebro? El corazón comenzó a latirme dentro del cráneo como si se tratara de un sapo al que habían embadurnado en sal. De pronto me di cuenta de que aquella madrugada solo estábamos en el malecón el disidente Artieda, el líder Fuelle, la víctima Montalbán y un servidor. Mi cerebro, el corazón de mi cerebro dio cien vueltas en cinco segundos pasando revista a cada uno de mis amigos y preguntándome quién coño había repetido aquello que dijo Artieda. Pasé por encima del Montal sin detenerme y la aguja comenzó a oscilar entre el propio Artieda y el Fuelle. Nada tenía sentido. Miré al equipo Dr. Jekyll y, por primera vez, comprendí que siempre habían sido, también, el equipo Mr. Hyde. En sus cuatro ojos, que eran un solo ojo de buey, leí que si les preguntaba iban a decirme quién era el informante. Se morían de ganas. Y yo, por supuesto, no quería enterarme.

—¿Van a ayudar a Montalbán?

—Por supuesto —dijo el magnánimo caballero de la mesa cuadrada, Arturo el bueno, con el bolígrafo viboréandole entre los dedos—, siempre supimos que la Revolución podía contar con jóvenes como Julio César. Y como tú.

Eso fue todo.

Un día indeterminado Montalbán recibió una carta de la Comisión de Ingreso a la Universidad que le informaba de que tenía que presentarse inmediatamente para rellenar sus datos y completar su matrícula.

Lo imagino tumbado en la cama mirando al techo, sobre ese mismo colchón donde tantas veces había espiado a su tía Erlinda mientras leía *Madame Bovary*. El Montal lleva una semana tomando agua con azúcar, comiendo plátanos hervidos y regresando a la cama en semipenumbra con más ganas de morirse que cuando estaba en Angola. Se ha convertido en el capitán Willard de *Apocalypse now* cuando, al inicio de la película, su vista permanece enredada entre las aspas de un ventilador de techo en un lóbrego cuartucho de Saigón. Entonces… llaman a su puerta. Dos veces. Por supuesto, el cartero. Montalbán arrastra su negra anatomía, entreabre, mira al tipo con su andrajoso uniforme de cartero y piensa en su aborrecida familia de Miami, que seguro le ha escrito. Entonces recibe un sobre sellado con el membrete de la Universidad de La Habana…

El vacío

Seis meses después Montalbán lleva cinco meses asistiendo a su primer año de estudios en la Facultad de Medicina... Ah, ¿casi lo olvido?: cuando abrió el sobre y leyó la carta en que le informaban de que tenía que presentarse con urgencia para completar su matrícula, se puso a llorar y pensó que la Revolución otra vez le había salvado la vida.

Hagamos ahora un arco, una gran elipsis donde vemos al doctor Julio César Montalbán, graduado con honores, trabajando desde hace varios meses como médico residente en el hospital oncológico del Vedado gracias a la Revolución, que le ha salvado dos veces la vida, y para ella. Estamos en esa mañana en que acaba de tomar la decisión de no volver a salir nunca más de su casa, en el barrio de Buenavista. ¿Qué significa no volver a salir de su casa? Sin saber muy bien por qué, sin ni siquiera planteárselo en palabras, ha renunciado a regresar al hospital y a seguir siendo médico. ¿Se puede dejar de ser médico? Es una pregunta contaminada de literatura, simple y llanamente. La pregunta necesaria es: ¿Cómo llega Julio César Montalbán, joven médico revolucionario de vocación medular, a colgar los hábitos?

La primera vez que Montalbán vio un muerto de hospital —ya había visto los repentinos muertos de la guerra— supo que aquello era lo suyo. Mientras el resto de los estudiantes de Medicina tartamudeaban con manos y bocas tapadas diseccionando cadáveres, el estudiante Julio César entraba y salía del cuerpo humano como un emperador en Roma. Sus cortes eran precisos, los nombres de cada cable, fuelle, generador, interruptor, envoltorio, filtro o manivela se le quedaban pegados a la memoria de manera instantánea e indeleble. Montal el memorioso. Montal el laborioso. Y los maestros lo respetaban más que a ningún otro pardillo.

Desde su primer año de estudios, Montalbán comenzó a observar que la salud pública en Cuba se había enfermado. Los síntomas eran indudables. No eran necesarios los análisis de sangre ni las resonancias magnéticas ni los cultivos de células, con solo colocarle un estetoscopio al pecho de la salud pública cubana, auscultando su corazón y sus pulmones, se escuchaban unos ruiditos muy sospechosos. El diagnóstico no auguraba nada bueno. ¡Ah, qué especial era el Periodo Especial!

Al principio Montalbán puso en duda sus propios recuerdos. Desde la estatura del niño que había sido, trató de recrear aquellos recintos inmaculadamente blancos de su infancia hospitalizada. Los médicos que eran sacerdotes con sus termómetros-varitas mágicas, sus credenciales colgadas a las imponentes batas blancas. El blanco mundo de los hospitales en Cuba. ¿Había sido realmente así mientras acompañaba a su negra tía Erlinda, o acaso se trataba de una constatación mágica desde la estatura de un niño? Porque ahora los pasillos de los hospitales donde hacía sus prácticas cada vez estaban más sucios, las batas de los médicos más amarillentas y nunca había plástico para cubrir las credenciales. Un día, en el hospital Fructuoso Rodríguez, escuchó a una jefa de sala protestando porque ya no quedaban productos de limpieza ni detergente para lavar las sábanas de los enfermos.

—Me cago en Dios —dijo la enfermera jefa de sala—, entre que no llegan y que las empleadas se los roban, ya no tenemos con qué limpiar.

O sea, el suelo de los pasillos, las salas y los comedores se limpiaban solo con agua. Y toda la ropa, incluidos los uniformes, se lavaban solo con agua.

Montalbán observó que estaba ante un proceso degenerativo, paulatino y acelerado. Pero ¿irreversible? Siempre quedaba una esperanza, como con esos tumores que son detectados no demasiado tarde y cada nueva prueba confirma una mínima posibilidad. Tardó más de dos años en aceptar la irreversibilidad del proceso. Al principio, sus ojos solo querían ver la falta de logística como si fuesen síntomas temporales. Escaseaban los productos de limpieza, los productos de esterilización, los reactivos de laboratorio, los analgésicos avanzados, el instrumental quirúrgico, los equipos de análisis. Y luego los guantes de goma, el algodón, el alcohol, el éter, los termómetros, los estetoscopios, los aplicadores, la penicilina, los antibióticos, los sueros de dextrosa, los corticoides y hasta los uniformes de cirugía. Los médicos tenían que lidiar con dos frentes de batalla: el ejército de pacientes impacientes de cada día y la minuciosa escasez de recursos de todo tipo. El practicante Julio César decidió tomarse su analgésico secreto: se dijo que el Imperialismo yanqui estaba estrangulando uno de los baluartes de la Revolución cubana. Y, puesto que se trataba de escasez de recursos, ya llegarían los refuerzos tarde o temprano, los dirigentes del país harían algo al respecto. O sea, los síntomas de la enfermedad, aunque graves, eran reversibles.

Pero un día en que realizaba su consulta asesorado por uno de los médicos docentes, recibieron una extraña «circular» —así eran llamados los lineamientos que llegaban desde las instancias superiores del Ministerio de Salud Pública— en la que se orientaba a los médicos no recetar ciertos medicamentos. El documento tenía anexa una larga lista que incluía analgésicos avanzados, corticoides, vitaminas y casi todos los antibióticos de uso frecuente. ¿Por qué? No había ni que preguntarlo, aunque el minucioso documento lo aclaraba: eran medicamentos «en falta». Y si nuestros médicos los recetaban, el paciente luego no iba a encontrarlos en las farmacias. Montalbán, de pronto, sintió que acababan de incluirlo en algo de lo que no quería formar parte. ¿Cómo trabajar con las carencias más básicas? Para eso tenía una respuesta: con el alma. Con el más puro espíritu revolucionario. En momentos como aquellos era donde se ponía a prueba el temple de los verdaderos médicos de la patria. La contradicción afloraba cuando le pedían —¿le exigían?— a un médico, cuya única misión era curar a la gente, que de algún modo «engañara» a la gente. El único beneficiado con aquella circular era el propio Ministerio, que ponía en práctica aquella profilaxis ante el posible descontento de la gente por no encontrar los medicamentos recetados. Pero el analgésico del joven médico Montalbán servía para casi todo: la escasez era transitoria y culpa del Imperialismo.

El punto de inflexión ocurrió mientras hacía prácticas en el Hospital Nacional Docente Enrique Cabrera. Conoció a una secretaria que trabajaba en el propio hospital y que se llamaba Felipa Cerdá, que llevaba varios meses sin dormir porque una paciente que era su madre se debatía entre la vida y la muerte. La paciente, que se llamaba Trinidad Concepción, había sufrido una fractura de cadera común y, durante la misma noche en que se recuperaba de una casi rutinaria intervención quirúrgica, le habían suministrado un «suero de dextrosa» lleno de alcohol de noventa grados. No se trataba de un error médico, sino de que algún enfermero o médico intentaba robar un poco de alcohol para prepararse unos traguitos con sus amigotes del barrio y, por algún motivo, dejó olvidado su falso suero de dextrosa donde no debía.

Basta la comprobación de un hecho para percibir en el acto una serie de rasgos confirmatorios, antes insospechados. El joven médico Julio César Montalbán, de pronto y aun bajo los efectos de su analgésico secreto, observó que aquello no era un caso aislado. En los hospitales todo el mundo robaba. Los empleados de limpieza arramblaban con el detergente para uso propio o para venderlo en el barrio y, cuando no había detergente, se llevaban las sábanas y las fundas. El personal de enfermería robaba los alcoholes, las aspirinas, el algodón y las torundas para uso propio o para venderlos en el barrio. Los trabajadores de mantenimiento robaban los clavos, la pintura, los tornillos y hasta daban de baja algún aire acondicionado, todo para uso propio o para venderlo en el barrio.

Pero lo dolorosamente inadmisible, aquello que hizo que nuestro poeta guerrero y médico revolucionario Julio César pensara lo mismo que Hamlet, fue ir verificando lo que hacían los médicos. ¿Qué pensó Hamlet? Esto: en Dinamarca algo se pudre. ¿Qué hacían muchos médicos? Retenían los medicamentos que llegaban por donaciones internacionales y que escaseaban en las farmacias, y luego le sacaban provecho. El procedimiento era el siguiente: de acuerdo con la circular del Ministerio de Salud Pública, no le recetaban al paciente, digamos, un antibiótico especializado que era lo que necesitaba para curarse de una *Escherichia coli* que tenía alojada en los riñones. Pero simultáneamente le informaban al paciente de que aquello solo se curaba con tal antibiótico, y que era imposible encontrarlo en las farmacias del país. ¿Y entonces? Por la mente angustiada del paciente cruzaba una escena de plañideras y trámites funerarios. «Qué puedo hacer, doctor, por lo que más quiera.» «Muy sencillo —en un susurro—, yo tengo ese antibiótico y se lo vendo por el módico precio de cinco dóla-res.» El «módico precio» representaba la mitad de los ingresos mensuales, digamos, de un trabajador cubano promedio: cinco dólares. O sea, lo que podía ganar en un mes la secretaria Feli-pa, cuya madre se debatía entre la vida y la muerte, eran dos-cientos pesos: diez dólares, ni más ni menos.

El secreto analgésico de Montalbán servía para casi todo, pero no para todo, y empezó a dejar de surtir efecto. Pasó de «en Dinamarca algo se pudre» a «*to be or not to be*». ¿Dón-de estaban los médicos sacerdotes de la vieja escuela? Ahí, delante de sus narices todavía quedaban algunos, los que no se habían ido del país o jubilado, como fue el caso de su ami-go y maestro el doctor Pérez Solar.

Llevaba más de un año de prácticas con aquel médico de pelo moderadamente blanco, andares pausados y una sonrisa conmiserativa siempre dispuesta a calmarle los nervios a cual-quiera. El doctor Pérez Solar le decía que un buen médico es optimista hasta con los muertos, porque las cosas en medici-na muchas veces no son lo que parecen. Si se aprende algo del que acaba de morir, quizá ese muerto le salve la vida al próxi-mo paciente.

Una mañana, mientras Montalbán organizaba las agujas de sutura que acababan de llegar de esterilización, escuchó detrás del biombo que el doctor Pérez Solar le vendía una inexplicable caja de antibióticos a un paciente. Cuando el pa-ciente hubo salido, nuestro médico y poeta guerrero aún con-servaba la desesperada esperanza de haber escuchado mal, de que aquello fuese un malentendido. Y siguió aferrado a esta posibilidad cuando abrió la boca para decir lo inevitable:

—Doctor —siempre llamaba a su amigo y maestro por su nombre, ni siquiera por los dos apellidos que lo colocaban en su respetable jerarquía, pero esta vez quiso decirle «doctor»—, ¿le has vendido antibióticos ilegalmente a ese paciente?

El doctor Pérez Solar se descolgó del cuello el estetoscopio como si le pesara una tonelada, movió la cabeza mirando los papeles de su mesa y le respondió:

—Sí.

¿Solo eso? Sí, solo eso. El joven médico Julio César tenía ganas de llorar, pasaba en un instante de la tristeza más desolada e incrédula al impulso de golpear al viejo médico, y luego otra vez a la tristeza.

—¿Por qué?

Cuando su amigo empezó a hablar, Montalbán comprendió que el viejo médico se estaba muriendo de vergüenza y también él sintió vergüenza.

—Qué puedo decirte, muchacho —aquel «muchacho» también se alzaba entre ambos de la misma manera que el «doctor» de hacía unos segundos interpuesto por Montalbán—, hace un mes se me murió mi perro Lucas, el pastor alemán. Llevaba mucho tiempo comiendo solo unas cucharadas de rastrojo de arroz hervido y agua con azúcar. Estaba viejo, pero no para morirse; se murió de anemia, de hambre.

En cuanto Montalbán escuchó el primer enunciado sobre la muerte de Lucas presintió lo que seguía y se le llenaron los ojos de lágrimas. El resto de la explicación, sin más argumentos, solo hizo que su vergüenza aumentara como un insulto contra sí mismo. El viejo médico también estaba avergonzado y no se atrevía a mirarle a los ojos. Ni siquiera le miraba la punta de los zapatos, sino a una zona imprecisa de la pared. Luego agregó, con el tono de quien no espera convencer, como hablando consigo mismo:

—Los trescientos pesos que gano no me alcanzan para nada, una libra de carne de puerco, cuando la consigues, cuesta más de cien pesos. Y una caja de cigarros, también.

Montalbán todavía aguantó un mes en el hospital y luego, la mañana en que se cierra el arco de nuestra elipsis, decidió no volver a salir de su casa en el barrio de Buenavista. Como un autómata, levantó el teléfono y escuchó una voz de mujer asumiendo que aquel era el número de la farmacia y preguntando si tenían meprobamatos. Como un autómata dijo que sí y desde hace una semana tiene a Rebeca viviendo en su casa, con ganas de morirse porque su marido, el profesor Pedro, le ha sido infiel, y además está embarazada.

Ahora Anabela acaba de llamar a la puerta golpeando dos veces con la cabeza de león de bronce de la aldaba.

Abre Rebeca, y se habrían estado midiendo durante un tiempo imposible de abarcar en el movimiento de los astros de no ser porque Montalbán aparece tras el biombo del camisón de Rebeca para frustrar todo preámbulo:

—Tú debes ser...

—Anabela.

—Yo soy Montalbán.

—Déjala que pase —dice Rebeca, que no tiene la menor idea de que su marido, además de haber sido el amante de Anabela, ha muerto.

Ambas entienden que no hace falta estirar las manos para saludarse, ni estirar el momento de sentarse frente a frente en la sala. Sin embargo, una vez sentadas vuelven a medirse dentro del temor que posee, ante su inminente víctima, quien tiende una trampa. Mientras se alargan aquellos instantes de contemplación, Montalbán desaparece por el pasillo con la misión, asignada por Rebeca, de prepararles un cafecito.

—Y bien —escucha que Rebeca le dice a Anabela—, qué es lo que tienes que decirme después de tanto tiempo.

No supe de qué hablaron aquella tarde. Pero años despué.
me decidí a pedirle a Anabela que me contara el diálogo fundamental. Aun así, Anabela no quiso entrar en detalles porque prefería —usó estas palabras— el aire del olvido.

El diálogo se prolongó toda esa tarde con su noche, y los
dos días siguientes, respetando bloques de sueño en que nadie conseguía pegar ojo. Anabela tenía pensado evitar la frontalidad, recurrir a los meandros de alguna pregunta, algo del
estilo: ¿Sabes cómo te he localizado? Para de ahí hablar del profesor Pedro, que había sido su amante, y luego adentrarse en
territorio desconocido al anunciar que acababa de morir en un
accidente. Pero lo primero que salió de su boca fue la frase:
«Pedro ha muerto». Y ya que lo había dicho, le arrimó la información de que habían sido amantes y ella estaba enamorada y hundida.

Y terminó:

—La última vez que te vi, en la Lenin, me pasaba lo mismo: enamorada y hundida.

En ese momento Rebeca no dijo nada, pero un instante
después quiso golpear a Anabela. Y esa fue la primera vez en
que Montalbán tuvo que intervenir.

—¡Siempre has sido un bicho malo! ¡Puta…!

Pero Anabela estaba convencida de que nada de lo que hiciera o dijera Rebeca contra ella tenía sentido, porque de lo
que se trataba era de otra cosa.

—He venido aquí para que me dejes ayudarte a criar a ese
hijo cuando nazca.

Pero en aquellas circunstancias Rebeca no estaba dispuesta
a pensar en hijos ni en la madre que los iba a parir. Y empezó
el verdadero diálogo hipotecado desde hacía tantos años.

Anabela le dijo:

—Me dolió mucho cuando me expulsaron de la Lenin, me
volví loca, me ingresaron en un hospital psiquiátrico… Y nun-

…a más apareciste. Y que dijeras que si te delataba ibas a negarlo todo… ¡Yo estaba enamorada de ti!

Fue como si Rebeca olvidara a Pedro, recién nacido cadáver en su memoria. Todo el pasado fue regresando con un extraño sosiego, como una variable que había que despejar. Pero por momentos las abducía una desesperación que evitaban nombrar y que ambas sabían que era el amor a Pedro.

En el segundo día, Montalbán entró a la sala y dijo:

—Tienen que aparcar los rencores, parece una lluvia que les está cayendo encima.

Y Montalbán se fue quedando en el diálogo, esquinándose con matices, arbitraje, razonamientos, y a ninguna se le ocurrió pensar que era un intruso. Al cabo de otro día largo de silencios que parecían dunas, Montalbán hizo notar:

—Ya llevamos tres días encerrados en esta casa: quédense a vivir aquí, ninguna quiere volver a la isla. Haremos nuestro propio *incilio*.

En efecto, parecía que la conversación había mutado en un pretexto que nadie se atrevía a enfrentar: el hartazgo de la isla, el rechazo de todo lo que no fuese estar ahí hablando. Y se les ocurrió la disparatada idea de encerrarse a cal y canto en el viejo caserón del barrio de Buenavista y desconectar el teléfono. El hijo de Rebeca no tendría por qué nacer en un hospital cubano; esta vez alguien haría las cosas a su manera, nacería fuera de la isla, ahí dentro. Montalbán, como médico, estaba dispuesto a encargarse del parto.

—Pero, si ves que la cosa se complica —dijo Rebeca—, llamas a ese vecino tuyo, el guajiro Lombardo, y que nos lleve en su carro al hospital.

Entonces Anabela y Rebeca supieron que varias cosas irreversibles las unían: el hijo por venir, el amor por Pedro el muerto y la necesidad de olvidarlo.

Días después fui testigo del encierro, al que llamaban *incilio* porque un exilio siempre es hacia fuera. Me atreví a visitar a Montalbán y me encontré con la circunstancia de que vivía con dos mujeres que yo había conocido en la remota Lenin. Pensé en algo que había leído: al destino le gustan las simetrías y los leves anacronismos. Ellos eran la feliz simetría, yo el anacronismo.

Ritmo hesicástico[1]

---

[1] Término de origen griego, relativo a la búsqueda de la armonía, la quietud y la paz interior.

—Patricia —dijo el prohombre de letras en medio del salón donde nos firmaba sus libros—, dale el teléfono de casa para que nos llame y coordinemos una visita, quiero conversar con el amigo cubano.

El que iba a llamar era yo, Patricia era la mujer del prohombre y él era Mario Vargas Llosa. La casa a la que se refería quedaba en el flanco de un cerro gris frente al mar, en el distrito de Barranco, en Lima. Y, cuando dijo aquello, me imaginé contando las olas desde su terraza acristalada, para confirmar que hay cosas que, cuando están ocurriendo, desaparecen.

En esos días, todo me estaba ocurriendo dentro de la más estricta fuga. Por más que me empeñase en prever, la realidad me volteaba. Cada cosa era demasiado nueva para ser comprendida y, sin embargo, yo sabía que todo era definitivo. Hacía más de dos meses que había viajado de Cuba a Perú, invitado por la Universidad de San Marcos a dictar un seminario de arte latinoamericano, que quizá se prolongara toda la vida: tenía que decidir si regresaba a la isla o me exiliaba. No hacía más que pensar en aquella broma que circulaba en Cuba semanas antes de viajar: ¿Qué es un cuarteto de cuerda? Evidente: la orquesta sinfónica nacional después de una gira por el extranjero.

Y me fui de gira a Lima y prolongué el seminario durante tres meses, para ir haciendo tiempo y averiguar la mejor manera de exiliarme. El Ministerio de Cultura cubano —entidad encargada de controlarme— me había dado «permiso de salida» solo por tres meses. De modo que, o regresaba a la isla, o «me quedaba» en Lima. Quedarse, todo cubano lo sabe, es la manera de decir que uno ha desertado.

Transcurrieron los primeros meses en que no conseguí forrarme —como decían en Miami que ocurría en todo país capitalista—, pues sobrevivía gracias a Julio Villanueva Chang, amigo periodista que se convirtió en mi mentor y anfitrión, y a mi modesto sueldo de profesor sanmarquino. Entonces llegó ese día crítico en que no podía prolongar más mi fuga, me acerqué a un salón de actos donde Vargas Llosa conferenciaba y, blandiendo el tomo de sus obras completas donde figura *La ciudad y los perros,* le pedí que me firmara el ejemplar. ¿Eres escritor cubano? Y, sin dudarlo, le dijo a Patricia que me diera su teléfono para que les hiciese una visita a su casa de Barranco. Quería que habláramos de la isla. Él también estaba exiliado: era la primera vez que regresaba a Perú después de haberse establecido en Madrid, tras perder las elecciones a favor de Alberto Fujimori, el cuatrero japonés. Y regresaría a España dentro de tres días. Podría decirse con pompas literarias que nuestros caminos se cruzaban, si no fuera porque el suyo era un gran camino, la autopista de los grandes regresando a Europa, y el mío era un invisible trillo sobre la hierba silvestre para decidir si regresaba a Cuba o me plantaba en tierra peruana.

Hasta entonces no me había detenido a pensar lo mucho que se diferencia un viaje de un exilio: del viaje se regresa. Del exilio puede que no, o quizá sí, pero no se sabe cuándo y esto lo convierte en incertidumbre. ¿Me frenaría ese no saber cuándo a la hora de tomar mi decisión? ¿Estaba dispuesto a exiliarme, aunque mis padres se muriesen en la isla?

—No decidas nada hoy, compadre —me dijo Julio Villanueva—; espera a visitar a Vargas Llosa, solo para ganar
tiempo. —Y a continuación agregó, con su tosecita nerviosa—: ¿Le avisas de que un periodista admirador quiere ir
contigo?

Al día siguiente fuimos a la casa de Vargas Llosa, y un día
después Julio Villanueva publicó en el diario *El Comercio*
una crónica donde relató el encuentro, bajo el título de «Conversación sin catedral».

Julio trastea agendas, tarjeteros. Va de su cuarto a la sala,
agarra el teléfono inalámbrico y vuelve a encerrarse en su
cuarto. En aquella época los inalámbricos eran unos trastos
espaciales, último grito de la tecnología para agentes perio-
dísticos de primera línea de combate. Y Julio está hosco y se
encierra y habla por el auricular y apenas me habla. Todo el
día ha estado garuando, y ese sonido de la fina lluvia ampli-
fica el silencio de mi anfitrión. Ya no sé dónde meterme para
no cruzármelo.

—Compadre —por fin me dice aquella fría tarde en que estoy
decidido a no regresar nunca más a la isla—, tengo que darte una
mala noticia.

—Dispara —le digo aterrorizado, porque sé que mi amigo
es campeón mundial en quitarle hierro a todas las cosas del
mundo y en su advertencia de hace un instante hay toda una
siderúrgica.

—¿Te acuerdas de la crónica que publiqué ayer sobre tu
visita a Vargas Llosa? —Me dan ganas de decirle que no, que
ya se me ha olvidado, pero prefiero tragarme la broma y
asentir porque sé que está dando rodeos antes de soltar lo
que tiene que decirme—: Resulta que la agencia France Presse de Lima publicó un cable con este titular.

Me alcanza una hoja impresa y leo: «Escritor cubano se reúne con Mario Vargas Llosa para criticar el régimen de Fidel Castro».

—Y lo peor —continúa Julio, como si estuviera haciendo el chiste de las dos noticias, una mala y otra peor— es que, a partir del cable de France Presse, han publicado una nota enorme en el *Miami Herald* que es mejor que ni leas. Y en otros periódicos de por ahí: Madrid, Puerto Rico...

De pronto me sorprendo recitándome a mí mismo ese verso de César Vallejo que dice: «Esta tarde en Lima llueve, y no tengo ganas de vivir, corazón». A ver si se entiende: que un escritor cubano que aún no se ha exiliado, y por tanto se debe al famoso «permiso de salida» temporal que otorga el Ministerio de Cultura, visite a Mario Vargas Llosa, ya es delicado. Pero que un periódico de Miami se dedique a divulgar la original noticia de que se han reunido ambos escritores, el grande Mario y el flaco Ronaldo, como dos viejas maledicentes, a criticar el régimen de Fidel Castro... En fin, creo que se entiende. En una misma línea no es conveniente que convivan mi nombre, el de Vargas Llosa y el de Fidel Castro. Una combinación nitroglicerínica para quien quiere volver a ver a sus padres.

—¿Y ahora? —le pregunto a Julio Villanueva. La verdad, no sé por qué se lo pregunto.

—He estado haciendo llamadas —me dice con cierto tono de optimismo, el mismo de quien le diría a un enfermo terminal que el corte de pelo le sienta estupendo— y he conseguido que la France Presse te haga un descargo, su editor es amigo. Pero ponen condiciones: cuando te llamen para el descargo, no puedes decir que France Presse ha tergiversado o se ha equivocado al decir que se reunieron para criticar al régimen de la isla. En fin...

—¡En fin no, compadre, este es el comienzo de mi infierno!

Puedo dar mi versión a la agencia France Presse y ellos la publicarán: que en casa de Vargas Llosa, mientras contábamos las olas, nos contábamos cosas sobre la vida en la isla y sobre los escritores cubanos, ni más ni menos. Y el prohombre de letras sentía nostalgia por no poder volver a la isla, pero seguro que no más de la que iba a sentir yo cuando el Ministerio de Cultura me retirara el permiso de salida para dejarme fuera. Con toda esta garúa sucia de Lima. Con el polvo que parece no acabar nunca. Con la Coca-Cola que cada vez me gusta menos. Con esos padres míos, viejos y solos, que se quedan en la otra orilla.

—¿Y con el *Miami Herald,* se puede hacer algo?

Julio cabecea negando; parece que se va a echar a llorar allí mismo.

—Ten —me alcanza el teléfono—, llama a La Habana, al Ministro de Cultura o a algún pez gordo que conozcas, que ya deben estar al tanto de todo. Explícales lo que en realidad pasó.

Le falta agregar: diles que ha sido una broma, como en la novela de Kundera.

Hice las llamadas necesarias a La Habana y también hablé con Luis Jaime Cisneros (hijo), que entonces era el director editorial de France Presse en Lima. Entre una llamada administrativa y otra hablé con mis padres. No para contarles el lío en que estaba metido y mis dudas de exilio, sino para que me diesen ganas de llorar con solo oírlos, por gusto. Y ahí pasó lo peor. Lo peor de ese día y de mi mundo, que entonces parecía desdibujarse. Como de pasada, mi madre me contó Aquello. Que una antigua amiga de la Lenin, Anabela, la había llamado, que necesitaba localizarme para informarme de Aquello. Habían pasado seis meses desde que Anabela, Rebeca y Montalbán decidieran encerrarse a cal y canto en la vieja casa del barrio de Buenavista. Antes de venir a Perú los visitaba al menos una vez por semana, porque me gustaba mirar a Anabela y alargar mi amistad con Montalbán. Y ahora, salido de un hueco oscuro de entendimiento, esta noticia, o sea, Aquello. ¿Cómo nombrar la nueva circunstancia, que no encajaba en ninguna lógica posible?

El cable de France Presse con mi descargo salió esa misma tarde, mientras Julio, con su tosecita nerviosa, me llevaba a andar por las calles de Barranco para que no pensara demasiado en el lío ni en Aquello que me había contado mi madre. Había convocado a varios amigos, gente del gremio y otros que eran alumnos míos de la Universidad de San Marcos.

Hicimos el recorrido habitual: empezamos en el bar La Noche con unos pisco *sour*, luego bajamos por el bulevar de Barranco hasta la plaza y nos metimos en El Juanito, donde todavía uno podía ver al señor Juanito y a sus hijos ponderando sobre música criolla o analizando el último partido entre Alianza Lima y Universitario Deportes. Rematamos la noche como mi primera tarde en Lima: con unos anticuchos, humitas y choclo, y cantidades navegables de cerveza.

Esa vez le pedí a Julio que, antes regresar a dormir a su casa, bajáramos a la Costa Verde a ver el mar opaco que lame la ciudad. Quería oler el agua, y recoger piedras peruanas y lanzarlas, sentirlas rebotando sobre la superficie de las olas como si flotaran. De niño me gustaba observar que las piedras, que pesan tanto y se hunden tan rápido, cuando van con velocidad pueden tocar el agua sin hundirse. Quería decirle a Julio y al resto de mis amigos: lo que se mueve se mantiene a flote. Pero no hacía falta, estábamos borrachos y solo queríamos lanzar guijarros. A ver quién da más botes.

Falsearía los hechos si intento ser enfático. La tormenta se disolvió como había empezado, con la levedad de la garúa y sin un solo trueno; al día siguiente volví a llamar a La Habana y en el Ministerio de Cultura me informaron de que no había ningún problema, todo estaba aclarado, podía regresar a la isla.

Julio, al que le encantan las paradojas, cuando me despidió en el aeropuerto Jorge Chávez riendo con su tosecita nerviosa, me dijo:

—Gracias a Vargas Llosa y al *Miami Herald*, has decidido no convertirte en un exiliado.

Sonaba bien, pero no era cierto. Me dio por pensar que los caminos están vivos y deciden por uno. No me exilié entonces porque mi madre me contó Aquello, de parte de Anabela: mi amigo Montalbán estaba en la cárcel, al parecer había matado a alguien.

Siempre he creído en la débil magia de que la realidad no suele coincidir con nuestras predicciones. Cuando me planteaba las alternativas de mi exilio y urdía las variables futuras de mi vida en Lima como un paréntesis abierto que no sabía cuándo iba cerrarse, no me fue posible prever la barbaridad definitiva que me haría regresar a la isla. Montalbán preso, Montalbán ha matado a alguien. Que la gente se muera es cosa suya, pero que lo hagan unos en perjuicio de otros pertenece al reino de la tragedia clásica o de las telenovelas mexicanas.

El viejo caserón de Montalbán en el barrio de Buenavista. ¿En qué exacto momento, a pesar del triunfo que implicaba para ellos haberse encerrado «fuera» de Cuba, empezó a torcerse todo?

Fue a causa del embarazo avanzado de Rebeca por lo que a Montalbán le dio por pensar en el doctor Pérez Solar, aquel viejo médico que cada día le martillaba en el recuerdo dejándole la sensación de que había sido injusto. «Intransigente», eso pensó Montalbán mirando al patio, arrebatado por la idea de que el hijo que iba a tener Rebeca, escondida en aquella casa-cuartel, de algún modo también era hijo suyo. Un hijo adquirido, íntimo, penitenciario. ¿No lo sabías, paterfamilias? La paternidad, aunque sea indirecta como la tuya, siempre implica la abuelidad. Y lo más cercano a un abuelo para tu no-hijo es aquel amigo y mentor que te enseñó tantas cosas. Esa tarde, Montalbán se dio cuenta de que hacía mucho tiempo que no tenía noticias del viejo médico, y le hizo ilusión explicarle que iba a ser padre de una rara manera, y que todos en aquella casa eran felices, y que aceptara sus disculpas de doctorcito revolucionario intransigente.

—Necesito que me hagas un gran favor —le dijo al día siguiente al guajiro Lombardo, el vecino de su confianza que de vez en cuando los visitaba.

—Dígame, doctor.

—Necesito que llames a este amigo mío y le digas de mi parte que nos haga una visita. —Y le dio el teléfono del doctor Pérez Solar apuntado en un papel.

Días después, Lombardo apareció con la pesadumbre de no haber podido cumplir: el viejo médico no contestaba el teléfono.

Como un rayo cruzó por la cabeza de Montalbán un mal presentimiento. Pegó su espalda a la pared fría. Las tripas flojas se encargaron de decírselo. Lo sabes perfectamente, doctorcito graduado con honores: el cuerpo siempre va un paso por delante del alma.

—Caramba, no tengo su dirección.

Hubo un silencio de callejón sin salida. ¿Habrían empezado a tomar medidas contra los médicos que revenden antibióticos de donación? Es la manera más fácil de localizarlo. Aunque arriesgada.

—Hazme el gran favor, ve al hospital oncológico del Vedado y pregunta por él: Armando Pérez Solar. Pero sé muy discreto, no me menciones...

Montalbán había imaginado muchas cosas, pero no que Lombardo regresaría tartamudeando. Fue verlo y pensar que el guajiro nunca había tartamudeado en su vida. La pared fría esta vez iba ganándole la espalda a Lombardo. Si ahora estaba estrujándose las manos y regurgitando un par de sílabas era porque algo muy gordo se traía entre sus manos vacías.

—Está muerto, doctor, se mató.

¿Por qué en Cuba lo dicen así? ¿Por qué en el vocabulario del cubano medio no existe la palabra *suicidio?* Suicidio es una palabra casi bella, con historia. Pero *matarse...* Tan ortogonal. No obstante, la palabra usada por Lombardo tenía una ventaja: no dejaba lugar a dudas. Era tan parecida a una chapuza de Dios que Montalbán abrió la boca para decirle algo, pero no llegó a pronunciar palabra. Se quedó quieto, con la boca abierta y las manos en los bolsillos. Entonces, mala suerte, sus ojos se posaron en Rebeca embarazada y empezó a llorar y vomitar al mismo tiempo.

En el hospital a Lombardo no le habían querido decir mucho. Más bien se dedicaron a interrogarlo acerca de su relación con Pérez Solar y luego una enfermera joven le dijo que el doctor había fallecido. Pero el guajiro estaba muy fastidiado por los interrogatorios y apretó el hombro de la enfermera mirándola no a los ojos, sino dentro de los ojos, y le pidió que le dijera de verdad qué había pasado. «Se mató, el doctor se mató hace un tiempo.» «¿Y por qué? ¿Y cómo?» La enfermera salió corriendo. Eso era todo.

Pero había más. Montalbán concluyó que su mentor se había suicidado por vergüenza. Y eso, por supuesto, lo avergonzaba. Su segundo sentimiento fue de rencor. Quiso pensar —no pudo no pensarlo— que Pérez Solar se había suicidado *contra él.* Ni siquiera contra la Revolución, sino contra los Julio César Montalbán que aún quedaban, incorruptible doctorcito. Y, después de ese día de rencor, sintió lo peor del mundo. Algo que no había podido representarse más que de una manera indirecta y leve a lo largo de su vida: lástima. Le daba una lástima de talla extralarga que alguien tan flaco y canoso y bueno se hubiera inyectado una sobredosis de algo, mezclado con analgésicos, para no volverse a despertar. En una cama opaca y solitaria. Sin haber tenido fuerzas para hacerle una última visita.

Formas aparte, lástima arriba y lástima abajo, al final todo se enquistó. Montalbán estaba enloquecido de tristeza, con los nervios de punta, tratando de resolver en su cabeza una contradicción que abarcaba su vida entera. No hacía más que darle vueltas: si su amigo se había ido deprimiendo hasta el punto de suicidarse en medio de la Revolución, la culpa era de la Revolución, y de gente como él que aún defendía la Revolución.

Pero una noche, en medio de una sudorosa sesión de llanto al final de la comida, Rebeca le dijo:

—Nadie se suicida por una sola cosa. Créeme, soy psicóloga.

Y aunque en ese momento aquello se le evaporó nada más surcar la oreja, una semana después Montalbán volvió a pensar en las palabras de Rebeca y quiso aceptar el horror para empezar a tranquilizarse.

Pero el horror todavía no había llegado.

Los dolores del parto empezaron una semana después, me contó Anabela.

No hay detalles. No hay una reconstrucción con tejemanejes clínicos que muestren a un Montalbán con su atuendo de médico que ya no ejerce, enfrentando el parto de Rebeca. Al principio todo iba bien, solo eso. Y cuando nació la niña, una abigarrada niña de cejas pelirrojas, todo se torció y poco después Rebeca dejó de respirar.

De modo que esto es la muerte. El muerto que se había ganado Montalbán. Homicidio involuntario. Y la ilegalidad de un parto clandestino.

—Hay que sacarlo de la cárcel, tienes que conseguir que todo se aclare y lo dejen en libertad, aunque ya nunca pueda ser médico —me dijo Anabela, morena y mojada de llanto, con sus apagados ojos azules.

Lo primero que pensé fue: qué mala suerte tiene casi todo el mundo en este país. Lo segundo: quiero irme de esta isla. Y luego: tengo que quedarme. No sabía por qué, pero tenía que quedarme un tiempo más, como si necesitara intentar algo, aunque sabía que era imposible que mi flaca influencia sacara a Montalbán de la cárcel. Es culpable, Anabela, seguro que él lo sabe. Y, como ella me miraba hundida, me fijé en una persiana de aquella cafetería de La Rampa, que alguien había subido hasta la mitad y, sin embargo, estaba inclinada a la derecha, asimétrica, y me dio por pensar que la persiana era la culpable de esa atmósfera de antro triste y destartalado.

—Vamos a verlo, vamos a visitarlo a la cárcel —me dijo Anabela, y creí atisbar un aleteo de luz en su rostro.

La visita a la prisión del Combinado del Este duró poco; de pronto era como si las palabras se hundieran antes de salir de la boca, o hubiesen perdido el atributo del sonido. Había considerado cinco años de condena, pero eran ocho. Y a Montalbán le parecía muy poco. Nos dijo que quería quedarse ahí y que si lo madaban fusilar le daba lo mismo.

—El primer problema de ser fusilado, Montal —le dije porque me desbordó una rabia del tamaño de la isla, contra la isla—, es que es un oprobio para el gobierno de este país.

—Pero esto no me vale como purgatorio, es poca cosa. —Rio sin ganas, como si se creyese en el deber de alegrarnos la tarde—. Aunque nunca se sabe, por lo pronto me cuido mucho de que el jabón no se me caiga al suelo mientras me ducho.

Nos reímos porque no nos quedaba más remedio.

—Busquen a la niña, consigan adoptar a la niña. —Lo dijo de golpe, enfático, observando sus chanclas sobre el suelo de cemento.

Que la realidad nunca coincidiera con mis previsiones era una cosa, pero que mi vida, tan de repente, comenzara a transcurrir como una línea paralela a una realidad punzante y sinuosa, que a cada paso insistía en enredarme, me dio vértigo. Y luego ganas de salir corriendo y no volver a ver la mirada azul de Anabela nunca más.

Cuando salimos de la prisión, la calle no era una calle a la hora del crepúsculo, sino un embudo donde lo único que volvió a resplandecer fue el rostro de Anabela. Entonces comprendí que aquel aleteo salido de su rostro mientras hablamos en la cafetería de La Rampa días antes era real. No era solo un brillo, era una idea hecha de cuarzo, cortante y definitiva. Que venía desde muy atrás. Y además de una roca de cuarzo era la cuerda de salvación que Anabela había empezado a tramar desde que llamó a mi madre para contarme Aquello.

—Cuando ocurrió —me dijo—, y antes de llamar a la policía, sumido en el *shock*, Montalbán solo pudo articular que desapareciera, que me alejara de aquella casa, así no me condenaban por cómplice. Nadie me relaciona con lo que pasó.

Intentar adoptar a la niña era un disparate, pero si se lo hacía ver a Anabela en ese instante iba a terminar otra vez ingresada en un hospital psiquiátrico. Así que mentí: Voy a hacer algunas averiguaciones, quizá sea posible. E intenté recordar algún momento de otros tiempos, de cuando estuve enamorado de ella en la Lenin, para que pareciese que mi sonrisa era cierta. Luego le daría largas, enredaría el asunto para que ella tuviese tiempo de salir a la superficie sin necesidad de una cuerda falsa.

Y funcionó, pero —una vez más— no como yo esperaba.

Una semana después Anabela se apareció en casa de mis padres a las ocho de la mañana. Y, desde que la vi atravesando el portal, supe que había algo, ese aleteo feliz en sus ojos, y me entró pánico. Me agarré con uñas y dientes a mi superstición: si lograba proyectar el porvenir, no se cumpliría.

—Quédate ahí —le dije.

Y me alejé unos pasos para que me diera tiempo de imaginar previsiones.

La imagen fue clara, corpórea: Anabela había averiguado el camino para intentar adoptar a la hija de Rebeca. Y acto seguido, sin dejar de mirar sus ojos de cuarzo, me representé la absurda posibilidad: Anabela adopta a la hija de sus dos grandes amores, Pedro y Rebeca. Que se llamaría Rebeca, como su madre, y tendría un hermoso pelo, rojo como una hoguera encendida, para ahuyentar los malos pensamientos. Una hija nacida de la desesperación por un país a la deriva. Y yo tendré un rol fundamental en la resolución. Entonces pude respirar tranquilo porque la realidad nunca coincide con una predicción tan delirante, que incluso pasa por encima de cuanta tragedia griega se ha escrito y se convierte en el mismísimo arquetipo platónico de una telenovela mexicana.

—He hablado con el abogado que defendió a Montalbán en el juicio, por algún lado tenía que empezar —comenzó diciéndome.

Si dentro de todo el horror hubo un grano de suerte, fue ese abogado de oficio que le asignó el Estado al doctor Julio César Montalbán: un revolucionario íntegro de la vieja escuela, como Pérez Solar. Que se había propuesto no abandonar el caso y, cuando el caso agotara sus posibilidades, no dejar a su cliente. Estaba convencido de que con buena conducta y trabajos sociales Montalbán podría acortar su condena, y era cuestión de días que aprobaran que el reo Montalbán prestara servicios médicos en la propia cárcel.

Las paradojas me persiguen, las pillo al vuelo: Montalbán se había encerrado en el caserón de Buenavista para no ejercer de médico nunca más, a pesar de que la Medicina abarcaba toda su vida. Y, ahora que lo encerraban en una cárcel, podía volver a ser médico. Doy fe: nunca va a ser feliz después de Rebeca, pero ejerciendo su profesión logrará aguantar cinco o cien años hasta salir. Y luego no tendrá más remedio que seguir viviendo. Imaginé una isla distinta, unas calles con tenderetes y hordas de turistas cuando Montalbán saliera, y yo esperándolo como cuando regresó de Angola: «Aquí estamos, hermano, todo el Establo, un poco más viejos, y

Anabela, que siempre va más despacio que el tiempo... Ya Fidel no es presidente, no se sabe si aún vive, es un rumor, lo siento, negro. Estados Unidos ya no es nuestro enemigo, otra vez lo siento, negro. No hay bloqueo». Y preguntarle, como lo hice con Angola: «¿Mataste a alguien en la cárcel?». Pero entonces me diría que no, que había salvado vidas. Y que la Revolución otra vez lo había salvado dejándolo ser médico después de lo que hizo...

—Vamos adentro.

Anabela llevaba una semana dando carreras por toda La Habana, tirando de recomendaciones, amigos del abogado, hundida en formularios, recabando antecedentes. Y, aunque parecía que aquello era imposible, su primera esperanza en firme ocurrió cuando le preguntaron qué vínculos tenía con la difunta madre. Al principio Anabela creyó que ahí acabaría todo: no era pariente, llevaba casi una década sin ver a Rebeca, no podía aducir que vivían juntos en la casa de Buenavista como un feliz matrimonio entre tres y menos aún que fue amante de Pedro, el marido y padre también muerto.

Imaginé ese instante en que todo lo que Anabela había hecho de manera feliz y libre, todo aquello que alguna vez pudo salvarla, se vuelve en su contra.

—Entonces lo vi claro —me dijo ya sentados en mi sala, con la nube de un café velándonos el rostro—, tengo que decir y demostrar la Verdad.

La única y gran verdad demostrable empezaba en la Lenin, a lo largo de cinco años en que todos vieron la íntima amistad, el uñaycarnismo, la piña con la corona más grande de la escuela, que fueron ella y Rebeca. Y luego la documentada expulsión, esa mácula en su expediente, de la que no se supo nunca quién estaba en la otra parte del delito. También era posible demostrar mediante cartas, notas entre ambas, testigos que sabían de las noches clandestinas, el amor que hubo entre Anabela y Rebeca. Era un amor pasamontañas, un amor adolescente coronando una amistad de internado, pero algo es algo, y para empezar solo pedían un vínculo que permitiese considerar la adopción. No era una razón demasiado administrativa, los papeles no conocen de esencias, pero su propia naturaleza la hacía fuerte e innegable.

—Solo hay un problema, hasta ahora insalvable —me dijo mientras hundía la yema del índice en el café tibio y luego se chupaba el dedo—. Y ahí entras tú.

Yo. Yo soy una línea. Toda mi vida he querido pensar que soy una línea. Pero por debajo de mí —ya se ha dicho— siempre transcurre una línea sinuosa como un electrocardiograma, un latido que me amenaza y tal vez me redime. Que la realidad empezara a coincidir con mis predicciones, de pronto, era un alivio.

—No se puede tramitar una adopción de estas características si no se está casada con alguien —hizo la obligada pausa— y tú tienes contactos en el Ministerio.

Enseguida respondí, no quise parecer que dudaba. Y pensé en la frase final de *Paradiso,* esa alucinante novela del gordo Lezama, que murió encerrado en su casa: «Ritmo hesicástico, podemos empezar».

ÍNDICE